THE MEDIAEVAL ACADEMY OF AMERICA
PUBLICATION No. 34

IOHANNIS SCOTTI

ANNOTATIONES IN MARCIANUM

IOHANNIS SCOTTI

ANNOTATIONES
IN
MARCIANUM

EDITED BY

CORA E. LUTZ

Wilson College

THE MEDIAEVAL ACADEMY OF AMERICA

CAMBRIDGE, MASSACHUSETTS

1939

KRAUS REPRINT CO.

New York

1970

The publication of this book was made possible by grants of funds to the Academy from the Carnegie Corporation of New York and the American Council of Learned Societies.

Reprinted with the permission of the original publisher
KRAUS REPRINT CO.
A U.S. Division of Kraus-Thomson Organization Limited

PREFACE

MEDIAEVALISTS have long felt the need for an edition of the only work of John the Scot which has hitherto remained unpublished, his commentary on the *De nuptiis Philologiae et Mercurii* of Martianus Capella. I first became interested in this problem while a student at the Yale Graduate School. There, under the guidance of Professor E. T. Silk, I made a study of the ninth-century commentaries on the seven liberal arts with especial reference to John the Scot, and presented it, together with a critical edition of four books of his commentary, as a dissertation for the doctor's degree. Since then, I have completed the text, and have incorporated, with some revision, the pertinent conclusions of the earlier study into the introduction to the present edition. I have taken the opportunity to suggest a few of the interesting problems which a consideration of the commentary has brought to my attention, although my main purpose has always been simply to make available this important treatise.

Constantly, during the course of my work, I have taken advantage of the knowledge and interest of Professor Silk. Professor Rand has been very kind in encouraging the project. The Bibliothèque Nationale gave generous permission to have the manuscript of the commentary photographed. The librarians of Yale University, Trinity College, and Wilson College have been gracious in cooperating with me in my research.

The publication of the edition has been most generously undertaken by the Mediaeval Academy of America with the assistance of the Carnegie Corporation of New York and the American Council of Learned Societies.

Cora E. Lutz

Chambersburg, Pennsylvania
20 September 1938

v

CONTENTS

vii

INTRODUCTION

I. History and Authorship

PREEMINENT among the Irish scholars who made important contributions to the intellectual life of Europe in the ninth century stands John the Scot. A long series of studies, from the early edition of the *De divisione naturae* made by Thomas Gale[1] down to the recent exhaustive treatment of Cappuyns,[2] have been successful in solving a great many of the problems connected with the life and writings of this great thinker. Yet until comparatively recently one of his works, a commentary on the *De nuptiis Philologiae et Mercurii* of Martianus Capella, was almost unknown.[3] It is this commentary, entitled *Annotationes in Marcianum* in the unique manuscript, which I have undertaken to edit.[4]

---

[1] Oxford, 1681.

[2] M. Cappuyns, *Jean Scot Érigène, sa vie, son oeuvre, sa pensée* (Louvain, 1933). This book contains a very complete bibliography of John the Scot.

[3] Some others of his philological works have suffered similar neglect. The commentaries on the *Opuscula sacra* of Boethius were first brought to light by Rand in 1906 ('Johannes Scottus,' *Quellen und Untersuchungen zur lateinischen Philologie des Mittelalters*, I). Since then, Cappuyns ('Le plus ancien commentaire des *Opuscula Sacra* et son origine,' *Recherches de Théologie ancienne et médiévale*, III [1931], 237–272) has made an impressive case for the identification of the work as that of Remigius, but Rand maintains his original position ('The Supposed Commentary of John the Scot on the *Opuscula Sacra* of Boethius,' *Révue Néoscolastique*, XXXVI [1934], 67–77). The question of the authorship of the *Excerpta Macrobii de differentia et societatibus Graeci Latinique verbi* is still being debated. Cf. P. G. Théry, 'Scot Érigène, Traducteur de Denys, '*Bulletin Du Cange*, VI (1931), 217–218; J. Sandys, *History of Classical Scholarship* (3rd ed., Cambridge, 1921), I, 495; H. Keil, *Grammatici Latini* (Leipzig, 1878), V, 595; L. Traube, 'O Roma Nobilis,' *Abhandlungen der königlich bayerischen Akademie der Wissenschaften, Philosophisch-philologische und historische Klasse*, XIX (1892), 355; M. R. James, *Cambridge Medieval History*, III, Ch. 20, p. 525; F. Vernet, *Dictionnaire de Théologie catholique* (Paris, 1913), V, 409. M. Mélandre ('Iepa ou Scot Erigène,' *Archives d'Histoire doctrinale et littéraire du moyen age*, VI [1931], 277–286) would make John the Scot the author of some glosses on the *Isagogae* of Porphyrius which are ascribed to the unidentified Iepa. Recently E. T. Silk has presented very convincing evidence to support the thesis that an important anonymous commentary on the *Consolatio Philosophiae* of Boethius is the work of John the Scot. Cf. *Saeculi noni auctoris in Boetii Consolationem Philosophiae commentarius, Papers and Monographs of the American Academy in Rome*, IX (1935), xxvii–l.

[4] There is no mention of John the Scot's commentary on Martianus Capella in any of the sources. The little information that has been preserved relevant to the subject serves only to indicate that it is not improbable that the Irish scholar should have written glosses on the *De nuptiis*. For instance, one sentence in a letter by an unknown student who calls himself A to his master E, written sometime between the years 862 and 875, vouches for John the Scot's pursuit of grammar. He says: 'Imitatote etiam ... qualiter cantetur apud vestrates in responsorio "Domine pater," et "animo" (vel "animae") "inreverenti et infrunito" (aut "infronito" sive "infrodito") antepenultimo acuto secundum doctrinam Iohannis Scotti' (E. Dümmler, 'Epistulae variorum inde a saeculo nono medio

The history of our knowledge of the commentary is very brief. It began in 1849, when Cardinal Pitra happened upon a manuscript of Martianus Capella with scholia. He was led to the conclusion that the glosses originated with John the Scot. H. Floss, editor of the monumental edition of 1853 of the works of John the Scot, expressed his opinion that an anonymous commentary in a Paris manuscript, *Bibliothèque Nationale, fonds lat., MS 12960* (which will hereafter be called *C* for *Corbeiensis*),[1] would bear investigation, since he suspected that the work could be identified as that of the Irish philosopher.[2] Quite unaware of Floss' acquaintance with the manuscript, but defiant of the judgment of earlier scholars that no commentary of John the Scot existed,[3] Hauréau made a thorough investigation of the subject. At last, in the Bibliothèque Nationale, in the same ninth-century manuscript, *C*, which had been referred to by Floss, he came upon the anonymous commentary on Martianus Capella, and immediately set out to prove it the work of John the Scot.[4] At that time a superficial study had been made of some three or four copies of a Martianus commentary written by a young contemporary of the Irishman, Remigius of Auxerre. From these glosses, which seem to be little more than an amplified copy of the older commentary, Hauréau derived three proofs for the identity of John the Scot's commentary. On folio 27ʳ of *B.N.lat. 8674* of the Remigius commentary he found the gloss:[5] 'HEUS vocantis adverbium est. Joannes Scotus HEUS UBI ES resolvebat.' On folio 69ᵛ of the anonymous commen-

---

usque ad mortem Karoli II imperatoris collectae,' *Monumenta Germaniae Historica, Epistulae,* vi, 184). In a record of the bishops of Auxerre, given in *Gallia Christiana,* one finds the following entry in the account of Wibaudus, bishop in the year 879: 'Nobilissimus parentibus Leutfrido atque Doda in civitate Cameracensi satus Wibaudus, adhuc juvenis Johanni Scoto, per Gallias magistro quam famosissimo, traditus est erudiendus, sub quo divinis aeque ac humanis disciplinis apprime fuit informatus' (D. de Sainte-Marthe, *Gallia Christiana,* xii, 277, 278). Of far greater significance, however, is a charge made against John the Scot by Prudentius, bishop of Troyes, in the course of his great denunciation of the treatise *De praedestinatione.* Instead of following the Scriptures and the Fathers, the Irishman, Prudentius maintains, made himself adept in the wiles of the rhetoricians and at last became inextricably enmeshed in the labyrinth of error through Martianus Capella: 'Nam ille tuus Capella, exceptis aliis, vel maxime te in hunc labyrinthum induxisse creditur, cujus meditatione magis quam veritati evangelicae animum appulisti. Quin etiam cum legeres beati Augustini libros, quos *De Civitate Dei* adversus paganorum fallacissimas falsissimasque opiniones mirabili affluentia digessit, invenisti eum posuisse ac destruxisse quaedam ex libris Varronis, quibus, quoniam Capellae tuo consona videbantur, potius assentiri quam veridici Augustini allegationibus fidem adhibere delegisti' (J. Migne, *Patrologia Latina,* cxv, 1294).

[1] The history of this ninth-century manuscript, originally from Corbie, is given below.

[2] Cf. Migne, *P. L.,* cxxii, xviii, xix.

[3] E.g., J. Fabricius, *Bibliotheca Latina mediae et infimae aetatis,* iv, 407: 'Omitto tanquam incerta vel alii tribuenda Joanni—Commentarios in Martianum Capellam.'

[4] B. Hauréau, 'Commentaire de Jean Scot Érigène sur Martianus Capella,' *Notices et Extraits des manuscrits de la Bibliothèque Impériale,* xx, 2 (1862), 1–39.

[5] *Martianus Capella,* ed. A. Dick (Leipzig, 1925), 58, 21.

tary in *C* he found the following gloss: 'HEUS ubi es, adverbium loci.' On folio 32ᵛ of the Remigius work a passage explaining an obscure sentence of Martianus[1] reads:

> Locus iste corruptus scriptorum vitio, et ideo a nonnullis prave exposi-
> tus. Joannes Scotus ita sentit: Ipsa quidem Venus admodum pulchra
> erat, tamen *antias*, id est *contraria*, videbatur ipsi Philologiae.

C has the simple gloss, 'ANTIAS contraria.' A third gloss of Remigius, on folio 33ᵛ, is this:[2] 'Joannes Scotus Attin puerum vel impetum, sive proximum interpretatur.' The exact words which Remigius quotes are to be found on folio 71ᵛ of *C*: 'ATTI puer interpretatur, impetus vel proximus.' It is interesting to note that when Remigius felt that his information was not absolutely sound he sought protection in quotations from the great teacher John the Scot.

Hauréau's evidence completely convinced Manitius[3] and Rand[4] that the commentary on Martianus Capella in *C* was the work of the Irishman. From the same two manuscripts which Hauréau compared, Rand found three more instances of the same kind of evidence. The gloss on 'oppressione'[5] in *Paris 8674* is 'Quidam oppressione, id est labore accipiunt, sicut Iohannes Scotus,' and its source in *C* reads: 'Hoc ait quia divitiae absque oppressione, hoc est labore, non adquiruntur.' Commenting on 'octo et sexcento,'[6] Remigius remarks (folio 34), 'Cui conformat trina littera. Sic enim Macrobius. Iohannes vero solem vocari dicit H Y C, id est dominum deum, in quo idem numerus reperitur. H. viii. Y. cccc. C. cc. faciens simul DC et viii.' John the Scot (folio 72ʳ) has 'H Y C H octo, Y cccc, C cc.' The lemma 'QUIS INTER EOS'[7] Remigius glosses (folio 18) thus:

> QUIS INTER EOS id est praedictos; esset, id est melior vel pulchrior aut
> fortior. Iohannes vero Scotus ad superiora iungit et quis pro qualis
> accepit.

The words of John the Scot occur on folio 65ᵛ of *C*:

> QUIS pro qualis, ac si diceret: SUBLIMIS IUNO CERNEBAT hoc est
> mirabatur qualis esset Hercules, deinde subiungit INTER EOS filios
> videlicet.

---

[1] *Martianus Capella* (Dick), 72, 16.
[2] *Ibid.*, 74, 12.
[3] *Geschichte der lateinischen Literatur des Mittelalters* (Munich, 1911), I, 335.
[4] *Quellen und Untersuchungen*, I, 81.
[5] *Martianus Capella* (Dick), 36, 2.
[6] *Ibid.*, 74, 16.
[7] *Ibid.*, 36, 17. This reading has been rejected by Dick.

An entry in the old twelfth-century catalogue of the library at Corbie where *C* was once kept reads, 'Martiani expositio a Iohanne Scoto excerpta.'[1] This constitutes the only piece of external evidence we have for the authorship of the commentary.

John the Scot's commentary on Martianus Capella exists in only one manuscript, *C*. Two other manuscripts (*Berlin Meerm. 179* [*Phill. 1817*] and *Leidensis 167*),[2] which have long been regarded as copies of the same treatise, are now recognized as the work of Remigius of Auxerre.[3] The codex which contains the unique example of the commentary is a large volume bearing on the first folio the press-mark of the library at Corbie, 'Liber Sancti Petri Corbeie.' A later hand marked it as the property of the library at St Germain-des-Prés, 'olim 589. N. 1110.'[4] It is written in single columns (except for folios 25^r–38^v, which have two columns), and seems to be the work of several hands of the ninth century. The contents are varied:

1^r–24^v Boethius' commentary on Aristotle's Περὶ Ἑρμηνείας. This is incomplete, comprising only Book I and part of Book II.

25^r–30^v Anonymous glosses on Martianus Capella. The work has been ascribed to Dunchad. The glosses cover only the *De dialectica* and the beginning of the *De rhetorica*.

31^r–38^v John the Scot's *De divisione naturae*. Incomplete.

39^r–46^v Remigius' commentary on Martianus Capella. Incomplete.

47^r–115^v Anonymous commentary on Martianus Capella, shown to be the work of John the Scot.[5]

116^r–125^v Fragment of a grammatical treatise of Priscian.

---

[1] Cf. J. Merkel, 'Catalogus librorum in biblioteca Corbeiensi,' *Serapeum*, II (1841), 107.

[2] Both codices attribute the treatise to John the Scot. On the first, there is the inscription: 'Iohannis Scoti Expositio in Martianum Capellam'; also 'Incipit Martiani a Iohanne Scotto Cepta,' and 'Finit Expositio Martiani Felicis Capelli a Iohanne Edita Scoto.' The second bears the *incipit*: 'Expositio Martiani a Iohanne Scotto Excerpta.'

[3] M. Cappuyns, *Jean Scot Érigène*, 75, 'Les recherches dans les bibliothèques n'ont pas réussi jusqu'ici à exhumer un meilleur exemplaire.'

[4] A supplementary annotation, 'Ex Libris S. Petri Corbeiensis' corresponds exactly to the inscriptions on some of the old Corbie manuscripts now in Leningrad which Mlle. Dobias̆-Rozhdestvenskaïa (*Codices Corbeienses Leninopolitani* [Leningrad, 1934], 34) believes were so labelled in 1638, immediately before the Corbie manuscripts were taken to the St Germain-des-Prés library, or possibly just after their arrival in Paris.

[5] Concerning this section Hauréau raises the question, 'Notre manuscrit est-il donc autographe?' (*Notices et Extraits*, xx, 2 [1862], 8). Leaving this manuscript out of consideration entirely, Traube made a study of the various hands of the codices of John the Scot's philosophical works. Shortly after Traube's death, Rand published the results of the investigation ('Autographa des Iohannes Scottus,' *Abhandl. d. königl. Akad. d. Wissensch., Philos.-philol. u. hist. Klasse*, xxvi, 1 [1912], 1–12), with the conviction that certain marginal notes and amplifications were written in John the Scot's own hand. However, further independent study led Rand to the conclusion that Traube's specimens were not in the philosopher's hand, and that the autograph of John the Scot was yet to be

Aside from the sections of the fourth book published by Hauréau when he discovered the manuscript in 1862, and selected glosses from the first three books printed by Manitius in *Didaskaleion* in 1912 and 1913, the commentary has never been published.[1]

As an introduction to the text of the commentary,[2] brief consideration has been given to the following points: Content, Sources, Style, Description of the Manuscript, The Present Edition.

---

found (*University of California Publications in Classical Philology*, v [1920], 135–141). More recently Mélandre has asked if the hand of John is not to be seen in certain glosses on the *Isagogae* of Porphyrius ('Iepa ou Scot Erigène,' *Archives d'Histoire doctrinale et littéraire du moyen age*, VI [1931], 286.) It would be a great sentimental satisfaction if one could prove that *C* contained the actual autograph. Unfortunately all evidence seems to discount such a theory. There are, for instance, scores of errors which could have come only from a copyist.

[1] Cf. E. K. Rand, *Quellen und Untersuchungen*, I, 11, 'Sonderbar ist es, dass . . . niemand den Rest dieser höchst interessanten Schrift bekannt gemacht hat'; M. Manitius, *Gesch. der. lat. Lit. des Mittelalters*, I, 336, 'Eine Ausgabe ist dringendes Bedürfnis'; B. Hauréau, *op. cit.*, 7, 'Un commentaire de Jean Scot sur un traité qui a pour objet principal la définition des sept arts libéraux ne peut manquer d'intéresser tous les érudits. Tout le monde doit être, en effet, désireux d'apprendre quelles étaient les opinions professées à l'école du palais, sous le règne de Charles le Chauve, tant sur la grammaire que sur la rhétorique, la musique, la géometrie, par cet homme vraiment extraordinaire, qui parut alors dans les Gaules, apportant avec lui, des rives lointaines de l'Irlande, un si grand fonds de connaissances et de superstitions alexandrines'; H. Liebeschütz, *Fulgentius Metaforalis* (Leipzig, 1926), 15, 'Eine Quellenanalyse des Johannes würde uns wohl auch in der noch ungelösten Frage der Vorgänger des Fulgentius fördern und darüber hinaus vielleicht auch das Problem des Verhältnisses der stoischen Götterallegorie zu den religiösen Bewegungen des späten Heidentums klären'; L. Traube, *Neues Archiv der Gesellschaft für ältere deutsche Geschichtskunde*, XVIII (1893), 104, 'Eine gründliche Textgeschichte des Martianus Capella wäre eine sehr dankbare Aufgabe, und die Commentare ermöglichen hier manchen Schritt, der anderwärts unmöglich ist.'

[2] The following is a list of articles representing the sum of the investigation already made on the commentary:

B. Hauréau, 'Commentaire de Jean Scot Érigène sur Martianus Capella,' *Notices et Extraits des manuscrits de la Bibliothèque Impériale*, xx, 2 (1862), 1–39.
  Establishment of the identity of the commentary. Description of the manuscript *C*. Transcript of most of the glosses on Book IV.

M. Manitius, 'Zu Dunchad und Johannes Scottus,' *Neues Archiv der Gesellschaft für ältere deutsche Geschichtskunde*, xxxvi (1911), 57–60.
  Five parallel passages in Dunchad and John the Scot, and three parallel passages in Remigius and John the Scot. Transcription of folio 47ʳ of *C*.
  Geschichte der lateinischen Literatur des Mittelalters (Munich, 1911), I, 335–339.
  General discussion of the commentary.
  'Zu Dunchads und Johannes Scottus' Martiankommentar,' *Didaskaleion*, I (1912), 157–172.
  Transcription of part of Book I.
  Didaskaleion, II (1913), 43–62.
  Transcription of selected glosses from Book II and Book III.

M. Mélandre, 'Iepa ou Scot Erigène,' *Archives d'Histoire doctrinale et littéraire du moyen age*, VI (1931), 277–286.
  Use of a few glosses,

E. K. Rand, 'Die Glossen des Johannes zum Martianus Capella,' *Quellen und Untersuchungen zur lateinischen Philologie des Mittelalters*, I (1906), 81–82.
  Several more quotations from Remigius to confirm Hauréau's proof that John the Scot was the author of the commentary.

2. CONTENT

In general, John the Scot's *Annotationes in Marcianum* follow the usual impersonal and abbreviated style of mediaeval commentaries. Certainly a large part of his work consists of lemmata with simple glosses.[1] Yet the notes are not solely lexicographical. I suggest a few types of supplementary material which are used widely throughout the commentary. There is, for example, some attempt at emendation.[2] 'MISIT promittit debet esse' (86, 2), 'OSUS pro usus' (48, 8), 'LEUZOS pro λευκός' (61, 14), 'ΑΠΟ ΤΗΣ ΣΤΖΥΓΙΑΣ male scribunt qui per n scribunt' (279, 11) suggest a critical examination of the text. In some cases variant readings are cited: 'ACTORES In quibusdam libris invenitur ACTONES, id est histriones' (271, 14); 'ACCUSARE id est exercitus imperatorem accusat. In aliis invenitur ACCUSARI, id est ab exercitu' (232, 21); 'NEGOSOR negotiator, velut in aliis NECOSOS' (285, 2); 'AFFATUM id est consilium. In quibusdam libris AFFATU, id est a consilio' (287, 17); 'FENERATIONIS id est usuras nolunt, velut in quibusdam habetur FUNERATIONES, id est nesciunt plorare mortuos suos vel funera facere' (346, 4).

When the difficulty seemed to lie in the intricacies of Martianus Capella's sentences, the commentator endeavored to simplify matters by suggesting a rearrangement of words. Examples of this occur frequently. For 119, 6, for instance, one finds: 'Ordo verborum: Quod possunt verba facere per se, haec et nomina, ut procuro et expugno'; and again, for 286, 19, 'DEPRAECOR Istos duos versus prius debes construere et postea a capite inchoare.' Paraphrases, almost inevitably introduced by 'ac si dixisset,' are common:

> SCOLARIUM ac si dixisset: Ego Rhethorica quae fui famosissima et magistra et que accusabam et defendebam multos pro arbitrio meo, nunc mihi verecundiae est dicere initia meae artis, sed tamen quia vobis diis obedire praetium est inmortalitatis, dicam vel primora, id est summa. (215, 7).

The continuity of the story is constantly borne in mind. At points where the reader might slip over an important change of action or scene, he is reminded of the transition, as, for example, 'HAEC DICENTE Hactenus suasio Mercurii qua sibi suum fratrem conciliet, deinde Virtutis sequitur consilium' (18, 11).

Hints and suggestions as to interpretation are to be found in abun-

---

[1] These may be synonyms, definitions, identifications, or etymologies.

[2] Although this is of common occurrence in John the Scot's works, it is quite unusual in other writers of the ninth century, with the exception of Lupus of Ferrières. Cf. M. L. W. Laistner, *Thought and Letters in Western Europe* (London, 1931), 205–211.

dance. An attempt is made to communicate the meaning behind
Martianus' elaborate allegory: 'PARCAS autem intellige insolubiles
diversarum qualitatum necessitates' (5, 16); 'GEMMAS inventiones
pulcherrimas dicit artis rhethorice' (212, 21). Also:

> SILVANUS in figura omnium rusticorum vel reorum ponitur, propterea
> sicuti stultus et reus timent sapientiam rhethoris et contradicere ei
> volunt, sed tamen arma non habent cum quibus resistere veritati
> possint, sic Silvanus surrexit contra Rhethoricam quia timebat eam
> et querebat arma quibus se defenderet et non invenit. (211, 2).
> Terret enim sapientia stultos atque stupefactos eos facit. Medusa
> ponitur in figura stultitiae, ideo Minerva dicitur eam interfecisse
> quoniam vero stulti prudentiam sapientum audientes stupefacti fiunt,
> ideo finguntur veluti in saxa moveri. (286, 10).

The spirit in which Martianus' words are to be taken is sometimes
suggested: 'CREDO per yroniam hoc Marcianus dicit deridendo Iovem'
(292, 11); 'SUB ABOLITIONE id est sub vastatione patriae. Fortiter
hyronia est' (235, 14). The reader is warned of misleading rhetorical
devices:

> PUTAMUS NEFAS EST. Ne mireris Mercurium praesente Apolline
> quasi ad tertiam personam sermonem dirigere. Est enim rethorica
> dicendi forma que transitus personarum vocatur, dum prima persona
> ad secundam veluti ad tertiam sermones dirigit, seu ad tertiam veluti
> ad secundam. (17, 24).

An effort is made to help the reader evaluate the ideas of Martianus:
'Quid itaque mirum si iste Martianus dum sit omnino Platonicus de
situ planetarum documenta edisserit?' (13, 23). John the Scot often
departed from the impersonal style of the commentator:

> INTEREA et reliqua. Poetica deliramenta sunt de transfiguratione
> Mercurii in stellam et Phoebi in solem augurialumque volucrum
> ipsius in equos, quapropter quoniam falsa sunt nulla indigent explana-
> tione. (20, 6).

The meters of the poetic interludes are usually identified and sometimes analyzed. The verses beginning 'Expleta cursim syllabarum
pagina est' (114, 8) are simply named 'iambicum senarium.' A passage
in iambic dimeter catalectic (364, 4) is explained:

> Iambicum dimetrum catalecticum, id est syllaba manens post dic-
> tionem.[1] Recipit anapestum et spondeum et se ipsum in capite.

---

[1] This notion of the meaning of catalectic is found elsewhere. The gloss on 55,4 reads: 'Metrum catalecticum; κατά post, λέξις dictio, id est ubi remanet syllaba post pedem.'

In the course of his comments on Martianus Capella, either in legiti-
mate discussions or in digressions, John the Scot has furnished a great
deal of information upon a wide variety of subjects. It does not lie
within the scope of the present treatment to analyze or catalogue this
material.[1] However, in view of the fact that John the Scot's fame rests
upon his unique philosophic system, it has seemed advisable to consider
a few passages in his commentary which involve an expression of his
personal convictions on controversial questions of philosophy and
religion.

Although the commentator is naturally preoccupied with philosophy
and is working with an author of the Neoplatonic school, his frequent
and varied expressions of opinion are not complete enough to lend themselves to strict classification. Their value lies in the fact that they often
anticipate or corroborate the ideas set forth in the later works. The
bold statement: 'Nemo intrat in celum nisi per philosophiam' (57, 15)
is noteworthy. Standing unqualified as it does, it seems to go somewhat
beyond the implications of the famous formula expressed in the *De
praedestinatione*,[2] 'Veram esse philosophiam veram religionem, con-
versimque veram religionem esse veram philosophiam.' A group of
isolated comments on *sapientia* as the *studium rationis* emphasize this
exaltation of philosophy. There is a general statement:

> Omnes disciplinas quibus sophia, hoc est sapientia, et inquiritur et
> invenitur rationabile studium et repperit et ordinavit. (17, 7).

By *ratio* the mind can comprehend cosmological laws:

> Studium quippe rationis omnem caelestium corporum motum praecedit
> tociusque mundi globum altitudine raciocinacionis comprehendit.
> (40, 11).

All the truth which is given to mortals to discover comes through the
channel of *ratio*:

> Omne siquidem quod ex divinis legibus de cognitione veritatis humano
> conceditur intellectui per rationis medietatem veluti auratis quibusdam
> compedibus, hoc est sapientiae studiis, memoriae infigitur atque cus-
> toditur. (8, 17).

---

[1] Hauréau (*Notices et Extraits*, xx, 2 [1862], 9-39) has made a very important study of the material on dialectic found in the commentary.
[2] 1, 1 (Migne, *P. L.*, cxxii, 358).

Virtue, on a higher level perhaps than ordinary knowledge, exists only through *ratio*:

> Rationis studium a virtute neque virtus rationis studium segregari potest, quippe sibi invicem connexim semper adiunguntur. (17, 5).

If carried to its logical conclusion, such a line of reasoning would make the soul deprived of *ratio* a stupid and worthless thing, without merit of immortality. John the Scot solves the problem in this way:

> (Martianus) shows clearly that the study of philosophy makes the soul immortal and if anyone should say to this that stupid souls are without experience of the pursuit of wisdom, and are consequently mortal, one must answer that all the arts which the rational soul employs are naturally present in all men whether they make good use of them, whether they badly misuse them, or whether they are completely without the practice of these arts, and that for this reason every human soul is made immortal by the pursuit of wisdom which is inherent in itself. (17, 12).

Remarks upon the soul inevitably lead John the Scot to concepts that belong more properly to Christian theology than to philosophy. The existence of free will, for example, is taken absolutely for granted.[1] I quote one instance:[2]

> Virtus quippe recognitione originis suae qua ad imaginem et similitudinem creatoris sui condita est, seu liberi arbitrii notitia, quo velut maximo dono et nobilitatis suae indicio prae ceteris animalibus ditata est, rationabili nature ex divinis thesauris concessa est atque donata. (8, 1).

Again, he is orthodox upon the subject of original sin:

> In qua virtute dico veluti in quodam speculo clarissimo lumine renidenti dignitatem naturae suae et primordialem fontem humana anima, quamvis adhuc merito originalis peccati ignorantiae nebulis circumfusa, perspicit— (8, 1).[3]

---

[1] A necessary postulate to the system propounded in the *De divisione naturae* is the freedom of the will by which the soul is permitted to make its choice between obedience to divine law and consequent elevation on the one hand and transgression of the law with attendant degradation on the other. John's theory of the source of evil would not stand otherwise. Cf. Migne, *P. L.*, cxxii, 944.

[2] Cf. also 8, 16.

[3] Cf. also 8, 8. Cf. *Commentarius in Evangelium secundum Joannem* (Migne, *P. L.*, cxxii, 310).

There is an enthusiastic repudiation of the idea of physical rewards or punishment after death:[1]

> Poetica deliramenta sunt, falsis opinionibus plena, et tamen opinione veluti quadam rationabili qui talia fingunt fulciri existimantur, qua fata miserrimeque anime quae ab eis post mortem corporis vexantur intra ambitum huius mundi in planetarum circulis veluti in quibusdam fluminibus vel puniri vel purgari et semper in eis detineri merito male vivendi seu ab eis liberari merito bene vivendi per corpus mendacissime putant. (13, 1).

Of far greater significance is a reference to a revolutionary theory on the subject of cosmology expressed in the commentary. Duhem, in his treatise *Le Système du monde*, in the section devoted to the influence of Heraclides Ponticus in the Middle Ages, points out[2] that in opposition to Pliny the Elder and Ptolemy, who were followed by Isidore and Bede in early mediaeval times, Vitruvius,[3] Macrobius,[4] Chalcidius,[5] and Martianus Capella[6] adopted the theory of Heraclides, who held that the earth is the center of the universe around which the moon, stars, sun, and planets revolve, but that Venus and Mercury describe courses around the sun. On more than one occasion, John the Scot has endorsed the part of the system which refers to the course of Mercury and Venus around the sun, as for instance:

> Potest etiam intelligi quod ait QUIBUSDAM RIVULIS INTERMIXTIS de Veneris atque Mercurii circulis qui aliquando altius ascendentes ita ut supra solem discurrere videantur, iterumque descendentes ad inferiora orbitas suas concursus luminum instar solari tramiti intermiscent. (12, 9).[7]

Yet in one important passage, he seems unconsciously to go far beyond his Neoplatonic authorities and to imply in substance the theory which he later propounded in his *De divisione naturae*.[8] In essentials, this theory represents the four planets Mercury, Venus, Mars, and Jupiter as revolving around the sun, which is midway between the earth and the sphere of the fixed stars. The passage in question occurs in the course

---

[1] This theory is elaborated in the *De divisione naturae* (Migne, *P. L.*, cxxii, 954–955).
[2] P. Duhem, *Le Système du monde* (Paris, 1915), iii, 44–162.
[3] *De architectura*, ix, 1, 6.
[4] *Comment. in Somn. Scip.*, i, 19.
[5] *Comment. in Timaeum*, cviii, cix.
[6] *De nuptiis*, 449, 26.
[7] Cf. also 9, 6.
[8] Migne, *P. L.*, cxxii, 697–698; 719–723; H. Bett, *Johannes Scotus Erigena* (Cambridge, 1925), 49; M. L. W. Laistner, *Thought and Letters in Western Europe*, 174–175.

of the commentator's explanation of why Virtus and Mercury, in the allegory of the *De nuptiis*, in making their way through celestial space to the sun would pass the planets Mercury and Venus, and then in going beyond the sun would see the two planets again. He says:

> Non inmerito queritur qua ratione Virtus cum Mercurio planetarum circulos quaerentes Apollinem transcendere dicuntur, eumque ultra omnes planetas invenire et iterum reperto Apolline, illos tres Apollinem dico, Mercurium et Virtutem eosdem circulos consultum Iovis flagitantes transvolasse, sed ad hoc dicendum est ceterarum planetarum circulos circa solem esse, ac per hoc centrum in ipso ponere sicut Calcidius in expositione *Timei* Platonis exponit. (13, 23).

Here John the Scot is misrepresenting Chalcidius, who nowhere inferred that the sun was the center of the system and that the planets revolved around it.[1] He continues and enlarges upon the idea, leaving no doubt as to his meaning:

> Ipse siquidem Plato planetarum omnium centrum in sole ponit, ita ut sub sole sint integri et supra solem. Quid itaque mirum si iste Martianus dum sit omnino Platonicus de situ planetarum documenta edisserit? Ac per hoc bis necesse erat Virtuti cum Mercurio planetarum circulos transire, primum quidem dum sunt infra solem, secundo vero adiuncto ipso Apolline dum sunt supra.

Furthermore he refutes definitely the idea that the earth is the center of the planetary system:

> Nom enim Platonici circulum Saturni Iovis Martis nec non et lunae ambire terram, sed solummodo <Saturnum> terram ambire perhibebant.

The importance of the presence of these ideas in the commentary on Martianus lies in the fact that John the Scot is anticipating his later theory, a theory for which he stands alone, far in advance of his contemporaries.

On another controversial point, the question of the antipodes, there

---

[1] Duhem (*op. cit.*, 61) noticed that John the Scot attributed this same theory to Plato in the *De divisione naturae*, III, 27 (Migne, *P. L.*, CXXII, 698): 'Planetae vero, qui circa eum volvuntur, mutant colores secundum qualitatem spatiorum in quibus discurrunt, Iovem dico et Martem, Venerem et Mercurium, quae semper circulos suos circa solem peragunt sicut Plato in *Timaeo* edocet.'

is a clear statement in the commentary. There is no doubt about their existence:[1]

> ANTIPODES vero qui contra nos sub terra. ANTIΧΘΟΝΕΣ dicuntur qui contrariam terre partem possident. Ergo IIII sunt, id est nos et nostri antipodes et ἀντοῖκοι et ἀντίχθονες. (298, 21).

It is evident that a great deal of the material found in the commentary is related to the other works of John the Scot. In confirming and supplementing some of his ideas expressed elsewhere, it makes a definite contribution to our knowledge of the thought of that great teacher.[2]

3. SOURCES

There is evidence for believing that the Irish scholar was not breaking new ground in undertaking to compile glosses for Martianus Capella, but that there was an earlier commentary to which he had access, and which must have been of some assistance. It is held that the commentary of Dunchad, now extant in incomplete form, was somewhat earlier.[3] Manitius maintained the theory that either John the Scot used Dunchad's work, or more probably that both availed themselves of another, older commentary.[4] Laistner made an attractive conjecture that the early prototype, now lost, may have been the work of the Irish contemporary of John the Scot, the teacher Martin of Laon.[5] He based his inference on those glosses of John the Scot which were published by Manitius, on a *Scholica Graecarum glossarum* of Martin of Laon[6] which contains glosses of words found in Martianus, reminiscent of John's, and on the fact that in the Remigius commentary (in *C*) certain glosses which do not appear to have been derived from Remigius' chief source, John the Scot, are prefaced by the letter G or M, which might stand for Martin. As Laistner suggests, more investigation must be made before the theory can be completely substantiated.

---

[1] This is the subject which brought Virgilius of Salzburg into conflict with St Boniface and to trial for heresy. Cf. H. Krabbo, 'Bischof Virgil von Salzburg und seine kosmologischen Ideen,' *Mitteilungen des Instituts für Österreichische Geschichtsforschung*, xxiv (1903), 1–28; also M. L. W. Laistner, *Thought and Letters in Western Europe*, 145–146.

[2] These few remarks do not by any means exhaust the material which John presents. No attempt has been made to call attention to parallels in his other works.

[3] There is a discussion of Dunchad in Appendix III.

[4] Cf. *Gesch. der lat. Lit. des Mittelalters*, I, 336–337.

[5] Cf. 'Martianus Capella and his Ninth Century Commentators,' *Bulletin of the John Rylands Library*, IX (1925), 137–138.

[6] Cf. 'Notes on Greek from the Lectures of a Ninth Century Monastery Teacher,' *op. cit.*, VII (1923), 421–456.

At all events, several references in the text make it seem plausible that John the Scot had before him an older commentary. The gloss on the corrupt 'LEUZOS' (61, 14) reads, 'pro λευκός, albula herba. Dicunt quidam quod lilium sit.' It does not appear possible to establish the identity of 'quidam.' It does not seem logical to imagine that John found the meaningless 'leuzos' defined as 'lilium' in any glossary. It is not unthinkable that in an earlier commentary the corrupt form, which the context of Martianus made clear was the name of some plant, was glossed 'lilium.' A case similar to that occurs with regard to the word 'Velatam' (269, 8):

> VELATAM NUBENTEM Quidam dicunt ut proprium nomen sit Velata homicidae, alii dicunt Velatam proprium nomen feminae quae nupsit flammeo marito suo, alii dicunt Velatam nonnam.[1]

At 48, 2 Dick has the reading 'boe < the > matum.' John the Scot comments 'BOEMATUM auxiliorum.' Here perhaps the commentator was taking a gloss from an early commentary based on a better codex. Manitius has called attention to what he believes to be a bit of evidence for the same thing. He cites a gloss in which he thinks that John the Scot is expressing disagreement with the older work:

> ASOMATO incorporeo, non nudo......... Simplex artium explanacio sine ullo ornamento rhethorum, vel et poematum corpus nudum dicitur. Si vero artes explanentur cum ornamentis rhethorum verborum et facundiae poematum, incorporeae dicuntur esse quia nihil simplicitatis in eis apparet. (82, 2).

To how great an extent John the Scot utilized an earlier commentary other than Dunchad's, it is impossible to say. For a large amount of the material in the glosses, his source was Martianus Capella himself. Oddly enough, most of his own ideas and valuable citations on questions of philosophy and cosmology occur in the course of his comments on the first two books, which form the introduction to the discussion of the liberal arts. In connection with the other books he frequently merely rearranges or restates the material presented by the author and confines himself to glosses in the nature of definitions, etymologies, and identifications. Thus there is a minimum of information added on certain subjects, particularly on arithmetic,[2] grammar,[3] and music.[4]

---

[1] The citation of three opinions on a single word helps to confuse the issue. It almost obliges one to consider the possibility of the existence of more than one earlier commentary.

[2] There are no real contributions in the glosses on *De arithmetica*. Aside from Euclid's *Elements*, Nicomachus of Gerasa's treatise (perhaps in the translation of Apuleius) had formed the basis of

Of the material for which definite sources can be determined, an important part fortunately consists of statements relating to John's philosophical and cosmological system. The Neoplatonic metaphysics expounded by Chalcidius in the *Commentary on the Timaeus of Plato*[1] and by Macrobius in the *Commentary on the Dream of Scipio*[2] furnish a working basis for his ideas on the soul and its extension into the world soul. Both Macrobius[3] and Chalcidius[4] again, and Pliny[5] are the ultimate sources of some of his theories on the distribution of the planets and the mechanics of celestial harmony. Two exclusively astronomical

---

Martianus Capella's work. Since it, again, was the source of the works of Cassiodorus, Isidore of Seville, and Boethius on arithmetic, all of which were probably available to John the Scot, there was no new material to add.

[3] Almost equally barren are his elucidations of the *De grammatica*. One bit of additional information on the subject of the indication of the Greek aspirate may have come from Isidore (103, 6: cf. Isidorus, *Etymologiae*, I, 19, 9). The opinions of St Augustine (*De musica*, VI, 17, Migne, *P. L.*, XXXII, 1192) and Aulus Gellius (*Noctes Atticae*, II, 25, 2) are cited in connection with the word 'analogia' (114, 19). Throughout the commentary, John the Scot analyses the meters of the verses (there are fifteen varieties), but I have been unable to trace his authority on the subject in any one of the several manuals *De arte metrica* (cf. Keil, *Grammatici Latini*, VI) which must have been at his disposal. One grammatical gloss found in the section on astronomy (423, 17) deals with a point of orthography. The commentator names Cassiodorus as his authority. It appears to have come from Cassiodorus' *De orthographia*, V (Keil, *Grammatici Latini*, VII, 176), although the same information is found in Alcuin, *De orthographia* (Keil, *Grammatici Latini*, VII, 298), but without reference to Cassiodorus.

[4] It is altogether possible that an adequate treatment of a subject which was not one of his major interests may account for the paucity of informational glosses on the subject of music. At any rate, he betrays no knowledge of Aristides Quintilianus, but may well have been familiar with the works of Boethius and Cassiodorus.

[1] 7, 10: cf. Chalcidius, *Comment. in Timaeum*, CCXIX, CCXX, CCXXII; 490, 15: cf. Chalcidius, *op. cit.*, XXVI–XLIX. In both instances the commentator cites his authority.

[2] 13, 1: cf. Macrobius, *Comment. in Somn. Scip.*, I, 10, 7–16. Here he quotes Macrobius to disagree with him.

[3] 11, 8: cf. Macrobius, *op. cit.*, II, 1, 4–8; II, 3, 13–15. One quotation from Macrobius I have been unable to locate. 'Macrobius autem dicit proprium nomen Iovis est H APXH, id est principium, H VIII, A I, P C, X DC, H VIII' (365, 21). Another instance of the same thing is 'H Y C H octo, Y cccc, C cc' (74, 16). In using this gloss, Remigius names Macrobius as John's source. In view of these references, it is interesting to note that with regard to the *De divisione naturae* Duhem (*Le Système du monde*, III, 47) remarks, 'Il ne paraît pas que Scot Érigène ait subi l'influence de Macrobe, bien qu'on lui attribue des extraits de cet auteur.' Cf. P. M. Schedler, 'Die Philosophie des Macrobius und ihr Einfluss auf die Wissenschaft des Christlichen Mittelalters,' *Beiträge zur Geschichte der Philosophie des Mittelalters*, XIII, 1 (1916), 111, 'Im 9 Jahrhundert wird Macrobius als Quelle verwendet in den *Martiankommentaren* des Johannes Scotus Eriugena und des Dunchad.'

[4] 13, 23: cf. Chalcidius, *op. cit.*, LXXI.

[5] 427, 6: cf. Plinius, *Hist. nat.*, II, 44; 455, 5: cf. Plinius, *op. cit.*, II, 78; 456, 10: cf. Plinius, *op. cit.*, XVIII, 324. In several instances Pliny and Bede supply practically identical information: cf. 449, 8 and Plinius, *op. cit.*, II, 56, and Beda, *De rerum natura*, XXII (Migne, *P. L.*, XC, 240); also 427, 6 and Plinius, *op. cit.*, II, 44, and Beda, *op. cit.*, XIII (Migne, *P. L.*, XC, 211), and Isidorus, *Etym.*, III, 66, 2.

glosses are referred to Priscian[1] and Aratus.[2] The authority of Pliny[3] and sometimes of Bede[4] are relied upon for questions of geography.

From the enthusiastic interest displayed in the glosses on the book on dialectic, it is evident that herein lay the author's chosen field. John the Scot's comments are obviously based upon his own system,[5] arrived at through a thorough study of the older masters. The fact that of the seven liberal arts, dialectic seems to have been bound by the most rigid methods of treatment, even to the matter of examples, and the fact that a large number of scholars concerned themselves with the subject, make the question of sources somewhat obscure. In his discussion of the content of the glosses on dialectic in John the Scot, Hauréau[6] has made some suggestions as to sources. The original *Decem categoriae* and *De interpretatione* of Aristotle[7] and the *Isagogae* of Porphyrius[8] were well equipped with commentaries by the ninth century. Certainly John the Scot knew and used the *Decem categoriae* attributed to St Augustine,[9] as well as the commentaries of Boethius on Porphyrius,[10] and on the *Decem categoriae*[11] and the *De interpretatione*[12] of Aristotle. The section

---

[1] 293, 21: cf. *De sideribus*, I, 1 (J. C. Wernsdorf, *Poetae Latini minores*, v, 1, p. 520).

[2] 293, 21: 'Aratus vero dicit Arcturum quasi ἄρκτου taurum, id est taurum aquilonis et Septemtrionem significat maiorem et minorem.' This reference appears in neither the Διοσημεῖα, the Φαινόμενα, nor the incomplete translations of Cicero, Germanicus, and Avienus.

[3] 295, 14: cf. Plinius, *op. cit.*, II, 186; 297, 3: cf. Plinius, *op. cit.*, II, 166. One quotation from Pliny eludes discovery, 298, 11: 'Supernatem dicit parte ab oriente ad occasum quam ambit oceanus, ut Plinius ostendit.'

[4] 300, 3: cf. Beda, *De rerum natura*, XXXI (Migne, *P. L.*, XC, 431). There is no evidence to show that John the Scot used Pomponius Mela's *De situ orbis*, Aethicus' *Cosmographia*, or Dicuil's *De mensura orbis terrae*, in spite of the fact that they were popular in the ninth century.

[5] It is as a critic that he handles Martianus Capella's treatment of dialectic in several instances. Cf. 174, 11, 'In hoc loco confundit duas cathegorias . . .'; 175, 13, 'Hic iterum confundit relativa et qualitativa . . .'

[6] *Notices et Extraits*, XX, 2 (1862), 7–39.

[7] Hauréau (*op. cit.*, 26–29) notes two cases in which John the Scot seems to have used the *Decem categoriae*. Cf. 166, 3 and *Cat.*, II, 2; 168, 11 and *Cat.*, V, 1.

[8] Mélandre ('Iepa ou Scot Erigène,' *Archives d'Histoire doctrinale et littéraire du moyen age*, VI [1931], 277–286) believes that the glosses on the *Isagogae* of Porphyrius which are known as the work of an unidentified Iepa are actually the work of John the Scot.

[9] 158, 13: 'FORMAS Secundum Augustinum species differt a forma . . .'; cf. Pseudo-Augustinus, *Decem categoriae*, VII (Migne, *P. L.*, XXXII, 1424, 1425).

[10] 157, 17: cf. Boethius, *Dialogus I in Porphyrium*, (Migne, *P. L.*, LXIV, 29).

[11] 166, 3: cf. Boethius, *In Categorias Aristotelis*, I, (Migne, *P. L.*, LXIV, 169–177); also 168, 11 and Boethius, *op. cit.*, 174.

[12] 157, 6: cf. Boethius, *In librum Aristotelis De interpretatione*, I, (Migne, *P. L.*, LXIV, 294, 295). It may be of some slight significance that a copy of this work is found in *C*.

of Isidore of Seville on the subject[1] and very probably Cassiodorus' *Institutiones*[2] had been investigated by the commentator.

The glosses on the book *De rhetorica* furnish comparatively little additional information to the rather complete outline of Martianus. A paraphrase of the opening thesis of Cicero's *De inventione*[3] is acknowledged. One gloss concerned with the founder of rhetoric, Corax, gives the Πέπλος of Theophrastus[4] as its authority. Another gloss[5] may hark back to the same problematic treatise, or possibly to Cicero's *De oratore* or *Brutus*. Other obvious potential sources, such as Isidore of Seville and Alcuin, appear not to have been used.[6]

Rather more conspicuously abundant than for most other subjects are John the Scot's sources for glosses on mythological allusions. Fulgentius,[7] Hyginus,[8] Servius' commentaries on Virgil,[9] Macrobius' *Satur-*

---

[1] 157, 5: cf. Isidorus, *Etym.*, II, 25; II, 26, 1, 5; II, 27, 4.

[2] 166, 6: 'A quibusdam post substantiam quantitas ponitur, a quibusdam qualitas.' In the first group fall Cassiodorus, *Institutiones*, II, 10 (ed. R. A. B. Mynors, Oxford, 1937), Isidorus, *Etym.*, II, 25, 5, and Boethius, *In Categorias Aristotelis*, II (Migne, *P. L.*, LXIV, 201); in the second, Martianus Capella, 170, 11, Boethius, *In Porphyrium commentaria*, I, (Migne, *P. L.*, LXIV, 75), and Chalcidius, *Comment. in Timaeum*, CCCXXXIV.

[3] 6, 20: 'Quod Tullius in primo *De rethorica* libro ait, "Eloquentia sine sapientia numquam profuit, sepe nocuit; sapientia vero absque eloquentia sepe profuit, numquam nocuit." ' Evidence that John was familiar with Cicero's rhetorical works is found in his introduction referring to Martianus Capella's background: 'Marci quoque Tullii Ciceronis discipulum fuisse . . . quisquis eius scripta prospexerit non negabit. Ipsius quippe solius in libro quem scripsit *De rethorica* exemplis utitur et argumentis.'

[4] 214, 12. A section of the Appendix is devoted to this rather remarkable phenomenon.

[5] 214, 4: 'CORAX inventor fuit rhethoricae artis, TISIAS usitator.' Both these names appear in Cicero's *De oratore* (I, 91) and the *Brutus* (12). In the second instance, Cicero seems to be paraphrasing a part of what is considered the lost Τεχνῶν συναγωγή attributed to Aristotle. Cf. V. Rose, *Aristotelis fragmenta*, 137, p. 118; also Quintilianus, *Instit. orat.*, III, 1, 8–13; II, 17, 7, and Victorinus, *In Rhetoricam M. Tullii Ciceronis* (K. Halm, *Rhetores Latini minores*) II, 2.

[6] In spite of the great similarity of material and treatment, I can find no positive evidence of John the Scot's use of the *Ad Herennium*. Vague reminiscences of Cicero's *Topica* and Boethius' commentary on it found in the glosses on both rhetoric and dialectic are entirely inconclusive. Of the lesser writers on the subject of rhetoric (Halm, *Rhetores Latines minores*), only Victorinus seems a possible source, but no clear parallels can be shown.

[7] M. L. W. Laistner ('Fulgentius in the Carolingian Age,' in *Essays in Honour of M. Hrushevsky*, Ukrainian Academy of Sciences No. 76, I [Kiev, 1928], 445–456) discusses the glosses for which Fulgentius is the source which occur in the parts of the commentary published by Manitius. He cites 19, 17 and *Mitologiae*, I, 15; 36, 4 and *Mit.*, I, 10; and 50, 17 and *Mit.*, I, 21. Besides these glosses which agree with Fulgentius, Laistner points out the interesting phenomenon of John the Scot's disagreement with Fulgentius: 'In one place John refers to the author by name, calling him briefly Fabius (*ut Fabius placet*, 30, 16: cf. *Mit.*, I, 8). Moreover it is in this very passage that he disagrees with Fulgentius about the interpretation of the name Atropos. This is not an isolated case, for the derivation of the name of Heracles (67, 5: cf. *Mit.*, II, 2) and his interpretation of Saturn with his sickle (211, 6: cf. *Mit.*, I, 2) differ from those of the older writer.' Several other instances of the use of Fulgentius might be noted, as 7, 16: cf. *Mit.*, II, 1; 286, 10: cf. *Mit.*, I, 21; 480, 19: cf. *Mit.*, III, 10.

[8] 6, 8: cf. *Fabulae*, 192; 67, 5: cf. *Poet. Astron.*, II, 20.

[9] 6, 8: cf. *Georg.*, I, 138; 12, 11: cf. *Aen.*, VIII, 402; 210, 13: cf. *Aen.*, VI, 582.

nalia,[1] Mythographus Primus,[2] St Augustine's *De civitate dei,*[3] as well as Isidore of Seville's *Etymologiae,*[4] are all used a number of times. Miscellaneous information, mostly in the form of etymologies and definitions, has come from Isidore.[5] The works of Solinus,[6] Iuvencus,[7] Virgil,[8] and Ovid[9] may be mentioned as the sources of a few isolated glosses.

There appear to be only two citations from the Latin Bible. One is an abbreviated composite of *Acts*, VII, 15 and 14.[10] The other is of more than ordinary interest because it is an exact quotation from the old *Itala* version rather than from Jerome's *Vulgate*.[11] With the exception of St Augustine, there is no mention of any of the Patristic literature. In view of John's later indebtedness in the *De divisione naturae* to Maximus and Pseudo-Dionysius the Aeropagite, as well as to Origen, Gregory of Nyssa, and St John Chrysostom, it is strange that there are no traces of his study of the Fathers in the commentary.

4. Style

In the matter of grammar, the commentary does not depart far from classical standards.[12] In vocabulary, however, the glosses necessarily extend beyond the limits set by classical usage. Aside from the scores

---

[1] 10, 6: cf. *Sat.,* I, 17, 51–52; 36, 14: cf. *Sat.,* I, 20, 10; 293, 21: cf. *Sat.,* I, 3, 15.

[2] 6, 20: cf. *Myth. I,* 119.

[3] 26, 11: cf. *De civ. dei,* VII, 1–3; 6, 1: cf. *De civ. dei,* VIII, 8; 29, 8: cf. *De civ. dei,* IV, 8.

[4] 33, 6: cf. *Etym.,* VIII, 11, 31.

Since the original sources are regularly paraphrased rather than quoted, it is difficult at times to determine which one was the actual source of John the Scot when several available authors present the same facts. One example of this is the gloss on 'Quirinus' (27, 13), 'QUIRINUS ipse est Romulus qui sic vocatur quod semper hasta utebatur, quae Sabinorum lingua quiris dicitur.' For this there are two possible authors, Servius and Isidore. The former says (*Aen.*, I, 292), 'Romulus autem ideo Quirinus dicitur, vel quod hasta utebatur quae Sabinorum lingua curis dicitur.' Isidore uses almost the same words ('*Etym.*,' IX, 2, 84), 'Quirinus dictus est Romulus, quod semper hasta utebatur, quae Sabinorum lingua curis dicitur.' The same information is found in Macrobius (*Sat.*, I, 9, 16). The difference in wording makes it unlikely that John used Ovid's *Fasti* (II, 475–477). Cf. J. G. Frazer, *Fasti of Ovid* (London, 1929), II, 396.

[5] There are over fifty instances of the use of material from Isidore.

[6] 210, 12: cf. *Collectanea,* 9, 6–7; 34, 18: cf. *Collectanea,* 27, 36, 37.

[7] 163, 15: cf. *Aen.,* VI, 21–22; 295, 6: cf. *Georg.,* I, 240; 210, 12: cf. *Aen.,* VI, 240.

[8] 519, 7: cf. *Evang. Hist.,* Praef., I.

[9] 5, 15: cf. *Fasti,* VI, 291–292. This may be quoted from Isidore (*Etym.,* VIII, 11, 68).

[10] 163 15.

[11] 163, 15: 'Et videbit omnis caro salutare Dei.' Cf. *Prophetia Isaiae* (P. Sabatier, *Bibliorum Sacrorum Latinae versiones antiquae seu Vetus Italica et Vulgatus* (Paris, 1751), XL, 5: 'Et videbit omnis caro salutare Dei.'

[12] The use of 'cum' with an ablative of means, the use of the possessive genitive of the reflexive pronoun in place of the reflexive adjective, and 'quod' and 'quia' clauses as substitutes for indirect discourse constitute the main exceptions.

of unusual words which the very task of treating such an author as
Martianus Capella occasioned, many words of late origin are to be found
in the text. 'Barri' (23, 2), 'baiulare' (31, 17), 'planitia' (355, 14),
'illegalis' (359, 2), 'anhela' (292, 5), 'secunditatem' (28, 2), 'tautones'
(58, 3), 'glabrio' (58, 4), and 'leugam' (231, 4) are typical. Of more
particular interest are a group of words which have the earmarks of
being coined for the occasion. Many are literal translations of Greek
compound nouns; others are forms which hitherto did not exist, made on
the analogy of familiar forms. 'Fabulariter' (244, 13), 'demonitate'
(64, 12), 'mediatas' (3, 5), rhetorizantibus' (4, 2), 'zoographia'[1] (59, 17),
'pulchrifica' (19, 17), 'filiolitas' (178, 9), 'considerativa' (352, 5), 'adimaginare' (288, 18), 'anhelantia' (12, 3), 'duada' (25, 14), and 'nicticora'
(286, 6) are examples of the latter type. Illustrative of his use of new
Latin equivalents for Greek compounds are the following: 'subnarrationem' for 'ὑποδιήγησιν' (274, 19), 'adnarrationem' for 'παραδιήγησιν'
(274, 19), 'pernarrationem' for 'καταδιήγησιν' (274, 20), 'supersermo'
for 'ὑπερβολή' (236, 19), 'superpedale' for 'ἐπίπεδον' (352, 21), and
'superapparitio' for 'ἐπιφάνεια' (352, 25).[2]

One must consider in a group apart those words which appeared in a
corrupt Martianus text and baffled the commentator, who, without
sufficient glossaries and lexicons, was not always able to detect the im-
posters. The lemma which appears in Dick, 294, 1, 'Interstitii singuli,'
occurs in many of the manuscripts as 'signilis,' so John the Scot wrote,
quite logically:

INTERSTITII SIGNILIS id est duae horae. Signile enim interstitium est
spatium in quo movetur aliquod signum de loco in locum, aut in quo
oritur aut in quo occidit, et duas horas tenet.

A word which in the vulgate Martianus text tradition is given as 'excolicum' Dick has emended to 'scholium' (151, 2), but the commentator
accepts the word and glosses it thus:

Id est superiorum caelestium. Excolici enim dicuntur dii qui extra
mundum coluntur, quia semidii dicuntur qui in mundo coluntur.

Corresponding to Dick, 72, 17, a curious lemma 'amital' is glossed 'ros.'
Another peculiar form 'ambrones' (48, 21) he explains: 'Antropophagi

---

[1] This is not a transliteration of the Greek 'ζωγραφία' used by Plato in the sense of the art of
painting, but it is made on the analogy of 'cosmographia' and is defined as 'pictura animalium.'

[2] That this practice is very conspicuous in his translation of the Greek treatises of the Pseudo-
Dionysius, has been pointed out by P. G. Théry in his article on 'Scot Érigène, Traducteur de Denys,'
Bulletin Du Cange, VI (1931), 243–247. None of the words which are here quoted from the Mar-
tianus commentary are cited by Théry, but he has listed dozens of words comparable to them.

dicuntur AMBRONES: am ἀν, βρῶσις cibus, ab eo quod est ἄνθρωπος et βρῶσις.'

Corrupt proper names were the greatest pitfalls for the commentator. A relatively large number of meaningless names are given a fanciful identity. What may have originally been 'Chersonesum' appears (327, 14) as 'CERUCRUSION cornu aureum, χρυσίον enim dicitur aurum, κέρας cornu.' The father of Orpheus, Oeagrius, is found in all the manuscripts of Martianus and in the commentary as 'Euagrius': 'Euagrius musicus fuit et poeta antiquissimus' (5, 7). Urania is abbreviated to 'Anie' (8, 1). An unusual name 'Saticenam' (64, 2) is glossed:

A satione dictam quia Saturnus liberat mares de nuptiis, Iuno vero feminas; vel SOTICENAM a sociando dictam, quia sociat marem et feminam.

Grote conjectures that 'Opigenam' was the correct reading.[1]

The qualifications of John the Scot as a Greek scholar have been variously estimated.[2] From his explanation of Greek terms in the Martianus text, and from his etymologies, one is inclined to the opinion that he had a fair knowledge of the language. Although the scribes have made many of the Greek words almost completely unrecognizable, yet from the fact that the definitions are logical one can restore what probably stood in the original text. Absolute accuracy, however, is by no means observed, apparently even in the original, in the terminations of verbs which are cited in etymologies. For example, 'θεο' is given in place of 'θεάομαι' (212, 6), 'φω' for 'φωνέω' (9, 15), 'πυθω' for 'πεύθομαι' (10, 6), 'ρετο' and 'ρετυο' for 'ῥητορεύω' (210, 1). The word 'ὑμνολογίζεις' somehow or other became 'γυμνολογίζεις' in the manuscript which John the Scot used. Hence he gives that word as a lemma and glosses it 'exercitas vel philosopharis; verbum Grecum, γυμνολογίζω, cuius propria interpretatio est exercito' (4, 11).[3]

---

[1] In almost all cases where John the Scot has been misled by a poor text, it has been necessary to retain the corrupt form in this edition of the commentary.

[2] For a discussion of the subject and bibliography cf. P. G. Théry, *op. cit.*, 202–224.

[3] As was the case with certain corrupt Latin words, so some Greek forms which do not exist have had to be retained in the text in order that the explanation which depends upon them may have some meaning. Apparently the word 'τῆξις' was known to John the Scot as 'τέξ,' otherwise one whole gloss is meaningless. He says: 'CAUDAM VERO SUAM DEVORARE Cauda anni hiemale tempus est quod omnem honestatem florum et frugum, quae ceteris temporibus et nascitur maturatur et colligitur, veluti draco vorax consumit. Nomen autem ipsius quod numerum anni suis litteris continet comperimus esse τέξ, et in his enim tribus litteris numerus anni qui est CCCLXV colligitur: ξ quippe LX, ε V, τ trecenti; τέξ autem ab eo quod est τέκων, abiecta ων syllaba, factum est quod nomen anno convenit. Nam τέκων Greci dicunt omne volubile.' (33, 8).

5. DESCRIPTION OF THE MANUSCRIPT

So far as is now known, there is only one copy of John the Scot's commentary in existence. This copy, entitled *Annotationes in Marcianum*, occupies folios 47ʳ–115ᵛ of *Bibliothèque Nationale, fonds lat., MS 12960* (referred to throughout the present edition as *C* for *Corbiensis*).[1] The pages of the manuscript[2] devoted to the commentary are written in Caroline minuscule and are a product of the late ninth century. The parchment is in a good state of preservation, there are no lacunae, and the ink is still clear, except on three folios. Numerous imperfections in the skin were present before the text was written. The margins are very narrow (written space approximately 0.211 x 0.192 m.), except for folios 90ʳ to 97ᵛ (written space approximately 0.195 x 0.146 m.). The writing varies from large, carefully made, decidedly perpendicular letters to a small, rather cramped script.[3] There are between twenty-eight and thirty-one lines on a page in a single column. The text appears to have been corrected by the original scribe or by a contemporary corrector. The *incipits* and *explicits* and a final 'ΘΕΟ ΧΑΡΕ' are written in capitals. Infrequently an important lemma is repeated in the margin. Two or three pages where the ink is faded have had some of the words reinked.

All the common abbreviations occur. Several symbols of a distinctly Insular character suggest an Irish influence somewhere in the tradition. к for *hoc*, ⅄ for *enim*, 7 for *et*, rł for *reliqua*, .i. for *id est*, ł for *vel*, $\overline{qq}$ for *quoque*, q< for *quia*, dn̄r for *dicuntur*, sł for *sunt*, and ū for the syllable *ver* are the most outstanding examples. Interesting is the use of the very old *S̄N* for *sine*, which early dropped out of general use, but was later revived by the Irish and Welsh. Another abbreviation, *cui'* for *cuius*, which was soon superseded, appears in the manuscript. It is curious that one comes upon a very ancient symbol, which was long out of date, for *quamvis*, that is qū (folio 52ᵛ, 3).[4] A kind of hybrid form is seen in q̊, for *quae* (folio 50ᵛ, 29).[5]

Throughout, the text has suffered from the inaccuracy of the scribe. In numerous instances the line regularly used to indicate the division between one gloss and the following lemma occurs illogically in the mid-

---

[1] Cf. pp. v–vi.

[2] The average page is 0.270 x 0.220 m.

[3] In spite of this fact, I am not convinced that more than one scribe is responsible for the text.

[4] Cf. W. M. Lindsay, *Notae Latinae* (Cambridge, 1915), 219: 'The ancient Nota, a syllabic suspension qū "q(uam)-u(is)" survives in Boulogne 63 (Ags. script of St. Bertin "8 cent.") folio 20ʳ (in the letter of Consentius to St. Augustine). The other scribes of our period content themselves with substituting the "quam" symbol for the first syllable.'

[5] There are also arbitrary abbreviations such as gn̄t for *genetivus*, sub for *subaudis*, uerb for *verbi gratia*, and signf̄ for *significat*. ūu for *verbi gratia* occurs twice. (Cf. 447, 14: 'ūu Haec nota verbi gratia significat.')

dle of a gloss. On folio 82ᵛ, 26, the lemma 'PRAETERVOLANDO' (Dick, 208, 16) stands all alone without a gloss. On folio 89ᵛ, 16, the queer form 'verbilicus' suggests that the scribe has incorrectly expanded an original 'ūbilicus.' The gloss on the lemma for 5, 5, 'DEDITUM MUNDO,' reads 'hominibus plane a diis competa concessum' (folio 48ᵛ, 7). As it stands, the word 'competa' is a complete puzzle until one reads the next lemma and gloss, 'TRIVIATIM passim, vulgo per competa viarum,' where it becomes apparent that the scribe was anticipating. In general, Greek words are badly mutilated. Often they are transliterated into Roman letters with varying inaccuracy. What great discrepancies can result from two contemporary copyings of the archetype is realized most amazingly in the short section of the fifth book of John the Scot's *Annotationes* which the scribe of the Dunchad commentary, without acknowledging its identity, attached to the end of the fragment of the Dunchad commentary.[1] In the gloss on 'CULLEO' (231, 4), for example, the scribe of John the Scot has:

> Taurina pellis depillata circa *virgulas* consuitur et mittitur ibi solus reus et datur ei cultellus et pulmentarium et postea ex omni parte *conditur* ne aqua ibi possit intrare.

The Dunchad copyist furnishes two satisfactory readings for the words in question, 'ungulas' and 'concluditur' (folio 30ᵛ, col. 2, l. 22). In the manuscript of John the Scot, the gloss on the lemma 'AD DEORUM' (224, 12) reads, 'ac si dixisset: Quia sacrilegium facit. . .'; the Dunchad scribe gives the correct reading 'qui' (folio 30ʳ, col. 2, l. 25). The incorrect 'diffinitio' in the gloss on 225, 4, is shown to be wrong by the Dunchad version, 'diffinio' (folio 31ʳ, col. 1, l. 18). Throughout, better orthography is maintained by the copyist of the Dunchad commentary. For example, 'admitenda,' 'dimitenda' (224, 23), 'praecio' (226, 22), 'Ermagoras,' 'meritricis' (224, 26), 'delitiscentem' (227, 11), and 'coniactura' (231, 24), which occur in the *Annotationes*, are given their correct forms, 'admittenda,' 'dimittenda,' 'pretio,' 'Hermagoras,' 'meretricis,' 'delitescentem,' and 'coniectura,' by the scribe of the Dunchad manuscript.[2]

Several repetitions of a line or two were apparently unnoticed by the copyist. His greatest offence in this respect is found in folio 89ᵛ, 1–5,

---

[1] Appendix III is devoted to a general consideration of the commentary of Dunchad.

[2] These cases would tend to support the hypothesis that the Irish influence in the tradition of the *Annotationes* was no further away than the scribe who wrote *C*. Besides these examples of typical Irish orthography, i.e., the omission of the second of double consonants, the omission of h, the misuse of e for i, there are scores of instances of other Insular peculiarities, e.g., superfluous h, 'rhethorica' (85ʳ, 5); doubling of a single consonant, 'diffinitionem' (78ᵛ, 13); and the use of i for e, 'dirivatur' (48ʳ, 22). There are several instances of the mistaking of 'nam' for 'non' (78ᵛ, 18 and 47ʳ, 8), which Blanche B. Boyer ('Insular Tradition in the Ancient Scholia of Juvenal,' *Classical Philology*, XXIX [1934], 246) cites as a characteristic of Insular tradition.

which he had already copied in the middle of the preceding folio. Strange violations of the logical order in the *Annotationes*, in the third book, may or may not be the work of the scribe. On folio 73ʳ the glosses skip from 97, 17 (Dick) to 114, 19. On folio 73ᵛ, 20, the glosses suddenly go from 150, 10 back to 98, 11, and then continue from there on, more or less erratically. There are two versions of the annotations on *De dialectica*. The first, announced simply as 'DE DIALECTICA,' is somewhat abbreviated and contains glosses from 151, 1 to 174, 11, whereupon it is followed immediately by the more formal 'INCIPIUNT HAEC PAUCA IN DIALECTICA MARTIANI,' together with an introductory statement which corresponds to the openings of the other books. The glosses follow regularly from 150, 16 to 209, 17.[1]

6. The Present Edition

Two objectives have conditioned the preparation of this edition, first, that it should give as complete a picture of the manuscript as possible, and, secondly, that the text should be readily understandable. Certain frequently recurring mediaevalisms have been retained, namely, the use of 'e' for 'ae,' 'ae' for 'e,' 'ci' for 'ti,' 'ti' for 'ci,' 'f' for 'ph,' 'i' for 'y,' 'y' for 'i,' the omission of 'h,' the addition of superfluous 'h,' dissimilation and assimilation in compound words, the two spellings 'quattuor' and 'quatuor,' 'genitivus' along with 'genetivus,' and 'sesqualter' which is used consistently instead of 'sesquialter.' Alterations in the text have not been italicized. The suggestions in *Conseils et Recommandations* of the Union Académique Internationale have governed the construction of the critical apparatus. Attention has not been called to garbled words occurring in the lemmata, nor to incorrect proper names which have had to be retained, since in most cases they speak for themselves. The lemmata have been capitalized and located according to page and line in Dick's edition of Martianus Capella (Teubner, 1925). None of the minor discrepancies between the sections of the text printed by Hauréau and Manitius and the text here given have been indicated, except in the case of a few emendations which have been accepted. Several emendations in the book *De musica* have been effected by the aid of the text of Remigius (Migne, *P. L.*, cxxxi, 931–964). They are: (499, 10) 'immutabilibus,' (507, 5) 'conhibentia,' (531, 7) 'brevem,' (532, 6) 'melopoeia,' (533, 16) 'fabulas,' (527, 9) 'ab.' From the so-called Dunchad commentary have come two emendations: (231, 4) 'ungulas' and 'concluditur.'

---

[1] In the phenomenon of the two versions Hauréau (*Notices et Extraits*, xx, 2 [1862], 8) sees evidence for the belief that the manuscript is the actual autograph of John the Scot.

IOHANNIS SCOTTI

ANNOTATIONES IN MARCIANUM

*ANNOTATIONES IN MARCIANUM

HUIUS fabulae auctorem Martianum comperimus fuisse Cartaginiensem genere, nec non et Romanum civem, unde et Latiari ritu τετράνομος, hoc est quattuor nominibus, nominatus est, Martianus quippe, Minneus Felix et Capella vocatus; Martianus quidem proprio nomine, Minneus vero ex colore, ut aiunt, quia rufus erat, 5 Felix nescimus feliciterne vixit necne, Capella autem, quia sicut quedam satyra sive nutrix eius sive admonitrix fuerit, suis scriptis non aperte patet, eum nominavit, lascivus ex petulantia poetica, instabilis dum debuit et fortassis non quod ita fuerit, sed quod ita fuisse finxerit philosophus esse, veluti quidam histrio nominatus est, falsa quippe poetico 10 usu veris philosophiae rationibus intermiscuit. Eundemque Martianum, dico, utriusque lingue, Grece videlicet et Latine, sui operis textura peritissimum fuisse manifestissime proclamat. Marci quoque Tullii Ciceronis discipulum fuisse, sive vivente illo sive obeunte floruerit, quisquis eius scripta prospexerit non negabit. Ipsius quippe solius 15 in libro quem scripsit *De rethorica* exemplis utitur et argumentis. Volens autem de septem liberalibus disciplinis scribere, fabulam quandam de nuptiis Filologie et Mercurii finxerat, nec hoc sine acutissimi ingenii obtentu; Philologia quippe studium rationis, Mercuriusve facundiam sermonis insinuat, quasi simul veluti quodam conubio in animas sapi- 20 entie studia discentium convenerint, absque ulla difficultate ad artium liberalium notitiam habitumque pervenire promptissimum est.

3, 5 CAMENAM non generalaem hic dicit quia omnis Musa bene canens Camena dicitur, sed quia omnium in nuptiis canentium magistra est Venus; non inmerito eam Camenam vocavit quam postea apertissime 25 genitricem asserit Hymenei. Si autem vis nosse aethimologiam nominis Hymenei, cognosce tres membranulas in corporibus esse animantium, quarum quidem duas esse in virili sexu, tres vero in femineo, medicinalis physica comprobat. Membranula quippe cerebri quam Greci μήνιγγα dicunt, [*fol. 47ᵛ*] ex qua diverse fistulae quinquepertiti sensus profluunt, 30 communis est omnibus sive rationabilibus sive inrationabilibus animantibus. Item membranula que dividit inter ilia, hoc est inferiora ventris viscera et superiora pectoris, iecur cor et arterias, quam Greci φρήν dicunt, ex qua frenetici vocantur, omni sexui communis est.

* [fol. 47ʳ]

Membranula autem ventris in qua puerperia concipiuntur et feminei
sexus proprium est, et a Grecis ὑμήν vocatur, inde Hymeneus qui corporalibus presidet conceptionibus ut poeticae fabule fingunt. Universalis mundi huius visibilis structura quatuor contexitur elementis:
5 igne videlicet, aere aqua et terra, quorum elementorum dico singula
proprias possident qualitates; ignis quippe qualitas est caliditas, aeris
humiditas, aquae frigiditas, terrae ariditas. Ex quibus IIII qualitatibus sex sizygias, id est coniugationes, naturali copula confici fysica perhibet ratio. Quarum IIII inmediate, id est nullius medietatis indi-
10 gentes sunt, ideoque sibimet connexae dicuntur. Nam caliditas ignea
terrene ariditati copulata, nulla medietate interposita, unam efficit
sizygiam; alteram similiter eadem ignea caliditas aerie coniuncta
humiditati immediate perficit; tertiam frigiditas aquosa humidis halati-
bus adiuncta; quartam deinde postremamque eadem liquida frigiditas
15 cum pulverulenta terrena siccitate determinat sizygiam, et hae sunt quas
nexas philosophi dicunt coniugationes. Duae vero residuae sibi invicem
absque medietate adiungi non valent, contradicente qualitatum diversitate, ideoque eas mediatas, hoc est medietate copulatas, phisici appellant,
ac per hoc et dissonas. Non enim caliditas ignis cum contraria aquatica
20 frigiditate sine aeria humiditate interposita efficit sizygiam. Similiter
humiditas aeris cum terrena siccitate copulam non gignit, nisi mediante
aquarum frigiditate, sed et hoc per vices, id est per vicissitudines temporum. Non enim simul uno eodemque temporis intervallo humiditas
aeris caliditatem ex igne recipit, et frigiditatem ex aqua; eadem ratione
25 frigiditas aque non simul aerie humiditatis et ariditatis terrene capax
est. Siquidem videmus aquam frigidam congelatam terrene ariditatis
similitudine, moxque solutam aerie humiditatis [*fol. 48ʳ*] et volubilitatis
naturam recipiens. His rationibus consideratis in laude Hymenei
Marcianus hunc versum posuit.

30 **3,8 COMPLEXUQUE SACRO DISSONA NEXA FOVES** Dissona quidem quae
sine medietate coniungi non possunt; nexa vero quae absque medietatis
adminiculo sibi invicem iunguntur insinuare volens.

4,2 GRATIA TRINA DEDIT Tres Gratias veluti tres deas, Iovis Iuno-
nisque filias uno eodemque nomine vocatas, poete finxerunt. Quarum
35 officium est proprium bene psallentibus cantantibusque nec non rhetorizantibus quasi tria dona, vocem vultum gestum, hoc est honestos corporis
motus, distribuere. Quae quidem cum tres sint, propter indiscretam

1 ventis *corr.*   2 gecis *corr.* | hymen | corporalabus *corr.*   8 sinzugia sinzygias *m. sec.*
9 medietatas   12 sinzugiam   13 immediate *Manitius* immedietatem   15 sinzugiam | he
corr.   16 dit *corr.* | due *corr.* | residue *corr.*   20 sinzugiam   21 siccitate *Manitius* siccita
25 frigitas *corr.*   27 similitune *corr.*   33 Gatia | tes *corr.*   37 que *corr.*

administrationis potentiam, veluti una quaedam dea a Martiano vocata est, dicente GRATIA TRINA DEDIT.

4,7 INCREMENTIS LUSTRALIBUS hoc est augmentis aetatis suae quinquennalibus. Lustrum proprie dicitur quattuor annorum spatium. Non enim sol ad initium cursus sui pervenit priusquam quater signiferum lustret et quinto anno incipiente denuo eisdem horis locisque sideralibus annum suum inchoet.

DECURIATUM VERTICEM antiquum caput. Decuriatus autem dicitur qui de ordine curiae merito morum et provectae aetatis dignus fide apud Romanos existimabatur.

4,10 NICTANTIS ANTISTITIS hoc est vigilantis presulis et est Grecum verbum nicto, quod Latine dicitur vigilo vel pernocto; NICTANTIS itaque veluti pernoctantis dixit. Nox quippe a Grecis νύξ dicitur.

4,11 ΓΥΜΝΟΛΟΓΙΖΕΙΣ exercitas vel philosopharis; verbum Grecum γυμνολογίζω, cuius propria interpretatio est exercito.

4,14 ΕΓΕΡΣΙΜΩΝ surrectionum vel mutationum, ἐγέρσιμα quippe a Grecis dicitur fabula composita de mutatione seu resurrectione hominum in deos, et derivatur a verbo ἐγείρομαι, id est surgo vel moveor.

4,15 NEC LIQUET id est nec clare cernis, et est sensus: Miror cum opus perspicuum de mutatione hominum in deos notissimum tibi sit, cur non liquido perspicis meum propositum esse de nuptiis Philologiae et Mercurii, deque eiusdem Philologie in deam transformatione, cuius operis exordium ex Ymenei laude qui nuptiis praeest oportuit praelibari.

4,16 SCATURRIGINES dicuntur aquarum fontes crebro sparsimque surgentes. Dicitur quippe scaturrigo veluti scatens origo.

4,18 MARCESCENTES defitientes. HIEMALI PERVIGILIO hoc est longissimis veluti hiemalibus vigiliis. COMMINISCENS increpans, minas faciens. SATYRA Satyra seu satyre dicuntur poete seu poetrie facetis carminibus; ludentes [*fol. 48ᵛ*] satyrae enim χορευταί, id est choriales, in choro videlicet cantantes appellantur.

5,2 PRECLUES id est valde gloriosi; κλέος quippe a Grecis gloriosus dicitur, preclues ergo quasi praecleas, mutata e littera in u. Non enim ad rem pertinet si quis existimet a verbo cluo derivari, id est ausculto, nisi forte quis dixerit liberos preclues vocari eos qui iussis patrum auscultant.

---

9 cuae *corr.* | provecte *corr.* | fie   12 nicto *sic!*   13 noa | nyc   14 ΓΥΜΝΟΛΟΓΤΙCΕΙC
15 ΓΥΜΝΟΛΟΓΙCΩ   16 ΕΓΕΙΡΙΜΙΟΝ | ΕΓΕΙΡΙΜΙΑ   18 dirivatur   22 transformatine *corr.*
27 vigiis *corr.*   29 satyras | choreutas   31 cleos   33 cluo *sic!* | dirivari

5,5 BEARET ADIECTIO natorum videlicet multiplicatio.

5,6 DISSULTARET divulgaret, id est nuptiarum videlicet beatitudinem.

5,5 DEDITUM MUNDO hominibus plane a diis concessum.

5,6 TRIVIATIM passim, vulgo per competa viarum; via quippe a Grecis
5 et τρίβος dicitur et ὁδός.

5,7 EUAGRIUS musicus fuit et poaeta antiquissimus.
CAECUTIENTIS orbati. Caeci quippe cecutientes vocantur a seva
cecitate seu a cicuta herba videlicet oculis nociva.
MEONIUS sicut et Euagrius antiquissimus poetarum fuit.

10 **5,8** EPICA Epicum carmen dicitur quod epicis, id est laudabilibus,
conficitur pedibus. Ἔπος enim a Grecis laus dicitur. Pedes enim
laudabiles sunt: iambus trocheus spondeus dactilus anapestus et ex
his compositi. Epici carminis est exemplum apud Virgilium: 'Arma
virumque cano, Troie qui primus ab oris,' apud Horatium: 'Mecenas
15 atavis edite regibus.' Sed si epica lyrico adiungantur sono, hoc est cum
lyra cantentur, non solum epica verum sed etiam lyrica poete vocant.

5, 11 PROMPTIOR FIDES Promptior Fides, devotior Fides dearum est
una de qua poeta 'Cana Fides,' inquit, 'et Vesta.'
ARUSPICIUM dicitur quasi are inspectio, que veluti specialis et princi-
20 palis dea deorum sacerdotibus quos pontifices vocat preesse perhibetur.

5, 14 EXORATA placata. MATRONA id est Iunone. PROVENIRE adesse,
impetratum, et est talis sensus: Dea Fides custos deorum sacerdotes in
testimonium convocat ut et ipsis cum illa contestantibus comprobaretur.
Quod si contigisset ut homines de suis causis dubitantes, multis sacrificiis
25 immolatis, certum Iovis responsum consulerent, et ille quadam duritia
multis hostiis placari nolens, mortaliumque vota spernens, certum
consultum reddere negarit; mox ut illi homines meliori consilio utentes,
incassumque Iovi sacrificasse cognoscentes, ad Iunonem conversi eamque
sacrificiis placantes, omne quod prius ipse Iovis non concesserit, ipsius
30 Iunonis dico humanitate ac veluti feminea facilitate [*fol. 49ʳ*] interposita,
absque ulla hesitatione venire dubium non sit. Hic phisicam tangit:
terra quippe cum sit sicca et arida, eiusque seminibus ipsa nimia siccitate
non solum marcescentibus verum etiam morientibus, naturali appetitu

14 Cf. Virgilius, *Aen.*, I, I.
15 Cf. Horatius, *Carm.*, I, i, I.
18 Cf. Virgilius, *Aen.*, I, 292.

3 competa *post* diis *delevi*　5 tribos | edos　8 a *m. sec.*　11 epoc　14 Mencenas　21 uinone
22 sens　28 congnoscentes　30 humanite *corr.*　33 moritibus *corr.*

auxilium postulat ab ignea qualitate, ex qua omnia quae de terra et aqua nascuntur, ut nascantur moventur. Sed si humiditas aeris, in cuius significatione Iuno interponitur, non fuerit posita, nequaquam caliditas ignis ariditati terrae potest succurrere, nam ignea potestas per humiditatem aeris et frigiditatem aquae omnia quae nascuntur de terra 5 et auget et nutrit. Id ipsum est quod sequitur ET QUICQUID ILLE usque REMOVERE.

5, 16 DELENITUM deletum, aboletum.

5, 15 EX PROMPTA SENTENTIA hoc est definita et prolata ac si dixerit: Igneam caliditatem in his nihil quae seu de terra seu de aqua nascuntur, 10 nisi per aerie humiditatis interpositionem, agere posse. PARCAS autem intellige insolubiles diversarum qualitatum necessitates. Aiunt quippe phisici nihil ex caliditate ignis et ariditate terrae quamvis unam immediatam syzygiam effecerint, nisi interiecta aeris humiditate frigiditateque aquae adiuncta, nasci posse. Hinc est quod quidam poetarum alludit, 15 dicens,

> Nil aliud Vestam quam vivam intellige flammam,
> Nataque de flamma corpora nulla vides.

Tres autem Parcas poetae fingunt veluti tres cancellarias arcarias sententiarumque ipsius custodes, quarum nomina sunt Cloto Lachesis 20 Atropos, de quibus suo loco disputandum.

5, 18 DITI PROPOSITUM Dis ipse est Pluto et Orcus et Acheron; ipse est frater Iovis, Saturni et Reae filius.

5, 19 IDQUE PORTUNO Portunus Iovis atque Leucotheae, id est Aurore, filius. Portunus autem dicitur quia navigantibus portum prestat. 25 GRADIVUM Gradivus Mars dicitur quasi gradiens divus ad bellum videlicet, vel quasi κράτος divus, id est potens divus. Kappa littera est versa in gammam frequenti usu Grecorum, nam et τραγῳδίαν pro τρακῳδίαν dicunt.

NERIENIS uxor Martis que Nerine dicitur quia filia Nerei a poetis 30 fingitur.

5, 20 AESCULAPIUS filius Apollinis artis medicine maximus repertor.

5, 21 OPE CONIUGA Ops et Cybebe et Berecinthia et Rea vocatur, quam

---

18 Cf. Ovidius, *Fasti*, VI, 291, 2; Isidorus, *Etym.*, VIII, 11, 68.

5 frigitatem *corr.* | de r̄ra   14 synzygiam | frigiditatique *corr.*   15 adiunc *corr.*   22 **Charon** Acharon *m. sec.*   23 fius *corr.*   26 duius   27 kratos   28 gamma | tragodiam   29 trakodiam τρακῳδίαν *sic!*   33 cubebe

matrem omnium deorum fabulae fingunt, uxor Saturni quae propterea
Ops et Cybebe nominatur, quoniam in significatione terrae quae et
fertilis est et solida frequentissime ponitur a poetis.

5, 22 PERMULSA placata. MESTISSIMUS deorum senex Saturnus dicitur
5 aut quia veluti senectute confectus, tardissimus, ac per hoc mestissimus
errantium cursum peragit suum, seu quod a filio suo Iove et castratus
est et suo regno expulsus, non [*fol. 49ᵛ*] inmerito fingitur mestus.

6, 1 IANUS bifrons dicitur quia et transactum respicit et incipientem
prospicit annum; sepe etiam quadrifrons depingitur, dum in significa-
10 tione IIII mundi climatum aut IIII anni temporum a poetis divulgatur.

6, 2 REGINA MEMPHICICA id est Egyptiaca Isis est filia Inachi, quae
perenni mestitia mariti sui [An]tifonis interempti repertum planxit
cadaver, inde Memphis et Stix, palus illa in qua cadaver est inventum,
a poetis vocitata; Memphis quidem querela, Stix vero tristitia. Semper
15 enim Isis tristis querebatur mariti sui interitum.

6, 6 CYLLENIUS vocatus Mercurius a Cylleno monte Archadiae.

6, 8 MATER ANXIA mater tristis. Merito tristis mater Mercurii efficitur,
nam cum unicum filium haberet Mercurium, eumque celibem palestricis
luctationibus semper cum Apolline deditum ac per hoc uxorem ducere
20 non curantem, nepotum beatitudine privatam se cernebat. Ideoque
per singulos annos dum suus filius partem illam signiferi quae Tauri
nomen sortita est ubi illa inter ceteras suas sorores fixa peragraret, in
sententia ducende uxoris materna exortatio conpellebat. Matrem
autem Mercurii Maiam, id est nutricem, Athlantis filiam fabulae fingunt;
25 Athlas autem interpretatur sustinens. Illum quippe montem prae
nimia sui altitudine veluti suis humeris celum sustinere fabulose ferunt.
Cuius filias septem Pliades veluti πλείστας, hoc est plures, Grai vocant,
quarum nomina sunt: Στερόπη Μερόπη Κελαινώ Μαῖα Ἀλκυόνη Ταυγέτη
Ἠλέκτρα.

30 6, 9 ZODIACTEUS ipse est signifer. Signa quippe a Grecis ζώδια
vocantur veluti ζῶα ζῶντα, hoc est viva animalia. Mendax siquidem
Gretia animalium formulis caelestem implevit speram.

---

1 Cf. Macrobius, *Sat.*, I, 10, 19.
9 Cf. Augustinus, *De civ. dei*, VIII, 8; Servius, *Aen.*, VII, 607.
24 Cf. Isidorus, *Etym.*, XIV, 8, 17.
27 Cf. Hyginus, *Fab.*, 192; Servius, *Georg.*, I, 138.

2 Obs 11 Menphicica 12 antifone 13 Strix 14 requerela | Strix 18 nicum *corr.*
19 senper 23 maternis 26 altitune 27 Pliadas | plistas 28 ΤΕΡΟΠΕ ΜΕΡΟΠΕ ΚΙΑΕΝΟ
ΜΑΙΑ ΛΛΚΙΟ ΝΙΑΤΑ ΤΕΤΕ ΕΛΕΚΤΡΑ 30 zoziacteus | zozia 31 zoa | zonta 32 amalium
corr.

6, 11 PALESTRA dicitur ἀπὸ τοῦ παλαίειν, hoc est a luctatione.

6, 13 RENIDEBAT splendebat.

6, 11 LACERTI dicuntur humeri venarum nodis et nervorum solidati quod maximum corporalium virium indicium est.

6, 12 TORIS humeris.

6, 14 CLAMIS est vestis purpurea militibus atque palestricis apta.

6, 15 INVELATUM CAETERA hoc est nudum per cetera corporis sui membra, praeter quod clamide tegebatur.

6, 16 ΚΥΠΡΙΣ a Grecis dicitur Venus et interpretatur mixtura. Phisici enim miscendorum seminum potentiam ipsi stelle quae Venus dicitur 10 attribuunt.

6, 17 CAELIBATUM castitatem, caelebs dicitur celo aptus.

6, 19 ALTERNAT versatur, movet. DELIBERATIO est ambigua de rebus agendis vel non agendis cogitatio.

6, 20 SOPHIAM sapientiam. In hoc loco si quis leges allegorie intentus 15 perspexerit, inveniet Mercurium facundi sermonis, hoc est copiosae eloquentiae, [*fol. 50ʳ*] formam gestare. Hinc est quod ipse Mercurius a Grecis Hermes, id est sermo, vocitatur. Sermo siquidem eloquens et copiosus rationabilis naturae qui in homine spetialiter intelligitur subsistere maximum indicium est et speciale ornamentum. Sed quoniam 20 ipse sermo quamvis copiosus et eloquentiae regulis ornatus videatur inter homines currere, quod nomen Mercurii significare videtur; Mercurius enim dicitur quasi medius currens, quia sermo inter homines currit, non solum infructuosus et inutilis, verum etiam nocivus esse perhibetur, nisi sapientiae pulchra atque modesta virtute veluti cuiusdam 25 virginis intemerate sobrio atque modesto stabilitetur et moderetur amore. Non fabulose igitur sed pulchre et verisimilitudine Cyllenius formatur intemeratam sapientie pulchritudinem ardere. Hinc est quod Tullius in primo *De rethorica* libro ait, 'Eloquentia sine sapientia numquam profuit, sepe nocuit; sapientia vero absque eloquentia sepe 30 profuit, numquam nocuit.' Quoniam vero sapientiae castitas moderata supervacui sermonis immoderateque eloquentiae effugit contagium, non

---

1 Cf. Isidorus, *Etym.*, XVIII, 24.
23 Cf. Isidorus, *Etym.*, VIII, 11, 45; Augustinus, *De civ. dei*, VII, 14; Mythographus Primus, 119.
31 Cf. Cicero, *De inventione*, I, 1.

1 ΑΠΟΤΥΡΑΛΗΙΝ
2 reindebat *corr. in mg.* 7 memba *corr.* 10 smiscendorum 12 castitem *corr.* 14 cogitao *corr.* 15 allegori *corr.* 19 nature *corr.* | omine *corr.* 21 regulus *corr.* 25 si *corr.* 27 falose fabuulose *m. sec.* | pulche *corr.*

immerito ad eternas virgines describitur migrasse et consortium incontaminatae eternitatis et integritatis in cuius significatione Pallas formatur numquam deserere voluisse.

7, 5 Mantice divinatio interpretatur quae similis sapientiae dicitur
5 quia prophetie virtus similitudinem pulcritudinis sapientiae semper appetit. Omnis quippe divinatio si veridica est non aliunde formatur nisi a sapientia, non inrationabiliter quoque.

7, 6 Pronoes id est Providentia; maior filiarum esse putatur Divinatio. Nulla quippe providentiae maior species est quam illa quae, divino
10 instinctu illuminata, certam de preteritis seu presentibus seu futuris pronuntiat sententiam. Minoris siquidem virtutis sunt cetere Providentiae filiae ut est Coniectura Aruspicina ceteraeque argumentationes quibus rationabilis utitur vita.

7, 9 Apollini fuerat copulata Aperte divinatio divinatori copulatur;
15 non enim alterius dei debuit esse.

7, 10 Entelechia ut Calcidius in expositione *Timei* Platonis exponit perfecta aetas interpretatur. Aetas quippe adulta ἡλικία a Grecis dicitur. Entelechia vero quasi ἐντὸς ἡλικία, hoc est intima aetas. Generalem quippe mundi animam Entelechiam Plato nominat, ex qua
20 speciales animae sive rationabiles sint sive racione carentes in singulas mundani corporis partes sole administrante, vel potius procreante, procedunt ut Platonici perhibent. Quorum sectam Martianus [*fol. 50ᵛ*] sequitur asserens Psichen, hoc est animam, Entelechie ac Solis esse filiam.

25 **7, 11** educatam nutritam. speciosa hoc est rationis intelligentiae pulchritudine ornata.

7, 13 corrogati convocati. diadema immortalitatem et aeternitatem rationabilis anime figurate insinuat. Iovem quippe universitatem totius mundi sensibilis philosophi qui de mundo disputant conantur
30 asserere; cui eternitatem quandam distribuunt per quasdam revolutiones rerum ac temporum, non ut semper id ipsum ut vera aeternitas permaneat, sed ut formulam quandam aeternitatis per suarum partium revolutiones et redintegrationes habere videantur. Quam formulam dico aeternitatis veluti quandam filiam Iovis, id est mundi visibilis,
35 Martianus quippe Platonicus existimat esse. De cuius capite tractum

---

16 Cf. Chalcidius, *Comment. in Timaeum* (Mullach, *Fragmenta philos. Graec.*, ii), ccxix, ccxx, ccxxii.

4 sapienae
14 Apolni *corr.* 16 Endelichia 17 ELEKIA 18 Endelichia | endos ELEKIA | inma *corr.*
19 genelralem | Endelichiam 23 Endelikie 26 plchytudine *corr.* 27 immortalitalitatem
33 revolutines *corr.*

diadema rationabilis animae imponitur vertici. Eandem quippe aeter
nitatem per revolutiones temporum et mundi animarumque per apo-
strophiam, hoc est reversionem in diversa corpora, secta Platonica
distribuit.

7, 15 IUNO QUOQUE In hoc loco plus fabulae quam phisice dinoscitur 5
esse. Qualis enim ratio exstat ut Iuno quae in figura huius aeris ponitur
ligaturas crinium, hoc est contiguitatem virtutum, rationabili anime
existimetur prestare? Fabulose ergo fingitur ab Iove aeternitatem, ab
Iunone rationis connexionem, animae humane donari. Non desunt
tamen qui non irrationabiliter arbitrantur intellectum igni, rationem 10
vero aeri, naturali quadam copula adiungi.

PURGATIORIS AURI Omnis splendor diversorumque colorum varietas
aeri datur. Quamvis enim causa colorum sit in solaribus radiis, nulla
tamen priusquam aeri misceantur coloris speciem effitiunt. Color
quippe in viriditate aeris sive in aqua sit sive per aquam in terra, luce 15
superveniente, gignitur.

7, 16 TRITONIA ipsa est Pallas et Minerva et Athena. Athena quippe
quasi Ἀθάνατος, id est immortalis; similiter Minerva quasi Μενέρυα,
hoc est incorruptibilis; Pallas vero quasi Ἀπαλός, id est semper nova;
Tritonia quasi Τρίτη ἔννοια, hoc est tertia notitia, vocatur. Virtutem 20
quippe immortalitatis animi notitie quae veluti tertia pars humane
constituitur animae sapientes distribuunt; tres siquidem sunt rationabiles [*fol. 51ʳ*] naturae partes: αἴσθησις λόγος νοῦς, hoc est
sensus ratio animus. Non inmerito itaque Tritonia interulam, hoc est
intimam suaeque nature proximam virtutem, rationabili animae largitur. 25
Virtus quippe habitus animae est qui in quatuor partes dividitur, prudentiam temperantiam fortitudinem iustitiam, quae non aliunde nisi
ex thesauris animi donantur.

7, 17 RESOLUTO RICINIO Ricinium est spinula qua crines solvuntur;
discrimen quippe virtutum quae quasi crines quidam anime non irra- 30
tionabiliter aestimantur ab animo procedit, qui non solum vitia a
virtutibus segregat, verum etiam ipsas virtutes a se invicem certis
diffinitionibus discernit.

STROPHIOQUE Zonam quippe qua sibi invicem virtutes anime et
coaptantur et colligantur ab animo donari, quis dubitat? Quae zona 35
veluti quibusdam flammis gemmarum, id est verarum ratiocinationum,

18 Cf. Fulgentius, *Mit.*, ii, 1 (Helm, 38, 11).

6 extat   8 pestare *corr.*   9 conexionem   14 miseantur   17 Trinonia   18 Athanatos |
Μενέρυα *sic!*   19 Apalos   20 trite noia   23 NTC   26 pudentiam *corr.*   29 resoluto *iter.*
post ricinio *delevi*   36 fammis *corr.*

de singulis virtutibus coruscat. Strophium dicitur ἀπὸ τοῦ στρέφειν, hoc est a redeundo quod in se ipsum instar circuli revertitur.

7, 18 COCCUM et AMICULUM hoc est amictus sacrati pectoris Minerve, ornatum munimen sapientis consilii quo rationalis anima undique am-
5 bitur, non incongrue significat. Ut enim cor et pulmones intra septa pectoris tutam possident sedem, ita vitalis rector spiritualibus flabris incensus, non solum corporalibus sensibus verum etiam rationabilibus affectibus, veluti in arce quadam cuiusdam civitatis praesidet. Pulcre etiam pectus cocco indutum addidit, quia humores quibus natura
10 nutritur et augetur corporea, naturali administratione per occultos pectoris poros, circa precordia primo colliguntur, ibique, ardentissimo cordis igne qui pulmonum afflatibus sine intermixtione vivens veluti in ardentes suscitatur flammas, in sanguineum colorem instar flammarum quae coccineae qualitatis sunt mira quadam rubidine tinguntur.

15 7, 19 RAMALE LAUREUM Lauream virgam Delius gestare depingitur quia divinationis et coniecturae virtutem ipsi arbori phisica describit. Quae virtus racionabili anime inesse divino instinctu, in cuius significatione ponitur Apollo, tribuitur. Pulchre etiam auguria meatusque siderum laurea Apollinis virga monstrari perhibentur, quia auguria
20 quae sive volatibus avium sive omnia quae iacturis fulminum humanis consultibus ostenduntur astrologie quoque argumentationes, quantum ad stellarum cursum situmque pertinet, plus coniecturae quae similitudinem veri appetit quam [*fol. 51ᵛ*] verae intelligentiae probantur habere, quamvis formula quadam probabilis divinationis contineri
25 perspicuum sit.

8, 1 ANIE dicitur quasi ἀνὰ ἔννοια, id est recognitio. Potest etiam Anie quasi ἀνιεῖσα, id est libertas, intelligi. Virtus quippe recognitione originis suae qua ad imaginem et similitudinem creatoris sui condita est, seu liberi arbitrii notitia, quo velut maximo dono et nobilitatis
30 suae indicio prae ceteris animalibus ditata est, rationabili nature ex divinis thesauris concessa est atque donata. In qua virtute dico veluti in quodam speculo clarissimo lumine renidenti dignitatem naturae suae et primordialem fontem humana anima, quamvis adhuc merito originalis peccati ignorantiae nebulis circumfusa, perspicit, et quoniam ex sapientiae
35 studiis et donis virtus recognitione originis suae et libertatis notitia humane distribuitur nature, pulchre Sophia aditis Aniae speculum spiritualis notitiae et donasse et immutabiliter finxisse describitur.

1 ΑΠΟΤΤΣΤΡΟΦΕΙΝ

6 rutor   14 rubedine   18 pulcre *corr.*   22 conture *corr.* | similitumdinem   23 pprobantur
26 ananoia   27 anieia | recognitioni   31 hesauris   35 recognitionis

8, 4 LEMNIUS ipse est Vulcanus, a Lemno insula in qua fingitur habitasse, denominatus figurate autem; quemadmodum frater eius Iovis in significatione aetherei ignis ponitur, ita Vulcanus in formula terreni. Hunc fabulose maritum Veneris poete depingunt, Vulcanum volentes veluti voluptatis calorem intelligi, unde et Lemnium quasi limnium, id est 5 stagnosum, eundem vocant; λίμνη quippe a Grecis stagnum, hoc est paludosa aquarum collectio, nominatur, ut per hoc intelligas non alibi ardorem libidinis habitare, nisi in paludosis <locis> carnalis concupiscentiae ubi veluti quidam venere miscetur. Altiori vero et naturali theoria quam nunc Marcianus detegisse videtur, Lemnius, id est terrenus 10 ignis, sub figura generalis ingenii ponitur, ex quo veluti quidam igniculi ad expellendas ignorantie nebulas rationabili incenduntur naturae. Ut enim ignis invisibiliter omnem corpoream penetrat creaturam, ita naturale ingenium quod universitati rationabilis nature commune est omnibus viritim in hoc mundo nascentibus distribuitur mortalibus, ne et conditoris 15 sui et naturalis dignitatis cognitione omnino priventur, sed semper interiore lumine illustrati et se ipsos et deum suum assidua veritatis indagine inquirunt.

8, 8 AFRODITE id est spumea; Venus vocatur fabulose quidem quia de spumis castrati Saturni nata fingitur fuisse. Phisica vero consideratione, 20 spumas ferventium [*fol. 52ʳ*] seminum sive animalium sive aliarum rerum quibus nascuntur omnia quae in hoc mundo oriri videntur significat, ubi intelligendum quod praefata dona superiorum numinum bonas ac naturales humanae animae virtutes insinuant, que non aliunde nisi ex bonorum hominum causa et principio procedunt. Omne vero quod 25 merito originalis peccati ex corruptibili et mortali creatura naturalibus animae virtutibus et miscetur et inseritur per illecebrosa Veneris donaria significat. Hinc est generalis et specialis libido, hinc avaricia, hinc insatiabilis connubendi pruritus ceteraque illicia quae dinumerare longum est, florum pulchritudine praetiosorumquae unguentorum alatibus nec 30 non supervacuis tinnitibus, infructuosa quoque quietis corporibus veluti quadam somnolentia non inconvenienter significata.

8, 16 VEHICULUM Cyllenii liberam velocemque animae voluntatem conformat qua vel ad appetendas virtutes racionabili motu sublevatur vel inrationabili ad concupiscenda vitia deprimitur. Ut enim Cyllenius 35 aliquando in ima lunaris circuli descendit, aliquando sublimia solaris

19 Cf. Isidorus, *Etym.*, VIII, 11, 76.

2 qum *corr.*

3 aetheri   5 ids   6 limnos   8 locis *addidi* | carnali *corr.*   9 ubi *m. sec.* | veneri   13 petrat *corr.*   19 Afrodie *corr.* | qui *corr.*   20 castra *corr.*   22 omia   30 plchritudine *corr.* | ungentorum ungeuntorum *m. sec.*   33 veiculum veticulum *m. sec.*   34 tutes *corr.*   36 sola *corr.*

amplitudinis scandit, ita anima divinis legibus oboediens se ipsam ad
deum suum altissimo actionis et scientiae volatu sepe inquirit, sepe
easdem leges transgrediens se ipsam irrationabili levitate in concupis-
centias carnales praecipitat, quod autem sequitur.

5 **8, 17** LICET EAM AURI COMPEDIBUS ILLIGATAM MEMORIA PRAEGRAVARIT
ad laudem inferioris rationabilis nature partis, quae memoria denominatur, pertinet. Omne siquidem quod ex divinis legibus de cognitione
veritatis humano conceditur intellectui per rationis medietatem veluti
auratis quibusdam compedibus, hoc est sapientiae studiis, memoriae
10 infigitur atque custoditur. Cognitiones enim humanae animae absque
mora labuntur, nisi vinculis memoriae detineantur; simili ratione rerum
sensibilium notitia non alia humanae naturae parte nisi in memoria, ne
veluti umbra quaedam transeat, conservatur.

8, 20 ARCAS Mercurius dicitur quia maxime in Arcadia colebatur in
15 qua prae ceteris Greciae regionibus sermonis facundia quae Grece dicitur
Ἀρκαδία floruisse poetae non tacent.

8, 21 SUPERIORUM CASSUS hoc est superioribus virginibus frustratus.
SED EAM VIRTUS Aiunt sapientes medietatem [*fol. 52ᵛ*] quandam esse
inter deum et animam, quam medietatem dico virtutem solent appellare,
20 quae dum anima conditori suo adheret gaudere dicitur; dum vero
vitiorum inquinamentis, veluti quibusdam libidinis sagittis, anima
compungitur, eadem virtus dolere perhibetur.

9, 1 ADAMANTINIS hoc est indomitis vel insolubilibus.
Faretratus deus CUPIDO dicitur quia virtutibus animae quatinus
25 eas sagittis vitiorum interimat insidiatur.

9, 6 AMPLIUS DELIBERANDUM hoc est maioribus disputationibus
pensandum. Virtus quippe suadet primum quidem non debuisse
Mercurium uxorem eligere, vel ducere absque Apollinis consilio, non
solum quod frater sit, verum quod omnium quae deos et homines oportet
30 facere et prescit et divinatur; insuper etiam nunquam segregari a fratre
suo Mercurium decuisse, cum quo semper et inseparabiliter per zodiaca
hospitia, hoc est per spatia signorum et partium signiferi, currit. Aiunt
quippe astrologi stellam Mercurii a sole numquam amplius disparari
quam unius signi, id est triginta partium spatio, sive velocior praecesserit,
35 sive tardior retrograda remanserit. Sepissime autem ac pene semper
soli coire perhibetur ac per hoc radiis eius occultari et rarissime apparere,

---

1 amplitunis *corr.*   2 sum *corr.*   3 irrationabibi   4 qod *corr.*
5 meria *corr.*   9 meriae *corr.*   13 quedam *corr.*   16 Arcadia   27 debuis *corr.*   28 L̈vel
30 presci *corr.*   31 nseparabiliter *corr.*

et hoc est quod ait MENSTRUA PRAECURSIONE, unius videlicet mensis intervallo.

9, 12 AC TUNC VOLATILEM VIRGAM Volatilem virgam habere dicitur Mercurius ea ratione qua sermo facundiae rectae orationis tramite dirigitur, propitissimoque pronuntiandi offitio ingreditur, vel quia ut 5 aiunt astrologi rectissimis linearum ductibus non ut aliae planetae per curvaturas absidum stella Mercurii cursum suum dirigit. Quam virgam sorori suae Virtuti praestitit ut eadem celeritate per diversa mundi climata Apollinem cum Mercurio quereret.

9, 14 TALARIA a talo sunt dicta quoniam callis pedum subnectuntur, 10 quae non incongrue aurea esse finguntur propter pulcritudinem sermonis qui virtutibus benedicendi construitur. Non enim alia ratione Virtus adherere Mercurio describitur nisi quod sermo quamvis copiosus sit, si virtute sapientie et scientiae non ornetur et refrenetur, nil pulcritudinis et utilitatis efficit, superfluusque ac vagus repraehenditur. 15

9, 15 FANA dicuntur a fando quod in eis demonum φωνή, id est vox, resonabat, atque responsum, et a verbo Greco φωνέω vel φαίνω, hoc est dico vel loquor, derivatur.

9, 16 OBLIQUIS AMBAGIBUS [*fol. 53ʳ*] errabundis ambiguitatibus. Hoc autem dicit quoniam responsa Sybille Cumeae ambigua erant atque 20 confusa.

DENUNTIATA CAEDE a sacerdotibus videlicet hostiarum strage praecepta.

9, 17 FISSICULATI PROSICIS hoc est naturalibus responsis extorum iliorum; φύσις natura, unde fyssiculatum, id est naturale, dicitur responsum. 25 Prosica autem dicuntur responsa, quia ad imaginem quandam humanae vocis dabantur; πρός enim a Grecis dicitur ad, εἰκών vero imago, inde prosicum componitur adimaginatum, quibus videlicet fanis sortitus.

9, 19 Apologia responsa, LOGIA autem proprie dicuntur eloquia.
SAGACI diligenti. 30

9, 20 DISQUIRUNT Virtus cum Cyllenio. FASTIGIIS VIDUATIS culminibus desertis.

9, 21 LAURI ARENTIS lauri aride.
VITTIS SEMIVULSIS crinalibus ligaturis semivulsis, nimia vetustate pene solutis atque neglectis. 35

4 rect *corr.* 6 planete *corr.* 9 Aplolinem *corr.* 16 ΦΟΝΗ 17 φω | fano 18 dirivatur 19 ambiguitabus 24 fisiculatio | ponsis *corr.* 25 fisis | fysciculatum 27 ΙΚΩΝ 29 apollogia 33 lari *corr.*

9, 22 CUMANO ANTRO In Cumis Campaniae civitate antrum fuit Apollini consecratum, quo Sybylla sacerdos consulentibus ambigue dabat responsa, quae Erythrea vocata est quoniam ab Erythra insula in qua nata est, sicut ipsa suis versibus testatur, Cumas pervenit. Sybilla autem
5 dicitur quasi σιὸς βουλή, hoc est divinum consilium, vel proprie Iovis consilium. Ut enim apud nos nominativus est Iuppiter, genitivus vero Iovis, ita apud Grecos nominativus Ζεύς cuius genitivus Διός vel Σιός, inde Σιὸς βουλή Iovis consilium.

10, 1 CARIES dicitur putredo arborum. CARPEBANT mordebant.

10 **10, 2** AERIOS TRACTUS aeria spacia.

10, 3 MEATUS volatus OSCINUM avium; oscines dicuntur quasi ore canentes.

10, 4 PRAEPETIS propria petentis.

10, 5 CONTAMINE MONENDORUM contagione cruoris hostiarum. Monenda
15 dicuntur sacrificia quia per ipsa ab hominibus admonebantur dii.

10, 6 AUGUR PITHIUS Apollo est vocatus, quia fanum illius in Delo insula in quo auguria manifestabat Pithium est nominatum sive a pithone serpente cuius corium fuerat illic extensum ut fabule fingunt, sive, ut verior dicit ratio, a verbo πεύθομαι, hoc est consulo vel in-
20 terrogo. In praefato quippe fano consulebatur et interrogabatur Apollo, et est sensus: Propterea Apollo dedignatus est augur Pithius vocari, quoniam nimia cruoris effusi circa fanum Pythium offensus est putredine.

10, 7 DELOS insula a claritate sui vocata est; δῆλον enim Greci clarum
25 dicunt, seu quod in ea clara responsa reddebat Apollo.
    ELICON est Parnasi montis cornu in quo fanum Apollini fuerat constructum.
    LYCIA autem insula est propria Apollinis patria in qua natus est et pastor fuit, et quoniam non solum pecora a lupis defendebat, verum
30 etiam de tota insula expulerat, et ipse Lycius, id est Lupinus, et fanum eius in eadam insula Lycium est nominatum. [*fol. 53*] Nam a Grecis dicitur lupus λύκος; λύκος autem vocatus quasi λύχνος quia instar

---

4 Cf. Isidorus, *Etym.*, VIII, 8, 1.
9 Cf. Isidorus, *Etym.*, XVII, 6, 28.
16 Cf. Macrobius, *Sat.* I, 17, 51, 52.

1 Appollini
7 ZIOC   8 ZIOC boyle   11 oscenes   15 qua *corr.*   18 pithione   19 ΠΤΘΩ   20 con-
suletur *corr.*   24 ΔΕΛΟΝ   25 Apol   32 ΛΙΧΟC *bis* | licnos

lucernae oculi eius noctis tenebras expellunt. Ex qua insula fertur
Apollo Delon migrasse, feminamque quandam ex sibilo cuiusdam serpentis vaticinia proferentem occidisse, ut ipse eiusdem serpentis sibilo
admonitus consulentibus se redderet responsa, et hinc poetica figmenta
eum divinatorem divulgavere.   5

10, 8 PRIMORES antiquas, vetustas. TRIPOS quasi tripes, species lauri
est tres radices habens, et est proprie Apollini consecrata. Inest quippe
ei divinationis vis ita ut si quis ramum eius, priusquam dormiat, capiti
subposuerit vera videre somnia perhibeatur.

10, 9 CREPIDAS Κρηπίς a Grecis pavimentum dicitur. MURCIDAS quasi   10
marcidas, hoc est marcescendo ruinosas. PRAESAGIORUM divinationum.
INTERLITAM abolitam.

10, 12 PARNASIA RUPES repetit Elicona Parnasi montis antrum quod
primo adierant, et iterum Fama hortatur adire, ut saltem vel secundo ibi
Apollinem invenirent. Potest etiam intelligi, duo fana in eodem monte   15
Apollini fuisse consecrata, quorum unum Elicon, alterum Parnasia
rupes vocitatur.

10, 13 OBUMBRATUM SCOPULUM Cyrra mons est in India in cuius
caliginoso scopulo ara nemusque Apollini consecrata sunt, et hoc est
quod ait CIRRHAEOS RECESSUS. Sed quod primo ad Cyrreum montem   20
pervenientes tandem ad eius antrum tenebrosum ducente eos Fama
perducti sunt, in quo antro fortunarum omnium imagines depictae sunt.

10, 16 QUICQUID IMMINET quicquid futurum est, fortune videlicet
futurorum.

10, 18 TRANSACTI hoc est futuri temporis fortune. EMENSO CURSU   25
finito cursu veluti fugitive consistebant fortune siquidem praeterita
quamvis fugere videantur, memoria tamen illorum in parietibus scopuli
veluti fixa depingebatur.

10, 19 SUB CONSPECTU fortunas praesentium dicit, quae veluti ante
oculos consistunt, et neque fugere ut praeteritorum neque advenire   30
formantur ut futurorum.

10, 20 ADVENIEBANT QUAM PLURES fortunas dicit eorum qui mox ut
nascuntur, nullo vivendi spacio concesso, subito veluti umbrae
vanescunt, sed haec omnia vanissima poetarum deliramenta sunt.

1 lucerne *corr.*   7 sine ut aliud sit Indici montis scopulum aliud Kyrri
recessus *post* lauri est *delevi*   10 crepis   13 antum *corr.*   15 intel *corr.*   17 vocitatum *corr.*
18 Kyrrus | mos *corr.*   20 Kyrreus secreta montis Arcadiae *supra* Kyrreos *m. sec.* | kyrrum
26 praeteritem *corr.*   34 nescunt *corr.*

10, 22 MIRA SPECTACULA FORTUNARUM videlicet imagines. In hoc
loco musicas symphonias usu poetico seu rethorico, sub figura Apollinei
nemoris flabrorum flatibus commutati, breviter describit, ita ut summitas
arborum acutissimos sonos, inclinati autem rami ad radices gravissimos,
5 medii, hoc est inter cacumina arborum et radices extenti, medios efficient.
Omnis quippe musica symphonia, id est consonantia, veluti intra tres
terminos constituitur, [*fol. 54*] hoc est inter gravissimos et medios et
acutissimos sonos. Quorum extremi gravissimi videlicet et acutissimi,
dum sibi invicem coaptantur, concentum, id est ratam extremorum
10 concinentiam, reddunt. Dum vero inter graves et extremos rationabilibus intervallis medii constituuntur soni, inter se invicem succentus
gignunt, ita ut extremi concentus medii autem succentus efficient, et si
extremi soni sibi invicem ex dupla proportione iungantur, ut sunt duo
ad unum, diapason armoniam, quae in simplicibus simphoniis maxima
15 est, effitiunt. Si vero extreme voces sesqualtera proportione, ut sunt
tria ad duo, sibimet copulentur, mediam symphoniam, que diapente
dicitur, reddunt. At si extremitate sua cum sesquitertia proportione,
ut sunt quattuor ad tria, sibi invicem respondent, minima absque dubio
consonantia quae diathessaron vocatur resonabit, et hoc est quod ait
20 DUPLIS SESQUIALTERIS SESQUITERTIIS quoniam vero medii soni rationibus
epogdois, quas octavas dicunt, ut sunt VIIII et VIII sibimet coniunguntur.
Communis mensura mediarum vocum quam dicunt totum mox gignitur,
et quia non semper integris tonis a se invicem medii cum extremis
comparati discernuntur, necesse est ut inserantur emitonia quae etiam
25 limmata nominantur, et hoc est quod ait, OCTAVIS ETIAM SINE DISCRE-
TIONE IUNCTURIS, quamvis intervenirent limmata. Et ne quis existimat
nos contraria docere dicentes extremos sonos concentum, medios vero
succentum, reddere, dum ipse Marcianus succentibus DUPLIS AC SES-
QUALTERIS NEC NON ET SESQUITERTIIS dicat, in extremis quippe sonis,
30 dupla seu sesqualtera seu sesquitertia proditur consonantia, ordinem
verborum intentus perspitiat, atque ita disponat octavis etiam succinen-
tibus, id est tonis; deinde videat quibus succinunt octave duplis videlicet
extremitatibus et sesqualteris et sesquitertiis, et intelligat in extremitatibus solum modo duplas sesqualteras sesquitertiasque proportiones
35 concinere, in mediis vero octavas et limmata, hoc est tonos et emitonia,
succinere. Constat autem minima symphonia ex quattuor sonis, ideoque
diatessaron dicitur; media autem ex quinque, [*fol. 54*] hinc quoque
diapente nomen accepit; maxima ex octo que propterea diapason dicitur,
id est ex omnibus, quoniam ex diatessaron et diapente componitur.

1 spatacula   3 flaborum *corr.*
9 concetum *corr.*   10 continentiam *corr.* | gravis *corr.*   11 so *corr.*   14 simpplicibus   15
sesqualitera   17 suo *corr.*   20 sesquateris | sesquitertius   21 epiogdois | dicont *corr.*
25 discrtione   26 qui   33 extreminatastibus   39 diatesaron

Tota itaque diatessaron in diatonico genere ex quattuor sonis constat et duobus tonis et emitonio; tota diapente ex v sonis et tribus tonis et emitonio; tota diapason ex viii sonis et v tonis integris et duobus emitoniis. Armonia interpretatur adunatio dissimilium videlicet vocum ratis proportionibus coniunctarum. 5

11, 8 superum carmen hoc est divinam melodiam ad similitudinem videlicet caelestis armoniae. Aiunt quippe philosophi motum planetarum et extime spere omnes musicas consonantias gignere, quarum similitudine nemus illud Apollinis personabat parili ratione. De partitione caelestium sonorum atque tonorum varie disputant philosophi, 10 sed quoniam prae ceteris Pytagoras arithmeticarum et musicarum proportionum sagacissimus fuit investigator et inventor, ipsius sententiam sat est ponere, ut opinor. Ait enim a terra ad lunam c̄xxv̄i stadiorum esse, ipsumque spatium tonum efficere; a luna vero usque ad solem duplum praefati spatii colligit veluti in duobus tonis ita ut intervallum 15 solis et lune. Intervallo terre ac lune duplam efficiet rationem ac per hoc et diapason armoniam. Similiter ultra solem aliam diapason in duplici ratione asserit, ita ut sonus firmamenti, hoc est extime spere, solari sono conparatus, duplo eum habeat. Hinc conficitur ut a terra usque ad extremam speram bis diapason in quadrupla proportione 20 colligatur. Ubicumque autem fuerit diapason, ibi necesse est diatessaron simul ac diapente symphonias compraehendi.

11, 11 aut concentus edere Concinit quippe secundum Pytagoram sol lune et spera soli in dupla comparatione; spera vero lune in quadrupla proportione; succinunt autem soli Venus et Mercurius, spere autem 25 Saturnus Iovis Mars.

11, 14 moduletur in sole hoc est dum sol efficitur vel dum in sole movetur. Phoebus novus interpretatur siquidem semper in ortu novo vultu cernitur oriri. Auricomus autem dicitur propter pulcherrimum radiorum splendorem veluti auream quandam comam gestans. 30

11, 15 augustum vastum amplum.

11, 18 Sagittarium dicitur Apollo quia radiis suis veluti quibusdam sagittis totum sensibilem penetrat mundum, et in his quae penetrat veluti quedam vulnera relinquit ac per hoc Vulnificus.

11, 20 amnes dicit planetarum circulos qui veluti quaedam fluentia 35 [*fol. 55*ʳ] per aetheria spatia non desinunt currere. Amnes autem non

---

10 Cf. Plinius, *Hist. nat.*, ii, 21; Macrobius, *Comment. in Somn. Scip.*, ii, 1, 4–8; ii, 3, 13–15.

6 diuna   7 videliet *corr.* | ai   21 diatesaron   35 fluenta

inmerito dicuntur quoniam nulla planetarum est ex qua per occultos poros aliqua qualitas in terrena aetheria et aquatica non defluat; verbi gratia, palliditas a Saturno, sanitas a Iove, furor a Marte, vitalis motus a sole, pulcritudo a Venere, agilitas a Mercurio, a luna humida 5 corpulentia.

11, 23 DIVERSICOLOR unde unaqueque planetarum, Plinio teste, suum proprium possidet colorem. Sepe tamen ipse stelle v, Saturnus videlicet, Iovis Mars Venus Mercurius mutant colores. In quarum enim, ut verbis eius utar, aera veniunt, subeundo illarum coloris similitudinem 10 trahunt. Verbi gratia, stella Saturni naturaliter pallida est, nam et frigida, dum autem in circulum Iovis descendit, ipsius claritatem attrahit. Similiter Iovis stella, dum sit naturaliter clara, quando sursum versus circulo Saturni miscetur, pallida videri necesse est, et eodem modo de ceteris intelligendum. Nam et sol et luna non eosdem semper colores 15 suos observant, sed pro rationibus altitudinum seu descensionum varios accipiunt colores.

11, 24 Primum circulum Saturni describit QUI DIFFUSIORIS, id est amplioris latitudinis est, propter spere amplissime propinquitatem, algidioris quoque qualitatis propter solis longinquitatem.

20 **12, 3** ALIUS LACTIS INSTAR Iovialem dicit ambitum qui quoniam inter frigiditatem Saturni superioris et fervorem inferioris Martis medietatem quandam obtinet temperatam equalitatis est ac per hoc candidum argenteumque possidet colorem. Tertius vero Martis circulus ex propinquitate solaris ignis fervidam contrahit qualitatem ardentissi- 25 mamque anhelantia flammarum. Qui eum sequebatur circulus solis est qui ex solari corpore in eo semper discurrente mirabilem attrahit pulcritudinem.

12, 9 QUIBUSDAM RIVULIS INTERMIXTIS Rivulos vocat solares radios qui dum per ceterarum planetarum circulos circulorum qualitates singulis 30 distribuunt veluti mixtura quadam singularum corporibus circulisque se ipsos infundunt. Potest etiam intelligi quod ait QUIBUSDAM RIVULIS INTERMIXTIS de Veneris atque Mercurii circulis qui aliquando altius ascendentes ita ut supra solem discurrere videantur, iterumque descendentes ad inferiora orbitas suas concursus luminum instar solari tramiti 35 intermiscent.

9 Cf. Plinius, *Hist. nat.*, II, 18.

2 aeheria | defuat *corr.*
13 odem   15 sde sed | altitudinum seu descensionum *Manitius* altitudinem seu descensionem
18 amplisime   20 laetis   21 ferverem   30 xin mixtura   33 ascentes *corr.*   35 intersimiscent

12, 11 ELECTRO PURIOR circulum Veneris depingit quia propter honestatem ipsius stelle currentis in eo purior electro perhibetur. Electri autem duo genera sunt, quorum unum ex auro argentoque [*fol. 55ᵛ*] conficitur, alterum ex electrinis arboribus in modum sudat resine, quem pro sui pulcritudine fortunarum populus fabulose dicitur appetere, eiusque 5 odore atque modulamine pasci. Aiunt quippe astrologi Venerem tribus emitoniis soli succinere.

12, 15 GUSTUM AUTEM et reliqua. Hoc dicit quia corporalium delectationum causas in Venere constitutas esse perhibent, in quibus homines carnales et madefactos esse et semper manere concupiscunt. Praeterea 10 duo, Mercurialem et lunarem ambitum, dicunt qui quantum terris propinquiores tantum latitudinis artioris esse creduntur. Qui etiam pro ratione altitudinum et qualitates et colores mutant, ita ut vix proprie vis quam saporem nominat in eis remaneat. Videmus quippe lunam in huius aeris ima descendentem veluti tenebrosam macu- 15 losamque, in confinia vero aeris et aetheris ascendentem splendidam omnique macularum contagione purgatam. Nihil enim aliud sunt macule quae in lunari globo solent apparere nisi sordes de terris nec non et de aquis nubibusque attracte. Lege Plinium Secundum. Similiter de Mercurio intellige qui in humili absida sui obscurior, in alta vero clarior, 20 solet apparere.

12, 21 NAM ALITER hoc dicitur de Mercurio qui nimia sui celeritate aliquando praecedit solem per longitudinem signiferi, aliquando per latitudinem signiferi, anomalus, hoc est absque lege rectitudinis sed errabundus, vagatur. 25

12, 23 ALIUS vero ambitum lune describit qui per XII partes latitudinis zodiaci tortuoso draconum meatu, nunc inferius nunc superius, errantis similis, invehitur; et quoniam humida natura est corpus lunare veluti quibusdam suis spumis, hoc est humoribus, omnia semina quae de aqua atque tellure nascuntur nutrire perhibetur, incrementaque eorum 30 administrare.

13, 1 HI IGITUR CURSUS Ab hoc loco usque GURGITE FERIATA poetica deliramenta sunt, falsis opinionibus plena, et tamen opinione veluti quadam rationabili qui talia fingunt fulciri existimantur, qua fata miserrimeque anime quae ab eis post mortem corporis vexantur intra 35

3 Cf. Servius, *Aen.*, VIII, 402.
19 Cf. Plinius, *Hist. nat.*, II, 46.

1 qua   8 autetem | delectionum   9 vere *corr.*   12 latitunis
13 altitudinem   15 una   20 intellige *Manitius* intelligi   28 esse   30 erum *corr.*   32 grgite *corr.*

ambitum huius mundi in planetarum circulis veluti in quibusdam
fluminibus vel puniri vel purgari et semper in eis detineri merito male
vivendi seu ab eis liberari merito bene vivendi per corpus mendacissime
putant.   Nam et Macrobius Teodosius intra ambitum lune infernum
5 arbitratur esse, eiusque flumen igneum in quo anime puniantur quod a
Grecis Πυριφλεγέθων, id est ignis flagrans, nominatur ex Martis
circulo qui igneus esse perhibetur manare non dubitat.   Eliseos quoque
campos, hoc est solutionis in quibus purgatas animas quiescere existimet,
intra ambitum Iovialis circuli arbitratur esse.   Secta quoque Platonica
10 quae de apostrophia, id est de reversione animarum in alia corpora, nimium
insanit, docet purgatas animas ac veluti prioris vite maculis liberatas
atque quietas iterum redire in corpora in quibus [*fol. 56ʳ*] iterum pollu-
antur, ac per hoc post illud corpus puniantur, et hoc est quod in hoc loco
Martianus machinatur docere, docens animarum fortunas quasdam in
15 quibusdam fluminibus planetarum quiescere atque letari, quasdam in
quibusdam torqueri et contristari, quasdam de flumine in flumen relabi
ut que nunc beata mox fiat misera et que misera fiat beata, iuxta revolutiones temporum et reversiones animarum in corpora, in quibus prout
vixerint aut beata aut misera, post mortem sequitur vita.

20 **13, 23 Cum Virtute Mercurius** Non inmerito queritur qua ratione
Virtus cum Mercurio planetarum circulos quaerentes Apollinem transcen-
dere dicuntur, eumque ultra omnes planetas invenire et iterum reperto
Apolline, illos tres Apollinem dico, Mercurium et Virtutem eosdem
circulos consultum Iovis flagitantes transvolasse, sed ad hoc dicendum
25 <est> ceterarum planetarum circulos circa solem esse, ac per hoc
centrum suum in ipso ponere sicut Calcidius in expositione *Timei*
Platonis exponit.   Ipse siquidem Plato planetarum omnium centrum
in sole ponit, ita et ut sub sole sint integri et supra solem.   Quid itaque
mirum si iste Martianus dum sit omnino Platonicus de situ planetarum
30 documenta edisserit?   Ac per hoc bis necesse erat Virtuti cum Mercurio
planetarum circulos transire, primum quidem dum sunt infra solem,
secundo vero adiuncto ipso Apolline dum sunt supra.   Non enim Platonici circulum Saturni Iovis Martis nec non et lune ambire terram sed
solummodo <Saturnum> terram ambire perhibebant.   Poterat enim
35 intelligi iuxta aliorum philosophorum opinionem bis circulum Veneris
ac Mercurii potuisse transire, quoniam et infra solem sunt et supra.   Non
invenientes vero Apollinem in terra neque in tractibus inferioris aeris

---

4 Cf. Macrobius, *Comment. in Somn. Scip.*, i, 10, 7–16.
26 Cf. Chalcidius, *Comment. in Timaeum*, lxxi.

2 senper | eius   6 ΠΤΡΙΦΛΕΓΕΤΟΝ   7 manere *corr.*   16 contristrari   19 au (*primum*) *corr.*
23 illi   25 est *addidi*   29 Platonicus *Manitius* Platonica   34 Saturnum *addidi*

qui inter terram lunamque est constitutus, quomodo alium nisi lunarem circulum primum potuerunt invenire? Et si ita est, non nisi tres tantum modo circulos, lunarem scilicet Mercurialem Veneriumque, infra solem transierunt. Itaque si planetarum circuli et infra integri secundum Platonicam doctrinam et supra solem sint, quid impedit bis eos transcendi 5 posse existimari?

ac tunc Latoium Latoius Apollo nominatur, Latone filius, et est patronymicum ex matre.

14, 1 EDITO SUGGESTU hoc est excelso throno.

14, 2 QUATTUOR URNULAS quattuor temporum qualitates intellige. 10

14, 3 ENUDARE aliquando quidem adopertas, hoc est coopertas, aliquando denudatas. Nam dum estivi temporis caliditas cooperitur, hiemalis frigiditas [*fol. 56ᵛ*] aperitur et conversim, dum hiemalis cluditur frigiditas, aestiva refertur caliditas. Ferrea una caliditatem aestivi temporis, plumbea hiemalis gravissimam geliditatem, argentea vernalem 15 temperiem, vitrea autumnalem pulchritudinem, instar sali marini, dico liquoris, confirmat.

14, 9 CAECAUMENIS Καῦμα Greci dicunt ardorem, κακόν autem malum, caecaumenis ergo quasi κακοῦ καύματος, id est mali ardoris intellige.

14, 10 ANCLATA hausta; ἀντλῶ Grecum verbum est, quod Latine 20 dicitur haurio. Ne mireris potestatem administrationis quattuor temporum ad Apollinem referri, cum alibi Iunonis, id est aeris, esse perhibeantur, quoniam omnium quae et in aere et in aquis et in terra nascuntur causa in sole constituitur.

14, 11 MULCIFERI Mulcifer dicitur quasi mulcens, id est mollificans 25 ferrum.

14, 14 RISUM IOVIS Totus mundus, in cuius figura ponitur Iovis, vernali tempore dicitur ridere, hoc est suam serenitatem primum manifestare.

14, 16 SATURNI EXITIUM hoc est geliditatis interitum. In hieme quippe 30 omnium pene rerum interit honestas florum videlicet ac fructuum, hinc fingitur fabula Veneris atque Adonidis. Venus siquidem luget fusis lacrimis interemptum in quadam palude ab ipsa fera quae singularis

---

27 Cf. Macrobius, *Sat.*, 1, 21, 3-4.

3 scilicet *Manitius* silicet

7 clatoium | patronmioum patronomicum *m. sec.* 13 et *m. sec.* 14 referatur 15 himalis | artea *corr.* 16 autumnallem 18 caecaumuisnis | cauma | cacon 19 caecauminis | caci | caumatos 20 anclo 24 constituuntur

dicitur, Adonidem. Est autem Venus iuxta cerebrum fabule in
aestivo tempore honesta telluris superficies que recedentem Adonidem,
id est solem, ad austrina et infima signiferi signa, ibidemque veluti a
porco quodam, hoc est ab hiemis spurcitia, occisum, hoc est occultatum,
5 fusis crescentium fluminum lacrimis luget, ita ut telluris honestas aestiva
penitus videatur perire in hieme.

14, 18 Iunonis ubera autumnale tempus dicitur quod in eo omnium
seminum fructus et exuberant et maturantur. Hinc etiam autumnus
ab autumnando, id est maturando fruges, nomen accepit.

10 **14, 19** ex his igitur urnis In hoc loco fabulose loquitur. Aiunt
enim solem veluti numen quoddam, orbi complacito, hoc est hominibus
bene viventibus ac sibi placentibus, temperantiam ex qualitatibus
elementorum, ac per hoc et sanitatem prestare, male viventibus vero ex
eisdem qualitatibus inordinatam quandam confusionem et intemperan-
15 tiam, ideoque et pestem morbosque defundere. Aut enim nimia siccitate
et caliditate aut nimia frigiditate et humiditate animalium caeterarumque
rerum corpora pereunt, sola autem temperantia servantur.

15, 5 caeci poete Meonii videlicet, cuius et in prioribus mentionem
fecit.

20 **15, 7** ΦΟΙΒΟΣ novus dicitur, quia novum vultum semper sol manifestat in ortu; idem χρυσοκόμης, id est auricomus propter radiorum
crines. Λοιμός a Graecis dicitur pestis, cuius genetivus λοιμοῦ.
Nubes vocatur a Grecis νεφέλη. ΝΕΦΕΛΗΝ ΑΠΟΡΡΕΙ [*fol. 57ʳ*] tertia
persona est verbi ἀπορρέω, hoc est refluo vel reicio, ex quo versu vide-
25 licet, et est sensus: Monebat Mercurius per versum Meonii posse se
ipsum fugare pestes si prima vota hominum pro peste pellenda pedes
eius attingerent; non esse tamen sue potestatis expellere pestes sed
fratris sui Apollinis, ideo subiungit subdende tamen voces scilicet
hominum Clario, cuius proprium est pestes fugare quemadmodum
30 et adducere.

15, 10 infula vestis sacerdotalis est.

15, 11 librico crine arboreo crine quia de libro laurei corticis crines
eius ligari finguntur propter vim vero somniorum que ramis eius insita est.

21 Cf. Macrobius, *Sat.*, I, XVII, 47.
25 Cf. Lucianus, Ἀλεξ., 36.
31 Cf. Isidorus, *Etym.*, XIX, 30, 4.

4 occultarum *corr.*   7 Iunononis   8 maturantur *Manitius* materantur
16 frigitate *corr.* | -qe *corr.*   17 servntur *corr.*   20 ΦΟΕΒΟΣ   22 ΛΙΜΟΣ | lima   23 nefele |
ΑΠΟΡΟΤΕΙ   24 ΑΠΟΡΟΤΟ   28 Apollonis

15, 16 IN PARTICIPATUM OPERIS sive administrationis urnularum seu discursionis per signiferum.

15, 19 ANXIA dubia seu tristis, et est sensus: Dum nutat dum titubat dubia sententia hominum ac trepida, id est deorum pavore territa atque indiga, id est inops veri propter ignorantiam rerum agendarum, quid 5 aliud restat humano generi nisi deos consulere, in quos nulla cadit ignorantia? Et hoc est quod subiunxit.

16, 2 AT NOBIS qui sumus dii. VACUUM id est licitum nosse omnia et in nullo cunctamur ac si diceret: O frater et soror Mercuri et Virtus, non inmerito ad me venisti meque consulere voluistis, quoniam adhuc 10 mortalium anxietates et ignorantias non omnino deseruistis, ideoque parem Mercurio iugalem ignorabatis ac per hoc in adoptione multarum virginum absque meo consilio decepti estis, nec frustra me querendo in terris et in aere laborastis, quoniam incunctanter de causa vestra divinum vobis aperiam consilium. 15

16, 3 LICET DE PECTORE FIXIS PRAEOPTARE CARET hoc est licet nobis qui sinceri dii sumus nosse omnia atque praescire ab Iove sit concessum. CARET tamen hoc est ad nos non adtinet PRAEOPTARE DE FIXIS PECTORIBUS id est consiliis vestris in vestro quippe proprio arbitrio constitutum est quid vestris cordibus constituatis, ita tamen SI QUOD PLACET diis et QUOD 20 NECESSE EST fieri in vestris mentibus fixum.

16, 5 MANSURA VOLUPTAS de eligenda videlicet uxore.

16, 6 SIC SEMPER ac si diceret: Non mirum si vis, frater, meum ferre consilium, sic enim in omnibus quae vis solites me capere socium, et FACIUNT ADDITA tibi mea consilia tuam mentem stabilem omnique 25 cunctatione liberam. Est igitur ab initio versuum usque MODO formula rethorica quae dicitur insinuatio, deinceps usque ad finem alia forma sequitur, quae demonstratio, id est laus, nominatur. Demonstratur quippe Philologia laudibus eximiis in qua etiam alia formula quae dicitur suasio subintelligitur. Laudando siquidem Philologiam suadet Mer- 30 curio eam eligere in uxorem.

16, 8 PRISCI GENERIS antiqui nobilis quoniam Philologiam Athanasie, id est inmortalitatis, filia esse dicitur.

16, 9 CUI FULGENT demonstrat Philologiam astrologiae peritam esse, sicut una dearum quae de vertice Parnasi montis choros siderum 35

---

5 inobs   8 omiam   9 dieret *corr.* | mercuril   16 pecre *corr.*   17 sineri *corr.*
24 ius   27 rethiorca   29 philogia *corr.* | forminatur demonstratur quippe Philologia laudibus eximiis in qua etiam alia *post* alia *iter. delevi*   30 laundando | Mercuri Mercurius *m. sec.*
35 Prnasi *corr.* | choris *corr.*

conspicantur.

16, 10 CUI [*fol. 57ᵛ*] NEC TARTAREOS id est meatus siderum subterraneos cognoscit et nulla claustra intellectum illius repercuciunt.

16, 11 NEC IOVIS ARBITRIUM Iovis arbitrium dicit occultas rationes,
5 meatus siderum ac si dixerit: Non solum visibiles causas ipsa cognoscit, neque ullo flumine cognitio ipsius repercutitur.

16, 12 NEREUS deus maris est, cuius mater Nimpha, id est unda, dicitur. Ad cumulum laudis Philologiae additur notitia rerum quae in profundo maris aguntur, ut non solum siderum cognitio verum etiam aquarum a
10 quibus sidera nutriuntur ei tribuatur.

16, 13 TUOS RECURSUS per regna fratrum Apollinis videlicet et Martis, in quorum circulis sepe discurrit Mercurius, quod Fililogiam non latet.

16, 15 PREVERTERE prescire, vel ad libitum suum convertere quicquid superi praesciunt, quasi ipsius prescientia superum prescientiam
15 praeoccupet.

16, 17 IUS HABET legibus eius, inquit, sepe subdimus.

16, 19 STENT ARDUA MAGNO Peripatheticorum dogma tangit qui et speram mundi extimam aetheriaque omnia spatia semper in statu esse docent, solos vero stellarum choros simul atque planetas assiduis motibus
20 circa terram convolvi, et hoc est quod ait INVITO IOVE STENT ARDUA MAGNO ac si aperte diceret: Sola Philologia, hoc est altissimum rationis studium, coactis aliorum philosophorum doctrinis, qui non solum choros siderum, verum etiam aetheria sphericaque cuncta spatia moveri semper circa centrum mundi, hoc est circa terram, existimant, sectam Peri-
25 patheticam affirmat. INVITO itaque IOVE, hoc est invito aliorum philosophorum documento, stare mundum asserit Philologia.

16, 20 CUMULAT hoc est ad laudem Philologiae addit. ALTERUTRUM vicissim videlicet. MERUISSE Mercurium profecto PARILEM IUGALEM, hoc est similem sui uxorem.

30 **17, 4** DE INGENITO RIGORE de naturali virtute. Virtus quippe per se ipsam considerata semper inmobilis manet, dum vero corporibus adherere mutabilibus cernitur, cum ipsis moveri existimatur. Hac ratione Virtus gaudibunda concuti dicitur, dum veluti quaedam femina corporalem habitum induta formatur.

10 Cf. Plinius, *Hist. nat.*, II, 46.

6 fumine *corr.*   7 una *corr.*
11 fratum *corr.* | Apollini   13 precire precisre *m. sec.* | quiqid quicqid *m. sec.*.   18 aeheria *corr.*
23 aeheria *corr.* | cunta *corr.*   26 mundo   27 al   32 mutalibus *corr.*

17, 5 PROPINQUAM ESSE Non incongrue Philologiam cognatam sibi esse Virtus commemorat, quia rationis studium a virtute neque virtus rationis studio segregari potest, quippe sibi invicem conexim semper adiunguntur.

17, 6 PATRONAM Philologia dicitur patrona Mantices non immerito 5 quia divinandi ars non aliunde nisi ex rationis diligentia procedit.

17, 7 IN IPSAM QUOQUE SOPHIAN Hoc dicit quoniam omnes disciplinas quibus sophia, hoc est sapientia, et inquiritur et invenitur rationabile studium et repperit et ordinavit.

17, 8 NAM ΨΥΧΗΝ Pulchre admodumque honeste humanam animam 10 ratiocinandi legibus carentem veluti quandam feram stulta hispiditate incultam, nullisque sapientiae doctrinis domitam atque frenatam, asserit esse, ac per hoc quicquid honestatis in anima rationali elucet non aliunde nisi rationis exercitationibus comparatur.

17, 12 UT EAM SEMPER INMORTALEM FACERE LABORARIT Hic aperte 15 docet studia sapientiae inmortalem animam facere et si quis ad haec dixerit stultas animas sapientiae studiis carere, [*fol. 58ʳ*] ac per hoc et mortales esse, respondendum omnes artes quibus rationalis anima utitur naturaliter omnibus hominibus inesse, sive eis bene utantur sive male abutantur, sive omnino illarum exercitione caruerint, ac per hoc 20 omnem humanam animam propter insita sibi sapientiae studia inmortalem conficitur esse.

17, 16 CERTUM EST LAURIPOTENS DECUSQUE DIVUM Hoc est metrum <quod> Hasclepiadicum esse dicunt. Constat autem ex primo spondeo, deinde ex duobus coriambis seu ex qualicumque pede senum 25 temporum, hoc est diiambo seu distrocheo similibusque. In fine autem aut unam syllabam pro longa positam aut duas breves semper habet pro semipede qui dum primo spondeo iungitur veluti unum pedem sex temporum facit. Scanditur ergo sic: CERTUM EST spondeus, LAURI-POTENS coriambus, DECUSQUE DI diiambus, UUM semipes. 30

17, 17 NOSTRUM PECTUS nostrum consilium. EX CONTIGUO ex propinqui-tate fraternitatis.

17, 18 ET QUICQUID SOTIUM Ordo verborum: Et certum est quicquid rerum compererim probare, CIERE NUMEN SOCIUM. Hoc est quicquid in natura rerum possum comperire probabile, certum est illud meum 35

8 sophi   9 ordinatvit

17 sapienae   23 metum *corr.*   24 quod *addidi* | Hescolapiadicum   26 diambo   29 scaanditur |
certe   30 diambus   33 quicqid *bis*   34 quicqid   35 natu *corr.*

fratrem Apollinem vocare ut sit; meum itaque est eligere quid debet esse, illius est facere.

17, 20 SED MAGE hoc est sed magis est quam quod predixi nostrum pectus esse contiguum seu me velle, illum vero facere; magis autem nunc dico.
5 NUMQUAM DISPARAMUS separamus. NOSTRUM VELLE nostram voluntatem; est enim una eademque semper. Hoc autem dicit quia numquam Mercurius segregatur a sole nisi parvissimo spatio, sepissime autem in partibus eisdem discurrunt.

17, 21 ET FIT COLLIBITUM Ordo verborum: Et fit collibitum iussis mihi
10 videlicet et illi qui ab Iove simul discurrere iubemur, fit collibitum manere CUM DELIACO FATU, hoc est cum Apollinis colloquio atque consilio, quam meare cum aliis videlicet planetis quae longius ab illo recedunt.

17, 23 MONEMUR docemur. CURA procuratione Apollinis ATQUE ARBIT-
15 RIO ISTO, hoc est consilio isto Apollinis arbitria dum sint certissima.

17, 24 PUTAMUS NEFAS EST Ne mireris Mercurium praesente Apolline quasi ad tertiam personam sermonem dirigere. Est enim rethorica dicendi forma que transitus personarum vocatur, dum prima persona ad secundam veluti ad tertiam sermones dirigit, seu ad tertiam veluti ad
20 secundam.

18, 1 ET QUAECUMQUE FUIT Hoc est quodcumque consilium de eligenda uxore hactenus constitui, audito nomine Philologie, Apollinisque suasionibus, perit.

18, 2 QUOCIRCA proinde. DECENTIORE honestiore quam hactenus fuit.
25 **18, 3** PARET obtemperat.

18, 4 ARCAS Mercurius ab Arcadia dictus.

18, 3 PRAECLUIBUS PROFATIS preclaris Apollinis consiliis, de se ipso Mercurius quasi de quadam tertia persona loquitur.

18, 5 TU DELIE Delius Apollo dicitur a Delo insula.
30 **18, 7** INSTES labores. QUO EXSTET ut existat.

18, 6 PROPOSITUM TONANTIS voluntas Iovis. COMPAR consimilis voluntatibus nostris in ducenda Philologia.

18, 7 NAM SOLITUS nam usitatus es, Delie, vocare pectus voluntatem

---

5 seperamus | nām *corr.*   9 collibi (*alterum*)   11 manare   12 qui   21 quecumque (*alterum*)
30 qo *corr.* | extet

nostri patris.

18, 8 ET VIGIL et tu es vigil. PRAEVERSA SENSA praeoccupata consilia, ac si diceret: Etsi Iovis praeoccupatus fuerit [*fol. 58ᵛ*] aliis consiliis praeter quod volumus, tu tua vigilantia potes eum in nostram partem flectere. 5

18, 10 FULSERUNT Arriserit, concesserit nobis sacra voluntas Tonantis.

18, 11 HAEC DICENTE Hactenus suasio Mercurii qua sibi suum fratrem conciliet, deinde Virtutis sequitur consilium.

18, 12 NAM ET HIC Apollo videlicet ac si diceret Delius: Intima Tonantis consilia priusquam in apertum praeceptum procedant, TU vero Mercuri, 10 illud preceptum omnibus notum facis.

18, 14 PHOEBO INSTANTE hoc est dum Phoebus instat.

18, 15 SECTUS id est ductus suorum consiliorum Iovis condit, per te vero aperit.

ADDO Hic physicam rationem tangit duarum planetarum quarum 15 una Apollinis, altera nomen Mercurii accepit assiduo ac inseparabili concursu, et hoc est quod ait quamvis APOLLINEI AXIS. Axem vocat celerem Apollinis in suo circulo motum, ita ut sepe Cyllenium precedat et ipse, Cyllenium dico, retrogradus post solem remaneat, aliquando in statione sublimetur. Mox tamen velocissimo impetu 20 solem consequitur eumque usque ad novissimas sui distantias, hoc est spatium unius signi, praecedit. Dein longius praecedere solari radio non permittente, veluti in obsequium sui fratris revertitur, donec simul per easdem partes signiferi mirabili quodam commeatu concurrant.

18, 17 REMORATA STATIONE Remorata statio dicitur quia dum planete 25 stelle <que> solarium radiorum violentia sursum versus compelluntur ascendere, veluti in uno loco remorari putantur, nec immerito quia nec praecedere solem nec retrogradari per longitudinem signiferi videntur.

18, 21 PIA PIGNORA pii nati. CONVENITE in consensum flectite.

18, 23 SUCCUMBAT Hoc dicit quia dum stella Iovis in coitu solis est, 30 apparere non valens, veluti qui et existimatur recumbere. Dum vero eadem stella Iovis in coitu Mercurii fit, hoc est dum simul in eisdem partibus signiferi concurrunt, saluberrimos conceptus omnium quae in terris et in aquis nascuntur fieri fisica comprobat ratio. Ideoque Iovis per id temporis conubiali consortio crederetur. 35

18, 24 ALLUBESCERE id est delectari.

19, 2 AUGURALES ALITES Quibus augurium solet hominibus manifestare tribus modis, numero videlicet, volatu vocibusque, in hoc loco poetica designat figmenta.

5   **19, 5** PETASA volucres vocantur quasi sursum petentia. DE TALARIBUS superius est dictum. CANDENTI CANORAQUE poete alludit singulas Musas singulis alitibus canoris candentibusque sublevari.

19, 11 SUDIS TRACTIBUS puris spatiis. Merito <vocat> tellurem gravidam in ascensione Mercurii, quia ipse propinquior est terris quam sol, et
10   quia mortalibus, ut aiunt, loquendi copiam administrat. Apolline vero ascendente, aetheria spatia letabunda conformat, quoniam sol medium totius mundi obtinet spatium. Quantum quippe intervalli a terra ad solem, tantum a sole ad fixa sidera, astrologi perhibent contineri.

19, 12 SUPERI GLOBI Phisica docet planetarum singulos motus singulas
15   voces gignere, ex quibus veluti diversis organi fistulis omnium symphoniarum certis rationibus armonia coaptatur; singulis quoque planetarum circulis proprias Musas attribuunt, veluti quadam vocum similitudine coaptatas.

19, 16 CONSTITERUNT Caute dicit constiterunt, non remanserunt paulu-
20   lum itaque suis circulis consonantes mox Mercurium atque Apollinem sequebantur.

19, 17 NAM OΥΡΑΝΙΑ Novem Musae sunt iuxta numerum mundane constitutionis quae similiter VIIII ambitus habere perhibetur, VII [*fol. 59ʳ*] videlicet planetarum circuli et duo extremi terre profecto atque ultime
25   spere, quapropter enneaptongon chelin, hoc est novem sonorum liram Iovis, id est mundus, dicitur habere.

De Musarum nominibus breviter dicendum.

Οὐρανία celestis ab οὐρανῷ, id est celo, denominata quae propter vocis acumen acutissimo spere sono coniungitur. Πολύμνια dicitur
30   quasi πολυμνήμη, id est multa memoria, quae Saturnie tarditati coaptatur; multe quippe memorie commendata vix in oblivionem labuntur. Εὐτέρπη, bene delectabilis, temperamento Iovis copulatur. Ἐρατώ amabilis a verbo ἐράω, id est amo. Potest etiam interpretari fortis, Ἐρατώ quasi ἔροα bellica fortitudo quae Marti tribuitur. Μελπομένη

29, 32 Cf. Fulgentius, *Mit.*, I, 15 (Helm, 26).

3 poeca   6 cadenti | poece   8 vocat *addidi* | vel gavisam *mg.*   11 aeheria *corr.*   12 titius *corr.* | intervalla *corr.*   16 ratiobus *corr.*   17 attribusunt   22 OΥΡΑΝΙΗ   23 constituonis *corr.*   25 enniaptongon   28 OΥΡΑΝΙΗ   29 ΠΟΛΤΜΝΕΜΗ   32 ΕΥΤΙΡΠΗ | EΡΑΤΟ   33 Ερω 34 EΡΑΤΟ | εροα *sic!*

canens, a verbo μέλπω, hoc est cano. Hoc autem dicitur quia sol ipse et canit ceterasque planetas in cantum suscitat. Τερψιχόρη dilecta visu seu dilecta pupilla, propter nimiam Veneris claritatem. Καλλιόπη pulchrifica, hoc autem dicitur quia Mercurius sermonum pulchritudinem ut poete fingunt efficit. Κλειώ gloriosa, quasi dea propter lunaris 5 corporis pompam. Potest etiam Κλειώ interpretari vocans, quoniam luna menstruum revocat lumen.

20, 2 MODIS RAUCIORIBUS PERSONABAT modis tardioribus. Sonum quippe lune tardissimum ac per hoc gravissimum, quemadmodum ultime spere velocissimum ideoque acutissimum, philosophi dicunt. 10

20, 5 TALIA quasi τέλεια, id est ultima que propterea fingitur volare non potuisse et in stagnis terreni corporis resedisse quoniam terra semper in statu est, ceteris mundi corporibus perpetuo motu circum cetera convolutis.

20, 6 INTEREA et reliqua. Poetica deliramenta sunt de transfiguratione 15 Mercurii in stellam et Phoebi in solem augurialiumque volucrum ipsius in equos, quapropter quoniam falsa sunt nulla indigent explanatione. Non inmerito autem sol dicitur Apollo, id est perdita renovans, quoniam solari lumine tenebrarum detrimenta restaurantur.

20, 13 IN SIDUS VIBRABILE in stellam radiosam. 20

20, 14 METAMORPHOSI SUPERA transformatione divina pulchriores, nam et pulchri erant ante transformationem, sed pulcriores postea.

20, 15 SIGNI FAMILIARIS quia Castor et Pollux, qui Gemini dicuntur, filii Iovis sunt, ac per hoc Apollo et Mercurius non per aliud signum nisi per suos fratres ultra sidera ascendunt. 25

20, 16 PALATIO IOVIS maximum Iovis palatium fabule fingunt in lacteo circulo esse in Geminis ubi lacteus et signifer iunguntur.

20, 22 POSSEM MINOREM AMBIGENS FIDUTIA Iambicum senarium. Recipit autem spondeum et dactilum nec non et anapestum. Pulchre Phoebus primum Iunonis auxilium bene noscens, eam non solum nuptiis 30 nec refragari, verum eas hortari solere, <dicit> et est sensus suasorie huius orationis: Possem, inquit, per me ipsum absque te, O Iuno, adire meum patrem, minore tamen fidutia si abesses, eumque suadere de nuptiis sui pignoris, sui filii, dico Mercurii. Non enim tantum nunc meum patrem adire contremisco adultus, quantum pubeda, id est adules- 35

2 ΤΕΡΨΙΚΟΡΗ   5 κλυο   6 κλιο | interpetari *corr.*
8 tardiorisbus   11 telia   13 stutu *corr.*   15 reliqui   26 figunt *corr.*   31 dicit *addidi*
32 inquid *corr.*   35 pubeba | adulescentina

centia, eius praecepta solebam contremiscere, dum essem pubedae, id est iuvenilis aetatis, ac per hoc fidutialiter accesserim.

21, 2 NI PARARENT nisi praeparaent mihi iugata consortia, id est apta coniugia deorum omnium, prosperum mihi et Mercurio optandum te videlicet adherenti Tonanti ut per te faciliorem [*fol. 59*ᵛ] accessum haberem eumque tuo adiutus suffragio de nuptiis filii sui absque labore suaderem.

21, 3 TABENS NEXIO hoc est quieta coniugum copula.

21, 5 PRONUBA Iuno dicitur, id est nuptiarum ministra quae in nuptiis praeesse dicitur et suffragiri.

21, 7 IUGALIS BLANDA O dulcis coniunx. PRESTRUE praemone. NUTUS numina Iovis.

21, 8 DUM SIS SUADA Hoc est dum tuo marito facile possis quicquid vis.

21, 8 QUO ALLUBESCAT ut consentiat. NOSTRIS NISIBUS nostris postulationibus.

21, 9 TE NUNC PARENTEM Postquam Iunonem suasit, convertit sermonem ad Iovem.

21, 10 PARCARUM CHORUS ac si diceret: Parcarum auxilia non petimus quibus fata hominum de nuptiis caeterisquae mortalium rebus tractanda tradidisti, sed te ipsum qui divinas nuptias per te ipsum disponis flagitamus. Nam et nos quippe tui filii dii sumus, divinaquae coniugia querimus et hoc est quod dicit TUQUE SORTEM, hoc est copulam celestem, constituis.

21, 12 TUUM VELLE Tua voluntas praecedit omnium deorum praescientias.

21, 13 QUICQUID INSTABIT quicquid futurum est.

21, 14 GIGNIT NECESSITAS Hoc est quodcumque tuum numen praescit et diffinit fieri necesse est.

21, 15 ILLIGAT DECRETIO Hoc est tuum decretum cogit fieri futura, ET INSTAT et praesens est tibi quicquid vis, QUAMVIS SERUM, hoc est tardum in ordine temporum, videantur provenire.

21, 18 BLANDAM TEMPERATIONEM Iovem nominat propter aetheris diuturnam serenitatem.

6 fusfragio   10 suffragrri *corr.*   13 suaada   24 omium

22, 1 PAR EST equum est.

22, 2 SANCIENS firmans tu ipse et coniunx tua convocato omnium deorum senatu conubium filii tui.

22, 5 HIC POSTQUAM Sequitur suasio Iunonis qua multas ob causas Mercurii nuptias approbat agendas; primum quidem quod eas Phoebus 5 postulabat qui filias Iovis et Iunonis, Musas videlicet, non solum nutrivit verum etiam in conspectu parentis detulit; altera adiungitur causa quae Iunonem asserit nuptias proibere non solitam, praesertim quia Cyllenium amabat quem educavit lacteque uberum suorum immortalem fecit; tertio additur sue matris Maiae videlicet Athlantis filie grata honestas, 10 et super haec omnia quod Clario incunctanter promiserat se pro viribus adiuturam. Additur etiam quod maxime fuerat cavendum ne, si nuptie Philologie aut a Iove tardarentur aut penitus negarentur, fortassis Mercurius, pulchritudine Veneris delectatus, alterum Ermafroditum gigneret sicut antea, dum esset iunior, genuit illud monstrum utroque 15 sexu mixtum, cui nomen erat compositum ex parentibus suis, Ermes enim Grece dicitur Mercurius, Venus Afrodite, ex quibus componitur HERMAFRODITUS.

22, 17 STIMULABAT Hactenus Iunonica suasio, dein sequitur Iovis deliberatio. Deliberat enim veluti timore quodam stimulatus reti- 20 nendas paululum nuptias ne forte Cillenius solito iuvenum more, uxoris blandimentis detentus, suos cum Apolline celerrimos discursus retardaret somnolentus, postremo etiam denegaret se anomalum, hoc est absque lege certa, per latitudinem signiferi discurrere, quod quando planete faciunt veluti in uno loco videntur demorari, poterit itaque Mercurius 25 [*fol. 60ʳ*] sub hac dissimulationis forma et cum sua uxore quiescere suumque patrem sub anomali excusatione fallere. Nam illum non me latet, inquit, uri Mercurium amore Philologiae et ut ei placeat, com- parque in studiis fiat, disciplinas discendo comparavit et non alibi didicit nisi in famulatione, hoc est in ea domu qua famulae Philologie erudiuntur. 30 Nonne censeo ipsum fandi peritiam quae rhetorica dicitur consecutum ut sicut illa sic et iste rethorizare possit? Artis quoque musice instru- menta possidet ne in aliquo dispar Philologie videatur.

23, 2 BARDITA dicitur quia ex elefantinis ossibus efficitur qui barri vocantur. 35

23, 3 CELIS etiam lyra nominatur a suis chelis, id est brachiis.

ADDO Accumulo, inquit, praefatis occasionibus picture et inscissure

---

2 omium   12 aduituram   16 perentibus *corr.*   22 celermos *corr.*   25 fatiunt *corr.* | poteret
27 excusantine   30 famulatio   32 ista | instumenta *corr.*   34 bari

peritia, quod perhibet MIRABILE PRAESTIGIUM, id est monstrum. Formas quippe animalium seu dae ere seu de marmore mirabiliter efficit, ut veluti viva existimentur animalia. Sciens etiam ipsius artis peritissimam esse Philologiam ac per hoc quodcumque decorat iuvenilem gratiam ab
5 eo est comparatum, ut in omnibus placeat virgini, his igitur causis nuptias distuli, non autem negavi.

23, 9 PRIMEVA AFFECTIONE primordiali amore.

23, 11 TUNC IUNO Huc usque deliberatio Iovis; sequitur desuasio ipsius deliberationis ab Iunone.
10   ATQUIN Quin immo, inquit, subeundum est Mercurio conubium virginis quae illum saltem conivere, id est oculos claudere, non sinet; illa siquidem totis noctibus vigilat nec alios dormire permittit.

23, 13 AN QUISQUAM EST deorum qui nesciat pallidum Philologie colorem non aliunde nisi assiduis laboriosisque vigiliis lucubrationibusque, id
15 est lucernis perpetuis, attractum?

23, 15 QUE AUTEM pendit usque CONSUEVIT et est ordo verborum: Que consuevit nulla nisi hec gracilenta propter vigilias Philologia.

23, 17 DISCUTERE penetrare, disquirere noctibus universis caelum superius mundi hemisperium freta abyssos Tartarumque inferius mundi
20 hemisperium ac deorum omnium sedes, hoc est planetarum omnium circulos fixorumque siderum positiones.
   CURIOSAE INDAGIS sollicite investigationis PERSCRUTATIONE. Non nisi Philologia consuevit transire quae item consuevit numerare.

23, 18 TEXTUM MUNDI elementorum videlicet IIII quibus mundus
25 contexitur.
   CIRCULORUM VOLUMINA non solum planetarum circulos dicit, verum et totius spere et hoc est quod dicit ORBICULATA.

23, 19 PARALLELA Paralleli sunt, id est equistantes quinque zone: aquilonalis videlicet, solstitialis equinoctialis brumalis austrina.
30   OBLIQUA DECUSATA hoc est per obliquum ducta signiferum dicit et lacteum circulos qui duo obliqui dicuntur quoniam non ut paralleli rectis lineis ab ortu ducuntur in occasum, sed ab aquilone ad austrum obliquo tramite feruntur. DECUSATI autem nominantur aut propter amplissimum ductum, quoniam maximi circulorum [*fol. 60ᵛ*] omnium
35 esse perhibentur ut quasi a verbo deduco decusati dicantur, aut propter decorem siderum in eis constitutorum, veluti a decore decusati.

5 gitur *corr.*   34 amplisimum

23, 20 POLI sunt due stelle quarum una in sublimissimo mundi vertice ad aquilonem, altera subter terram in infimo austrino vertice fixa perhibetur et immobilis, intra quas spera caelestis volvitur.

LIMMATA dicit duos coluros qui duo circuli per polos ducuntur et totam speram caelestem in quattuor partes equales dividunt qui propterea   5 coluri dicuntur, id est inperfecti, quia non nisi dimidiam sui partem supra terram manifestant, ac per hoc et LIMMATA, hoc est veluti quedam hemitonia, non immerito vocitantur.

AXIUM VERCIGINES Axium dicit dum non nisi unus axis sit inter duos porrectos polos. Non inrationabiliter tamen duos esse dicit ut   10 quemadmodum in una spera duo hemisperia et in uno circulo duo hemicicli, ita et in uno axe due medietates connumerentur.

CUM IPSORUM quod praedictorum omnium maximum est et sapientissimum multitudinem siderum eorumque stellas dinumerare, quod autem sequitur.   15

24, 2 QUOTIENS a superioribus suppletur, quis deorum nesciat deos conquestos; quotiens, quot vicibus.

SUPER COACTIONE de violentia videlicet atquae industria, qua omnia sidera que deos vocat in assiduum motum coactitat ut veluti fessi conquaeri videantur, dum ab ea non sinuntur quietum cum suis uxoribus   20 habere statum.

24, 5 TAM VERO ABEST Quam longe distat, inquit Iuno, a credibili opinione existimare Mercurium sub talibus Philologie exercitationibus PIGRESCERE INTRICARIQUE, hoc est alligari, ut extra a superioribus subauditur: Quam abest ut urgeatur; cogatur Mercurius ab eadem   25 Philologia.

24, 8 PETERE excedere. EXTRAMUNDANAS LATITUDINES hoc est extra mundi huius qui semper in motu est spatia in celum empirium, in quo aeterno statu dii supermundani cum suis uxoribus quiescunt, quod nequaquam Philologia consentiat.   30

24, 10 DUOS VIGILES id est Mercurium et Philologiam ac si diceret: Cur, rex optime, detines celebrari nuptias dum non solum Mercurius sicut hactenus sed et Philologia, quod iam non fecit dum nurus tua non fuit, serviat?

24, 9 ATHLANTIADES autem patronymicum est Mercurii ab avo materno   35 Athlante.

2 d *corr.*   10 porrectus   13 com *corr.*

16 nescat   35 Athlantides | patronomicum

24, 13 Pallas dicitur Minerva a gigante Pallante quem interemit, quae propterea non a terris sublevasse, sed a superioribus mundi partibus fingitur delapsa, quoniam de vertice mundi immortalis virginitas absque coniugiorum contamine creditur nata. Propterea, ait de quodam
5 purgatioris vibratiorisque luminis loco, hoc est splendidioris aetheris loco, eam leni volatu descendisse.

24, 16 annixa suffulta.

24, 15 sublimiori suggestu altiori throno. Thronus Palladis altior Iove dicitur quoniam purissima ac veluti castissima extime celestis
10 spere spatia Palladi ascribuntur, hinc est quod Iovis Iunone, Pallas Iove elatior describitur.

24, 18 pars melior quia de vertice meo nata es, opportune, inquit, precibus Mercurii ades, sive Apollo te adesse suaserit, sive sponte tua lapsa sis, ne sine tuo consilio quid decreverim et ne senatus noster te
15 absente mutilus, id est curtus, ac per hoc et turpis [*fol. 61ʳ*] videretur.

24, 22 approperas descendere ad nos acceleras.

25, 4 par est equum est.

25, 5 decernas diiudices quicquid de nuptiis fratris tui fieri vis.

25, 8 improbabat increpabat Pallas Iovem.

20 **25, 6** virginitas videlicet quod se consuluerit de virginalibus causis. Virtus quippe virginitatis omne contagium effugit.

25, 14 Arithmetica teste hoc dicit quia septenarius numerus Palladi est consecratus, qui solus intra denarium numerum nullum numerum gignit, ex nullo numero gignitur. Generatio quippe numerorum non
25 ex copula duorum numerorum in unum sed ex multiplicatione duorum numerorum vel unius numeri in se invicem perficitur, quapropter septenarius, quanquam ex copula ternarii et quaternarii efficiatur, non ideo gigni existimandus est sed potius veluti duabus suis partibus coniungi. Nullus igitur intra denarium numerum invenitur nisi aut gignens
30 aut genitus aut gignens et genitus. Ternarius—nam et unitas et dualitas principia numerorum sunt, non numeri—quamvis a nullis nascatur, gignit tamen senarium ex multiplicatione sui per binarium seu binarii per ternarium. Quaternarius ex binario per se ipsum ducto

---

1 Cf. Isidorus, *Etym.*, viii, 11, 75.
22 sqq. Cf. Macrobius, *Comment. in Somn. Scip.*, i, 6, 11.

1 Palante
5 aeheris *corr.*   8 thono *corr.*   12 oportune   14 llapsa   16 aproperas *corr.*   18 diuidices
29 niisi | gignes   30 gignes *corr.*   32 senariom *corr.*

gignitur, qui iterum per binarium ductus octo efficit. Quinarius a nullo
gignitur, ductus vero per duada decada facit. Senarius vero gignitur, ut
prediximus, intra decadem nihil gignit. Septenarius nec gignitur nec
intra denarium quid gignit, ideoque virgo est Palladisque proprius.
Octonarius ex quaternario bis ducto, novenarius ex ternario ter, denarius   5
ex binario quinquies procreatur.

25, 15 CORONAM SEPTEM RADIORUM eadem ratio septem planete propter
vim numeri veluti quandam virginitatis coronam perhibentur. Nec
mireris septem planetas septem radios vocari; sunt enim septem lampades
quibus mundus relucet. Solet etiam sol singulariter radius mundi   10
vocitari.

   SOLIVAGA hoc est sola omni contagione libera. NE INTERESSET
Pallas noluit interesse nuptiis. Priusquam tamen abiret, consilium
quod ab ea pater flagitaverat reliquit.

25, 21 AUGUSTIUS amplius, honestius.   15

25, 22 IPSAM NUPTURAM Philologiam videlicet que quia pro certo nuptura
foret nuptarum numero deputatur ac per hoc, Pallas inquit, nullo pacto
nurus Tonantis fieri posse, nisi prius inmortalis fieri deorum consultu
iubeatur et in deam verti.

26, 1 ID GENUS adverbium est quod sepe ponitur pro huius modi.   20

26, 2 REGUM CONIUGUM reges coniuges, Iovis et Iuno. Sepe enim solet
masculinum genus feminina nomina intra se concipere, sicut neutrum
omne genus colligit.

26, 3 Famam Iovis vocat SCRIBAM sicut in sequentibus invenitur.

26, 5 PENATES dicuntur Grece quasi πάντες, hoc est universalis,   25
qui propterea Latine CONSENTES dicuntur, quoniam universaliter
omnibus Iovis consiliis consentiunt.

26, 6 SECRETUM CELESTE hoc est divinum mysterium. Eos quippe,
quoniam ab omni humana [*fol. 61ᵛ*] notitia remoti sunt, innominabiles
vocat falsa poetarum opinio.   30

26, 8 VULCANUS Iovialis dicitur non solum quia Iovis frater, verum
quia igneas flammas in parte quadam aetheris esse philosophi conantur
asserere, ac per hoc et duos Vulcanos perhibent, quorum unus aetherius

33 Cf. Isidorus, *Etym.*, XIX, 6, 4.

                       7 radorum   10 reluet *corr.*   11 vocita
19 ver   25 ΠΑΝΑΤΕС   26 propterrerea   31 qua *corr.*

ultra lunarem circulum, alter terrenus humanis usibus necessarius.

26, 11 COLLEGAS Iovis vocat duodecim selectos deos, hoc est caeteris numinibus seorsum electos, de quibus Sanctus Augustinus in septimo *De civitate dei* disputat.

26, 12 O QUOSQUE ut ait, distichum compraehendit Ennianum.

IUNO VESTA et reliqua. In hoc disticho omnes planetas invenies preter Saturnum et lunam propter quas consequenter subiunxit.

26, 15 ITEM ET SEPTEM RESIDUI hoc est qui in disticho sunt praetermissi corrogantur venire.

27, 2 ABSQUE IMPERTINENTIBUS subauditur ad nuptias, ut sunt Discordia Seditio Parce Furie similesque.

27, 5 ET LICET Signifer circulus principalis deorum possessio pro sui amplitudine putatur, ibique SINGULAS SEU BINAS DOMOS habere fingantur praeter quas sparsim per ceteros circulos alia habitacula possident, ex quibus convocantur in XVI regiones. Regiones vocat circulos qui dum novem sint, hoc est quinque paralleli, signifer et lacteus et duo coluri, XVI tamen ea ratione qua circuli in duos emiciclos dividuntur efficiunt. Tres quippe ex parallelis solstitialis videlicet et equinoctialis et brumalis dimidiantur et de tribus fiunt VI, quibus, si aquilonalem et australem adderis, efficies octo; eadem ratione signifer et lacteus divisi fatiunt IIII alios, IIII coluri qui simul collecti fatiunt XVI, quorum XIIII hemicicli sunt, reliqui duo integri.

27, 10 DII CONSENTES PENATES ac si aperte diceret: Dii Consentes qui Greci dicuntur Penates. LARES singulos, singulorum domorum focos veteres vocabant Lares. FAVORES qui favent nuptiis.

27, 11 OPERTANEI ET NOCTURNOS ipsi sunt qui archana Iovis cooperiunt.

27, 12 PRAETER DOMUM Iovis in omnibus regionibus domus Iovi consecrata.

27, 13 QUIRINUS ipse est Romulus qui sic vocatur quod semper hasta utebatur, quae Sabinorum lingua quiris dicitur.

27, 14 LARS MILITARIS hoc est Lars dux militum Iovis.

28, 1 FONS fontium deus cui etiam adherent nimphe, id est limphe.

---

4 Cf. Augustinus, *De civ. dei*, VII, 1-3.
29 Cf. Isidorus, *Etym.*, IX, 2, 84; Macrobius, *Sat.*, I, 9, 16; Servius, *Aen.*, I, 292.

  5 distichium   6 distichio   8 ex | repsidui | distichio   16 colori   17 emiciclios
21 semicicli   25 vocantur | fabores   29 Romulos

DII NOVEMSILES Siles dicuntur saltores Iovis quasi sales, id est mobiles, a verbo Greco σαλεύω, id est moveo. Qui novem numerantur quoniam cantantibus novem Musis saltare dicuntur.

28, 2 IOVIS SECUNDANUS dicitur aut quia secundus a summo Iove est aut quia secunditatem, id est prosperitatem, prestat. Multi quippe 5 Ioves pro diversitate locorum et numinum dicuntur, hinc est Iovis Opulentiae qui praeest abundantibus.

28, 9 LAR CAELESTIS ignis celestis. LAR MILITARIS qui ignem, id est furorem, militibus ingerit. Secundanus qui secundis praeest sicut et IOVIS SECUNDANUS. 10

28, 16 FRAUS vocatur quia sepe Cillenio obtemperat. Cillenius facundie presul est que plerumque dolo ac fraude utitur, sive bene sive male.

28, 20 IUNONIS HOSPITE Sicut multi Ioves, ita et multe Iunones. Iuno itaque Hospita dicitur dum terram significat quae sepe Iovi caeterisque caelestibus diis in eam descendentibus prebuit hospitium. 15

[*fol. 62ʳ*] **28, 22** LAR OMNIUM hoc est generalis omnium ignis. CUNCTALIS id est cunctationum dea. NEVERITA dea que nihil veretur. CONSUS consiliorum deus.

29, 1 EX ALTERA ex undecima.

29, 2 MANIBUS REFUTATIS Manes refutantur quia ex humano semine 20 manant; nascuntur enim ut homines et mortales fiunt.

29, 4 ANCUS qui praeest mensuris, quoniam Greci cubitum ἀγκών vocant.

29, 6 CELESTIS IUNO vocatur mater deorum, uxor Saturni quoniam mater caelestium est, quamvis terram significet. 25

29, 7 VEIOVIS malus Iovis qui et Vedius in sequentibus nominatur. DII PUBLICI qui populis presunt.

29, 8 IANITORES TERRESTRES Forculum dicit qui foribus, et Cardeam qui cardini, et Limentinum qui liminibus, preest.

29, 10 AZONOS Azoni dicuntur qui extra zonas, id est extra circulos, 30 habitant.

29, 11 ELEMENTORUM PRESULES qui praesunt IIII mundi elementis.

---

29 Cf. Augustinus, *De civ. dei*, IV, 8.

1 sales *sic!* 2 CAΛO
22 ankon 27 populos *corr.* 28 Cardiam 29 limentimun 30 extro 32 elem mundi

29, 13 QUIS NUME hoc est quis ex successoribus Nume, dum sint multi, innumerabilem numerum falsorum numinum potest indicare. Numa quippe Pompilius qui post Romulum regnavit infinitam demonum turbam et invenit et coluit.

5 **30, 3** ADRASTIA sortilega Iovis pro sue inhumanitatis duritia tale nomen accepit; Grece enim duritia ἀδράστεια vocatur.

30, 4 NIMIA CELERITATE Fortes nimia velocitate circumvolvi perhibentur, quoniam fata uno temporis momento propter nimiam siderum instabilitatem moveri dicuntur, sicut falsissima constellationis ars 10 edocet. Adrastia recipit continuitatem temporum quibus fata variantur.

30, 6 INARMENE quippe Grece dicuntur συνεχεῖς χρόνοι, hoc est continuata tempora. Inarmene, que in sinu suo cadentes sortes ex urna Adrastiae recipit, continuitatem temporum quibus fata variantur significat.

15 ΚΛΩΘΩ vero ΛΑΧΕΣΙΣ, ΑΤΡΟΠΟΣque tres Parcas librarias cancellariasque Iovis esse fingunt fabule. Quarum una Κλωθώ dicitur quasi κλειτώ, hoc est vocatrix, quia omnium fata vocat, altera Λάχεσις, hoc est sors, fata omnium considerat, tertia Ἄτροπος, hoc est valde conversibilis; sepe quippe α pro λίαν, hoc est valde, deponitur. Quidam 20 Ἄτροπος inconversibilis, quoniam frequenter α sensus habet negandi. Quidam Atropos absque modo et ordine in Latinum vertunt ut Fabio placet. Non enim certus modus vel ordo fatorum reperitur.

30, 10 INDUSIARI indui a verbo indusio, quod magis Grecum quam Latinum videtur.

25 **30, 14** FLAMMANTEM CORONAM Corona Iovis rutilantium planetarum flammas significat; VELAMEN autem capitis eius candidos fixarum stellarum fulgores qui quoniam in extima spera siti sunt veluti verticem Iovis, id est sensibilis mundi, velare dicuntur. Quod autem Pallas illud velamen contexerit ea ratione putatur qua superiores purgatioris 30 etheris partes Palladi quoniam de vertice Iovis nata est attribuuntur.

30, 17 AMICTUS HYALINOS hoc est vitreos, instar viridis vitri, colorem aeris viridem describens quo aetherius candor subter tegitur.

30, 18 CREBRI VIBRATUS in aere quippe fulmina defluentiumque stellarum similitudines nascuntur.

21 Cf. Fulgentius, *Mit.*, I, 8 (Helm, 20).

1 qus *corr.*   3 Papilius   6 adrastia   10 Adrastie   11 imarmene | CΤΝΕΧΟΙ
12 Imarmene   13 Adrestiae | porum   15 ΚΟΤΟ ΚΛΟΤΟ *m. sec.*   16 ΚΛΟΤΟ   17 clito
19 lian   27 xtima *corr.*   30 eheris *corr.*

30, 19 TUNC DUO GLOBI duo maxima luminaria, solem dico lunamque, quorum unum quidem auro, alterum electro, comparatur insinuat. Quae duo in dextra Iovis dicuntur esse quoniam sol et luna dum supra terram sunt semper vergunt in austrum, que pars mundi veluti dextra describitur. 5

30, 21 LEVA ENNEAPTONGON Enneaptongon dicit propter novena totius mundi spatia, [*fol. 62ᵛ*] VII videlicet planetarum terreque spereque que omnia armoniam quandam vocum efficere philosophi testantur; que in sinistra <parte> mundi ponitur, quoniam in quantum et planete et spera caelestis nec non et terre globositas ad aquilonalem excelsissi- 10 mumque polum sublevantur, in tantum vim suam hominibus manifestant.

30, 22 NITENTI SIMILIS hoc est se inclinanti. Hoc autem ait quia mundus veluti quidam homo recubans depingitur, ita ut aquilonem versus sublimior, adclinis vero ad austrum sicut ait poeta:

> Mundus ut ad Scithiam Ripheasque arduus arces 15
> Consurgit, premitur Libie devexus in austros.

CALCEOS Floridam telluris superficiem describit, quam veluti quoddam calciamen Iovis fingunt, quoniam totius mundi infima pars est terra.

31, 1 INSIDEBAT Flores herbarum arborumque describit qui veluti 20 quaedam palla varicolor Iovi substernitur.

31, 3 FUSCINAM Neptuni tridens. Que fuscina aquarum naturam que maxime sub terris est significat.

31, 4 SUGGESTUS IUNONIS suggestu Iovis inferior ponitur quoniam aer humilior est aethere. 25

31, 6 CALYMMATE Calymma est candidum velamen quo caput circumvoluitur. Calymma Iunonis est clare nubes quibus sepe aeris tegitur superficies. DIADEMA Iunonis diversicolor nubium corona que sepe fulminibus flammarumque coruscationibus interstringit, dum in eis Iris formatur. 30

31, 7 SCITHIS VIRECTA id est viridis gemma. Iris claritatem significat, rubedinem autem eius CERAUNOS quia κεραυνός Grece fulmen dicitur. Fulgores eius iacintus significat. Est enim splendida gemma liquidi

14 Cf. Virgilius, *Georg.*, I, 240, I.

9 parte *addidi*   17 scribit   18 quedam | tius *corr.* | pas *corr.*   21 quadam   24 vovis
26 calummate | calumma   27 calumma   29 interstringit   32 ei | ceraunos

sali instar et notandum quod arcus caelestis a quibusdam tricolor, a quibusdam quadricolor, perhibetur.

31, 10 TAUMANTIAS Taumantias, id est mirabilis filia, Iris dicitur propter mirabilem colorum eius pulchritudinem.

5 **31, 12** NISI QUOD ILLE Differentiam Iovis et Iunonis, hoc est aetheris et aeris, facit quod semper aether purus sit atque serenus, plenusque diuturni luminis, aer vero aliquando perturbationibus nubium flaminum pluviarum veluti contristatur, aliquando clara serenitate ridens apparet, hinc est quod facies Iunonis varia pingitur atque mutabilis.

10 **31, 14** VESTIS YALINA vestis vitrea. Ύάλη quippe Grece vitrum dicitur; naturalem aeris colorem describit.

31, 15 PEPLUM vero eius tegmina nubium sunt, que sepe pulsu, id est tactu, luminis veluti quibusdam gemmis interrumpuntur.

31, 19 SUDAMQUE hoc est puram perspicuitatem ipsius exficiunt.

15 **31, 17** HAEC FULMEN DEXTRA Fulmina tonitrua caeterosque sonitus aeris dicit. Que fulmina quoniam de altissimis nubibus videntur descendere veluti dextera sua putatur gestare, quoniam vero tonitrua ex propinquioribus terris nubibus sonare estimantur, leva sua dicitur baiulare, cum rerum ratio perdoceat et fulmina et fragores in eisdem 20 nubium sinibus gigni.

31, 19 ROSCIDIS FLUORIBUS Hoc dicit quia sepissime pluvialis humiditas fragores fulminationesque nubium consequitur.

31, 20 CALCEI FURVI umbra terre dicitur que nox solet appellari quoque, veluti calciamentum quoddam Iunonis dicitur, quoniam in imis partibus 25 aeris circumvolvitur.

32, 1 SOLEAM NOCTIS dicit infimam obscurissimamque ac terris proximam umbre partem. GENUA vero Iunonis mediam eiusdem umbre, que quoniam longius a terris exaltatur, minoris obscuritatis efficitur. [*fol. 63ʳ*] Quippe in quantum appropinquat terris, in tantum nigrescit; in quantum 30 vero in altum erigitur, in tantum clarescere sentitur, et hoc est quod ait NUNC PERFULGIDO SPLENDEBAT ORBE. Potest etiam de orbe plenilunii quae noctem splendificat intelligi cuius absentia gratiam lucubrationis aufert ab umbra et hoc est quod dicit NUNC VANESCENTIS VARIETAS et reliqua.

35 **32, 7** QUANDAM SPERAM omnium rerum formulam quam Grece ἰδέαν

---

3 taumantis   4 pulchitudinem *corr.*   10 iale | vitu *corr.*
14 exficitunt   30 tum *corr.*   31 splendibator----plenificat   35 ideam

vocant ante conspectum Iovis positam dicit, instar celature omnium rerum sensibilium intelligibilis ratione conspicat.

32, 17 PEDE IRE hoc est naturali ordine ordinatisque gressibus in ipsa sphera omnia per loca et tempora videbantur ingredi.

33, 1 FICTOR ARBITRARIUS Iovem dixit iuxta suum arbitrium priusquam 5 fierent omnia in rationibus suis, secundum quas facta sunt, condidisse.

33, 2 FATUM PUBLICUM idea mundi dicitur quia in ea fata omnium publice formantur.

33, 6 VERUM SATOR Saturnum dicit qui veluti senex tardigradus fingitur quoniam antiquissimorum temporum figuram gerit. Ideoque a Grecis 10 Chronos quasi Χρόνος, id est tempus, Saturnus nominatur.

33, 7 GLAUCO AMICTU TECTUS Hoc dicit quia stella quae dicitur Saturni in algidis calignosisque propter nimiam altitudinem currere perhibetur.

33, 8 DRACO Saturni solarem annum significat qui, propter estivi temporis ardorem, flammas vomere fingitur. CAUDAM VERO SUAM DEVORARE 15 Cauda anni hiemale tempus est quod omnem honestatem florum <et> frugum, quae ceteris temporibus et nascitur maturatur et colligitur, veluti draco vorax consumit. Nomen autem ipsius quod numerum anni suis litteris continet comperimus esse τέξ, et in his enim tribus litteris numerus anni qui est CCCLXV colligitur; ξ quippe LX, ε V, τ trecenti; 20 τέξ autem ab eo quod est τέκων, abiecta ων syllaba, factum est quod nomen anno convenit. Nam τέκων Greci dicunt omne volubile; volvitur autem annus per horas dies septimanas menses.

33, 10 IPSIUS CANICIES hoc dicit quia circulum Saturni nivalem esse pruinosumque fisici dicunt. Puer quoque describitur Saturnus quoniam 25 tempus et deficit ut senex et renascitur ut puer. THΞATE interpretatur comedite.

33, 12 EIUS CONIUNX Ream dicit quae corpulenta deorum mater describitur quoniam ex Saturno et Terra deos esse natos fabule ferunt. Terra autem semper fecunda est diversis rerum nascentium generibus ac 30 veluti palla quadam herbarum diversitatibus vestitur.

33, 14 IN QUA TOTUS GEMMARUM Hoc dicit quia omnium preciosorum lapidum diverse species omniumquae metallorum vene in terra reperiuntur. Diversarum etiam [*fol. 63ᵛ*] frugum genera non aliunde nisi ex

11 Cf. Isidorus, *Etym.*, VIII, 11, 31.

11 quas   12 tetus | dicit (*alterum*)   15 fammas *corr.*   16 omne | et *addidi*   17 temporis
18 anti   20 ccctos   21 tecon | on   22 tecon   26 **TEZITE** *l. deest Dick*

terra oriuntur. Huic grandeve scilicet matri Vesta aderebat. Veteres
siquidem Vestam dicebant flammam humanis usibus necessariam quae
Opi, id est Terre, adherebat quia terrena materia semper nutritur.

33, 18 QUE AUSA EST Fabule fingunt Vestam deorum esse nutricem,
5 ea ratione qua terreni ignis vigor vapores sursum de terra et aqua erigit,
quibus vaporibus, dico, nutriuntur sidera ut fisici dicunt.

33, 20 CANDIDA CUM SORORE cum luna videlicet, quae candidi, hoc est
blandi, coloris est.

33, 21 QUI MOX Poetarum fabulae fingunt superius hemispherium,
10 hoc est spatium quod est super orizontem, veluti quandam possessionem
superis, id est celestibus diis, distributum; inferius vero infernalibus.
Quae tamen duo hemispheria duo maxima mundi luminaria semper
ambiunt, cursibusque assiduis circumlustrant et quoniam sol ab inferioribus mundi partibus rediens ortuique appropinquans priusquam spetiem
15 suam supra orizontem ostendat suos radios purpurei coloris instar in
domum celitum ascensurus premittit. Propterea dicit PUNICEUS QUIDAM
FULGOR ANTEVENIT et caetera que ad primam superioris partis mundi
matutinam pertinent illuminationem.

34, 1 IPSE ETIAM IUPPITER Hoc dicit quia surgente sole omnium stel-
20 larum fulgor inter quas Venus et Iovis claritate praecellunt obscuratur
ac veluti in fugam vertitur, non quod claritas stellarum minor sit interdiu
quam noctu, sed quod nobis nullo modo apparent sole cursum suum
super terram peragente, propterea ait IPSE IUPPITER id est stella Iovis
sole oriente radios suos paululum retraere.

25 **34, 3** SPHERE VERO ORBESQUE Spheras dicitur omnia mundi elementa
que quoniam globosa sunt instar spherarum in manu Iovis, hoc est intra
ambitum tocius mundi qui et ipse globosus gestare dicitur, vel certe
unam illam spheram quam superius ideam omnium rerum nominavit
propter multiplices rerum omnium rationes quas intra se continet quasi
30 multas spheras plurali numero appellavit. Quam ideam, dico, solari
claritate eique consimili letabundam fingit.

34, 5 IUNO AUTEM id est aer suos diversos colores sole oriente declarat ac
veluti diversis nature sue ornamentis pulcherrimus efficitur.

34, 7 ERAT ILLI Iunoni videlicet fulgens ducta corona. Queritur quare
35 corona duodecim signorum zodiacum Iovi neque soli in eis currenti
distribuitur, sed ad hoc dicendum quod in superioribus mundi partibus

---

1 vestra   10 superi   11 superuis   15 radices *corr.* | porpurei | colores *corr.*   17 gobosa *corr.*
35 duocim | zoziacum

[*fol. 64ʳ*] nulla qualitatum diversitas sit. In qualitatibus vero aeris terre undique circumfusi magna diversitas efficitur, ac per hoc veluti quaedam corona IIII temporum, quibus constituitur aeris nec non et terre qualitatum diversitas, non etheri sed aeri datur. Ardet enim in aestivo tempore per tres menses, friget in hiemali per tres similiter 5 menses; temperatus efficitur per sex menses veris atque autumni, quos singulos menses duodenarios similitudine duodecim preciosorum lapidum insinuat.

34, 9 FRONS IUNONIS aestivum tempus que tribus lapidibus ornatur propter tria altissima signiferi signa Geminorum videlicet et Cancri et Leonis. 10

34, 10 LICHNIS est lapis purpureus quem fert India lucernarum luce refulgens, inde nomen sumpsit. Tactus sole vel digitis paleas trahit, subitum extinguit incendium. Ideoque Vulcano consecratur et propter purpureum colorem conparatur Geminis, quia, dum sol Geminorum signum transit in Iunio mense, purpurei de terra flores surgunt. 15

ASTRITES candida gemma est habens intra se quasi stellam deambulantem unde nomen accepit; ἄστρον enim stella, inde astrites stellaris. Qui lapis conparatur Cancro propter stellarum eius altitudinem et claritatem.

CERAUNOS est gemma smaragdinea a fulmine dicta. Κεραυνός 20 enim Grece fulmen dicitur. Haec gemma invenitur ubi fulmen cadit, ideoque attritu nubium nasci creditur. Qui lapis comparatur Leoni propter similitudinem fulminum, sicut enim fulmina urunt, sic ardor solis consumit omnia, transiens signum Leonis.

34, 15 IASPIS gemma est multicolor vocata a serpente in cuius fronte 25 nascitur. Qui lapis tribuitur Piscibus propter asperitatem Marci mensis.

SCITIS est gemma smaragdini generis a Scithia dicta, in qua nascitur, que datur Arieti propter inchoationem viriditatis in Aprili.

SMARAGDUS est gemma viridissima ultra omnes herbas et frondes, inde nomen assumens, quia amara sit. Nam omne viride in fructibus 30 amarum est quia inmaturum. Optima est Indica que gemma datur Tauro quoniam in Maio mense clarius de terra surgunt flores.

11 Cf. Isidorus, *Etym.*, XVI, 14, 4; Plinius, *Hist. nat.*, XXXVII, 103.
16 Cf. Isidorus, *Etym.*, XVI, 10, 3.
20 Cf. Isidorus, *Etym.*, XVI, 13, 4, 5.
29 Cf. Isidorus, *Etym.*, XVI, 7, 1.

	2 circumfusu	5 tes tres (*primum*) *m. sec.* | higemali	7 mens	11
porpureus	14 purreum	16 candida est	17 acepit *corr.* | astron	20 ceraunos	26
asperita	28 apłri	29 smaracdus			

34, 18 ELIOTROPIOS lapis viridis sanguineas habens venas, missus in argenteam pelvem aque plenam, radio solis repercussus in sanguineum obscuratumque vertitur colorem. Hunc si quis cum herba eius nominis miscuerit et congrua carmina dixerit, aliorum se visibus aufert. Optimus
5 in India Libiaque invenitur. Est enim lapis splendidus cum ortu solis et occasu colorem commutans, daturque Virgini propter claritatem in eo solis currentis.

DENDRITES lapis arboreus, hoc est sucinum, nam δένδρον Grece dicitur arbor. Que gemma Libre datur, quia maxime sole partes Libre
10 tenente arbores sudant.

34, 17 IACINTUS est lapis ceruleus mirabilis variaeque nature quam profunditatis vocabulo vult intelligi; aliquando nebulosus, aliquando purus ut [*fol. 64ᵛ*] fluctus, et est purpureae lucis. Quamvis cum aere caeloque mutetur, friget in ore. Pingitur, hoc est inciditur, adamante
15 et vult per iacinthum profunditatem et varietatem aeris et aque intelligi. Qui lapis tribuitur Scorpioni propter nebulosum colorem.

35, 3 IDATIDES ipse est enidros, id est gemma ab aqua vocata; exundat enim aquam ita ut clausam in ea putes fontaneam scaturriginem. Idatides autem fulvus lapis est, rotundus, intra se habens alium lapidem
20 cuius crepitu sonorus est. Qui lapis datur Aquario propter copiam pluviarum in Februario.

ADAMAS est Indicus lapis nuclei Avellani magnitudine, nulla vi domatur nisi sanguine hircino. Qui lapis datur Capricorno propter indomitam duritiam Ianuarii mensis.

25 CRISTALLUS lapis glatie efficitur, indeque nominatur; Greci namque glacies κρύσταλλος dicunt. Qui lapis datur Sagittario quia tunc aque gelascere incipiunt.

Hactenus habitum Iunonis adveniente Apolline, hoc est qualitates aeris sole signiferum lustrante, descripsit, deinde ipsius solis in aulam
30 celitem introitum subiungit.

35, 5 IPSIUS DIVI ipsius Apollinis cuius cesariem, hoc est radios, brattearum pulcritudini comparat. Est enim brattea lamina tenuis de puro auro facta que datur militibus in praemium victorie.

1 Cf. Isidorus, *Etym.*, xvi, 7, 12; Solinus, *Collectanea*, xxvii, 36, 37.
11 Cf. Isidorus, *Etym.*, xvi, 9, 3; Solinus, *Collectanea*, 30, 32, 33.
18 Cf. Solinus, *Collectanea*, 37, 24.
22 Cf. Isidorus, *Etym.*, xvi, 13, 2–3; Solinus, *Collectanea*, 52, 55, 56.
25 Cf. Isidorus, *Etym.*, xvi, 13, 1.

2 arteam *corr.*   5 Indi | splendididus   8 dendros   11 vae *corr.*   15 iacincthum   17 idatide   19 idatide   22 adamus *corr.*   26 cristallos   31 brateearum   32 pulchritudini *Manitius* pulcritudinem | lammina

35, 6 FACIES AUTEM et reliqua triplicem solis colorem suggerit. Nam dum primum ultra orizontem oritur preclarum instar pueri renitentis vultum manifestat, donec ad tertiam ascendat horam; ad tertia usque ad nonam iuvenilem formam demonstrat; a nona usque ad occasum, senilem ac veluti fatigatus pre nimiae celeritatis fatigatione habitum 5
ostendit.

35, 8 LICET XII Quidam existimant solem tot colores mutare quot horas solet peragere.

35, 9 CORPUS AUTEM EIUS Solare corpus igneum esse nullus ambigit; in eo quippe quartum mundi elementum, ignem dico, vim suam exercet. 10

35, 10 PENNATA VESTIGIA mirabilem radiorum celeritatem pennarum similitudine insinuat. VESTIGIA quoque solaris corporis imagines ipsius in sensibus animalium impresse, quae similitudine volatilium in sensu oculorum absque mora formantur, velociter transeunt, velociter abolentur. 15

PALLIUM COCCINEUM aether est qui cocco assimilatur propter rubeum ignis colorem solarique corpori undique in modum indumenti circumfunditur.

SED AURO PLURIMUM aurum plurimum pulcritudinem radiorum insinuat. 20

35, 11 SINISTRA MANU CLYPEUM dicit formam solis quae in modum scuti habitantibus in sinistra manus parte, hoc est hominibus caeterisque animalibus possidentibus in terra, apparet.

35, 12 FACEM IN DEXTRA [*fol. 65ʳ*] gestare dicitur quoniam sursum versus ad stellarum flammas incendendas maxime vim suam erigit, superiores 25
autem mundi partes propter sui mobilitatem dextra solis vocantur.

CALCAEI AUTEM eius calcei solis sunt radiorum repercussiones quos splendores phisici dicunt sive de nubibus sive de aquis sive de terrenis corporibus que instar pyropi refulgent. Est autem pyropus metallum splendidum auro vel argento auricalcoque temperatum de VI aureis 30
denariis et VI unciis argenteis. Ὁράω enim video dicitur, πῦρ ignis.

35, 13 QUEM IUXTA coitum lune cum sole seu assiduum cum ipso indicat cursum.

35, 14 POST HOS post omnes predictos.

35, 15 QUORUM ALTER Neptunum dicit undarum potentem. 35

1 reliqui   2 orizotem *corr.*   12 insiat *corr.*
16 aeher *corr.*   19 aurom *corr.*   20 insiat *corr.*   22 manu   31 unc̄ | opo | pyr   32 quame

35, 16 ALIUS Plutonem dicit.   Pluto superficies terre dicitur cui potestas
in terra datur, ideoque lucifuga dicitur.

35, 17 UTERQUE et reliqua.   Diversa serta, hoc est dissimiles coronas,
fratres Iovis iuxta regnorum sui condicionem gestant.

5   **35, 18** UNUS quippe Neptunus videlicet.

35, 19 CANDIDUM sertum quoniam undarum spuma candidissima est.
ALTER Pluto scilicet.

35, 20 EBENEUM id est nigrum ad similitudinem ipsius arboris, obscu-
rumque quoniam omnia ut praediximus que in abditis terrarum abscon-
10   duntur dominatui illius fabulose distribuuntur.

35, 21 DITIOR Pluto Neptuno, quia undarum instabilitas nihil de eis
preter piscium et volatilium genera procreantur, de terrenis vero visceri-
bus diversarum rerum copia quibus utuntur homines surgit.

36, 2 DIVITIAS OPPRESSIONE QUAESITAS   Hoc ait quia divitiae absquae
15   oppressione, hoc est labore, non adquiruntur.   Vel potius Neptunus
spernit divitias quas Pluto navigio mare opprimens per diversas mundi
regiones querit.

UTRIQUAE DIVERSA CONIUNX Neptuni uxor Thethis vocatur.   Thethis
siquidem inferior pars oceani dicitur vel potius solum maris, hoc est
20   terra mari subiecta, unde et nomen accepit Tethis et enim positio interpretatur.   Alii dicunt Neptuni uxorem Stigem esse, hoc est infernalem
paludem quam et nutricem deorum fabule fingunt, ea opinione ducti
quia existimant deos in insulis habitasse et regnasse natosque fuisse ut
Saturnum Iovemquae in Creta, Apollinem in Delo et Licia, Neptunus
25   quoquae in maritimis Grecie partibus regnasse traditur.

36, 3 NUDUS HIC   Nudus dicitur Neptunus aut propter inopiam ut
dictum <est> aut certe quia speciem suam absque ullis tegminibus
silvarum herbarumquae nudam manifestat sicut terra.

36, 4 ILLE PUELLAM   Puellam nominat Ecahten, hoc est seminariam.
30   Echate autem fertilis terra est copiosissimaque mater frugum, in tantum
ut sepe centuplum colentibus se reddat fructum.   Ideoque sacerdotibus
eius centesima [*fol. 65ᵛ*] pars frugum per singulos immolabatur annos;
quo sacrifitio veluti contenta Echate uxor Plutonis fertilem semper
faciebat tellurem.   Proserpina dicitur quasi proserpens; vis enim

34 sqq. Cf. Fulgentius, *Mit.*, I, 10 (Helm, 22).

2 tur dicitur *m. sec.*

8 ebenum   14 at *corr.*   16 mari   21 alilii   24 certa   27 est *addidi*   29 eccahten   30 ecchate
33 ecchate

herbarum serpit, id est surgit in omnia que de semine nascuntur, et dicitur puella quod omni anno surgit.

36, 6 MAGNI NUMINIS VOTA hoc est magne Echates sacrificia.

36, 7 INTER QUOS PRIMUS RUBER id est sanguineus, Martem dicit. Mars dicitur iuvenis quia semper nova bella machinatur.   5

36, 9 ALTER SUAVIS Liberum dicit qui et Bacchus vocitatur, qui suavis dicitur propter vitream suavitatem.

FACEM DEXTRA quia lucernis ardentibus solent homines inebriari, vel certe quia bibentes vinum inflammat.

36, 10 CRATER Grece, Latine calix dicitur. PRONUS promptus.   10
IN PETULANTIAM libidinem scilicet.

36, 11 HUIC GRESSUS INCERTI quia temulenti non recte ingrediuntur nutantibus eorum pedibus.

36, 12 OLACIS TEMETI vini odoriferi; temetum a tenendo pedes dictum
POST OS GEMINOS dicit qui vocantur Castores; a quibusdam autem   15
unus Castor, alter Pollux nominatur, duo filii Iovis qui, dum simul
in signifero sunt, non tamen simul oriuntur aut occidunt, sed dum
unus occidit, alter supra terram apparet. Similiter dum unus oritur,
alter sub terra occultatur et qui primus occidit in occasu, prius surgit in
ortu, et qui serius occidit, serius surgit. Eaque ratione unus luci, alter 20
tenebris attribuitur.

36, 14 ROBORIS INAUDITI hoc est incognite virtutis, Herculem dicit.
Ἡρακλῆς autem interpretatur Iunonis gloriosus, quasi Ἥρας κλέος;
Ἥρα quippe Iuno, κλέος vero gloriosus dicitur. Hoc autem aiunt quia
Iunonem Herculem nutrisse fabulae fingunt.   25
IN EXTIRPANDIS quia Hercules multa monstra bestias quoquae nec
non et tirannos interemisse traditur ut leonem et taurum flammas
vomentem et in Egipto Busiridem.

36, 16 RICTUS CLEONEOS id est rugitus fortes. Hoc autem dicit quia
pellem leonis quem occiderat cum dentibus et unguibus semper in humeris 30
suis Hercules gestabat. Alcmene mater Herculis.

36, 17 QUIS pro qualis, ac si diceret: SUBLIMIS IUNO CERNEBAT hoc est
mirabatur qualis esset Hercules, deinde subiungit INTER EOS filios

23 Cf. Macrobius, *Sat.*, I, 20, 10

2 omnia *corr.*   3 ecchates   6
Bachus   7 viteam   22 Herculiem   23 ΕΡΑΚΑΗC | ΕΡΑCΚΑΗΟC   24 era | cleos   28
Bysiridem   30 ungibus *corr.*   31 Alcumene | Hercules

videlicet.

DECERNENTES hoc est contendentes, FEMINE, subauditur a superioribus, admisse sunt.

QUARUM UNAM Dianam dicit et Venerem; Diana quippe faretrata
5 virgo venationibusque dedita, silvis assueta, Venus vero admodum pulcra humanisquae generationibus veluti omnium mater delectata fingitur.

[*fol. 66ʳ*] **37, 3** TAMEN EIDEM PUDICITIE PRINCIPATUM Hoc dicit quod poete libidinis et pudicitiae simul principatum mendacissime Veneri
10 adtribuunt. Pudicam quidem aeam dicunt ne Vulcano iniuriam facere videantur eius uxorem blasphemantes, libidinosam vero quia meretricum dominam.

37, 4 GRATA CERES Ceres frugum dea fingitur et maxime frumenti; Ceres autem dicta aut quod a veteribus Ceres vocabatur frumentum
15 seu quod filiam suam Proserpinam apud inferos quaesivit.

37, 6 CLAUDUS QUIDAM FABER Vulcanum dicit ignem videlicet terrenum qui quasi claudus dicitur quoniam terreni ignis tardior substantia celestis ignis nimiam temperat celeritatem ac per hoc mundi DEMORATOR nominatur quoniam caelestium velocitas siderum eum veluti claudum
20 quendam post se attrahit. Inter Vulcanum et Iovem et Vestam hoc interest: Vulcanus est ignis devorans et consumens omnia, Vesta est ignis accomodatus in usus hominum, Iovis est ignis innocuus qui in celo est.

IUNONIUS aerius est, id est ignis aeris.

25 **37, 8** GARRULA PUELLARUM Fortunam dicit que veluti instabilis loquaxque puella nullum ordinem observat, nil firmum seu stabile prestat, et quos subito honorat, subito despicit, et quos despicit, honorat.

37, 9 PERNIX velox. DESULTORIA hoc est deludendi instrumenta.

37, 10 NEMESIM Nemesis dicitur ἀπὸ τοῦ νέμειν, hoc est a tribu-
30 endo, quia omnibus bona distribuit et mala.

37, 11 NOTHRIA vero aut Nortia quia eiusdem interpretationis sunt; infirmitatem quippe significant. Fortunam nominant quoniam felicitatem hominum sua instabilitate infirmat.

37, 16 CONDILOS Greci dicunt plicatos in pugnam digitos; condilo,
35 pugnis caedo, et est verbum condylo,-las.

1 videliet *corr.*
6 generatiobus   9 pudiciae *corr.* | mendesissime   15 sed   17 ditur   18 temperiem | mudi
corr.   29 TT

37, 18 AD PUGILLAREM PAGINAM hoc dicit quia Fortuna Iovis consilia solet perturbare atque ad suum arbitrium traere omniumque deorum scripta, id est decreta, ad suum libitum movere.

38, 4 ALIA quoque, hoc est quedam decreta Iovis ceterorumque deorum que omnibus devulgata sunt non potuit confundere, ne videretur 5 inprovisa, hoc est stulta et inprovida, sue tamen administrationi arrogans tribuebat, quasi ipsa non invita sed libita omnia administrarit.

38, 9 REDIMITUS PUER Cupidinem dicit filium Veneris quem preconem divum fabule ferunt.

38, 13 NI NOSTRA, ASTRIGERI Sensus versuum est: O astrigeri quibus 10 nota est nostra benignitas, si non mea consilia atque decreta ab omnibus remota atque occulta, non solum de prolis Maiae coniugio, verum etiam de ceteris quae penes me ipsum occulte decerno, in medium ferre, hoc est palam vobis manifestare, [*fol. 66ᵛ*] decreverim, possem animi mei ductus, hoc est sensus et voluntates, per me ipsum absque vestro consilio 15 peragere. Ordo verborum est: Possem, O astrigeri, promere certa, id est diffiniam eis ductibus mee mentis conceptionibus, ni cogeret, nisi compelleret, nostra benignitas vobis nota conferre.

38, 14 ARBITRIUM MEUM INTIMUM hoc est meam secretam voluntatem vobiscum conferre cogeret et nisi COLLIBITUM FORET, FERRE IN MEDIUM, 20 hoc est coram vobis quicquid satis fuit, TACITO VELLE. Sufficit enim mihi occulte velle quicquid dispono facere.

38, 18 NEC QUISQUAM deorum CUPERET ILLICITIS NISIBUS, hoc est profanis ornatibus, concertans tollere.

38, 19 IUSSA DEUM PATRIS id est deorum. 25

38, 20 SED TRISTIS MELIUS Ordo: Sed clauditur, hoc est excluditur, quamvis tristis, MELIUS tamen CONSIO, hoc est ab Consio ipsa dea videlicet quae gaudet de occultandis Iovis consiliis, tristatur vero de propalandis.

38, 21 ATQUIN INFANDA PREMIT SENSA SILENTIUM ac si diceret: Infanda 30 sensa, hoc est mala consilia, silentio premenda sunt et occultanda, bona vero coram omnibus publicanda.

38, 22 NE VULGATA CIANT CORDA DOLORIBUS Sensa inquit: Infanda silentia premit ne, dum sint vulgata, audientium corda ciant doloribus, hoc est in dolores vocent. 35

---

3 decerta   4 aliamouere   6 inproda   12 maee
17 difinitam 18 benignitastis 19 meum 26 tristes *corr.* | caulditur *corr.* 28 occultantis 33 ociant

39, 4 CASSUM EST vanum est.
NOLLE LOQUI hoc est nolle me vobiscum conferre mei pignoris
conubia.

39, 5 GRATA PROPINQUITAS O grata propinquitas, omnes enim vos
5 estis aut fratres mei aut filii.

39, 7 AEQUUM QUIPPE Ordo verborum: Aequum puto, iustum existimo.

39, 8 ORSA petitiones. NOSTRI PIGNORIS INCLYTI nostri filii gloriosi.
QUAE ORSA SECTANDA FORENT hoc est quae implenda essent. PROBARI
FOEDERE CAELITUM consensu deorum et quae sunt illa orsa. MAIUGENAM
10 videlicet DEGERE conversari, MERITO dignitatis suae.

39, 10 IN NOSTRIS SENSIBUS hoc est in nostris consortiis coniugalibus.

39, 11 QUAE NEC FRUSTRA MIHI INSITA CARITAS Que caritas, qui amor
filiorum insitus mihi est, nec frustra consuevit enim amor filiorum patrum
PECTORA STRINGERE.

15 **39, 13** NAM NOSTRA ILLE FIDES Nunc per laudem Mercurii nuptias
eius pater et approbat et suadet.
SERMO BENIGNITAS Sermo, id est interpres.

39, 14 AC VERUS GENIUS verum nomen naturale. FIDA RECUSIO Nulla
quippe planetarum tam frequenter ut Mercurius retrograditur.

20 **39, 15** HONOR SACER honor sanctus vel ὁ νοῦς sacer, ὁ articulus, νοῦς
mens, sacra mens.

39, 16 HIC SOLUS NUMERUM hoc est solus [*fol. 67ʳ*] hic Maiugena numerum
deorum promit, solus novit sidera, solus novit mensuras polorum et
altitudines, solus novit numeros fluctuum maris.

25 **39, 20** ET QUANTUS RAPIAT MARGINE CARDINES hoc est solus novit
quantos cardines, quantas conversiones rapiat numerus marinorum
fluctuum. MARGINE in margine, in litore ac si diceret: Solus novit quot
vicibus accedit mare ad litora et recedit, quot vicibus malinam efficit
atquae ledonem; ipse novit quae NEXIO que iunctura liget.

30 **39, 21** DISSONA ELEMENTA id est humida siccis, calida frigidis, qua
ratione nectuntur.

39, 22 PER HUNC IPSE PATER Ego pater foedera sancio mea pacta cum
diis et ominibus firmo.

39, 23 SED FORSAN PIETAS   Sed fortassis, inquit, sola pietas ipsius et mea potest recensere, hoc est numerare.

39, 24 QUAE MUNERA quanta munera. PENSITET ponderet. PARENS PROBITAS obtemperans laudabilitas illius mihi et omnibus diis et hoc est quod sequitur.   5

40, 1 QUI PHOEBI ANTEVOLANS Qui posuit pro ipse, more veterum.

40, 2 NONNE RELABITUR nonne recurrit ipse. IN SORTEM FAMULI in vicem servi. ANTEVOLANS praecedens sepe. PHOEBI IUGALIBUS equis Apollinis. Hoc autem dicit quia frequenter, dum Mercurius precedit solem, subito mira celeritate ad eum retrograditur.   10

40, 3 PATRUIS SERVIS HONORIBUS   Non solum, inquit, fratri suo Apollini obtemperat, verum etiam patruis suis, Neptuno videlicet et Diti, honorem dat, dum subter terram atque oceanum permeat vel certe quia dominus est ille negotiantium in terra et in mari et PATRUIS HONORIBUS dicit quia unaqueque planeta suam qualitatem dat elementis; verbi gratia, pulcri-   15 tudinem a Venere, tarditatem a Saturno, fervorem a Marte, temperantiam a Iove, motum a Mercurio, humorem a luna, et hec omnia a sole fiunt. Ideo dixit SED CUI TERREUS ORTUS.

40, 4 UT DUBIUM hoc est sic patruis honorem dat, ut ambiguum fiat qui magis illum proprium filium vindicet, egone an illi.   20

40, 7 ET ROBUR THALAMOS FLAGITAT ac si diceret: Ille suadet iugali conubio propter sui meritos labores quibus servit per saecula; insuper etiam ROBUR additum aetas iam iuvenilis.
    FLAGITAT THALAMOS postulat nuptias.
    Sequitur nunc laus Philologiae, AT VIRGO PLACUIT et cetera.   25

40, 9 SED CUI TERREUS ORTUS   De terra, inquit, orta est illa virgo sed eius propositum tendit in sidera volens in deam verti.

40, 11 PLERUMQUE ET RAPIDIS   Quamvis, inquit, Mercurius velox sit, illo tamen velocior est virgo. Studium quippe rationis omnem caelestium corporum motum praecedit tociusque mundi globum altitudine raciocina-   30 cionis comprehendit et hoc est quod ait AC MUNDI [*fol. 67ᵛ*] EXSUPERAT SAEPE MEANS GLOBUM.

40, 13 CUNAE ERGO EFFICIENT hoc est prospicient virgini nutrimenta sua in studiis sapientiae.

12 videliet *corr.*   15 qualitatem (*alterum*) *deletum*   16 temperanttiam   17 omĩa   18 terresuˉ
19 patrius   21 iugari   22 quimeritosbus   31 exuperat

QUO NIL EDITE CENSENDUM ut nihil sit imputandum editae in terris, hoc est ut non ei inpediat quod de terra orta sit.

40, 14 O SUPERI QUICUNQUE CREPUNDIA vestram originem, vestram et nutrituram RECOLITIS TENERI in terris, vos quippe dum terreum habeatis
5 ortum, merito tamen virtutis, mutati estis in deos. Non ergo mirum si et virgini Philologiae sua studia efficiant ut de homine vertatur in deam.

40, 16 QUAE OCCULTANT quae craepundia vestra occultantur in sacris templis ne vulgo publicentur et vilescant.

40, 17 IUNGANTUR PARIBUS AUSPICIIS similibus auguriis, virgo et Mer-
10 curius. NAM DECET et prolem nostram inter astra augeant.

41, 2 QUOS AUT NILUS DABAT Osiridem dicit et Isida. AUT THEBE Cadmum Thebarum regem insinuat quos translatos in caelum fabulae fingunt.

3 crepudia   9 auspicus | augurus

INCIPIT EXPOSITIO SECUNDI LIBRI
NUPTIARUM PHILOLOGIAE ET MERCURII

42, 1 SED PURUM ASTRIFICIS CAELUM SCANDEBAT HABENIS inchoantis
noctis descriptio est sub qua allegorice veluti praecedentis lucis gesta
insinuat.

42, 2 Nox REVOCANS noctem scandere dicit aut quia umbra terrae que
nox appellatur semper surgit in altum aut quia noctem pro sideribus
figurate posuit quoniam ipsa ascendunt, hoc est in lucem vel supra
orizontem surgunt.

42, 3 SENIOR BOOTES non quod senex sit vocatur Bootes senior, sed
quod aquilonalis verticis signa claritate sui praecedit. Βοώτης Grece,
Latine bubulcus dicitur, qui etiam Arctofilax nominatur, hoc est Ἄρκτων
φύλαξ, id est custos arctorum. Sicut enim bubulcus sequitur plaustrum,
ita Bootes duos arctos tortuoso draconum meatu labitur.

42, 6 AURATIS ETIAM FLAGRANS Orionem dicit qui fingitur quasi gladio
accinctus. Est autem clarissimum signum sub Tauro ac Geminis
austrum versus fixum.

42, 7 FULGENTEM SIRION Sirion antecanis dicitur qui quoniam et ortum
et occasum Orionis sequitur ab eo trahi perhibetur. Sirion autem ἀπὸ
τοῦ σύρειν dicitur, id est a trahendo, inde Syrius quasi tractus propter
nimiam longitudinem suam. Sub tribus enim signis, id est Tauro
Cancro Leone, constat. Inde sirenes eo quod trahunt homines ad
modulacionem suam, sive sirenes dicuntur a cantando σειρῆνες per
aspirationem s canto, syrenes autem apud Latinos. Nam longissimum
aequinoctialis circuli anguem trahere post se putatur quemadmodum
ipse ab Orione.

42, 9 MULTIPLICI AMBITUM REDIMITUR Redimitur ornatur, Orion videlicet in cuius capite sertum, id est corona multiplici stellarum ordine,
astrologi depingunt. Potest etiam de Corona Ariadnes accipi ubi
notandum quod pro omnibus sideribus in auspicio noctis orientibus duo
notissima signa posuit, quorum unum Bootes videlicet pro aquilonalibus
sideribus, alterum Orion scilicet pro austrinis ponitur.

42, 7 HOC QUOQUE [*fol. 68ʳ*] NISIACIS et reliqua. Ordo verborum:

10 Cf. Isidorus, *De nat. rer.*, xxv, 1, 5.

2 nuptirum *corr.*   4 allegoriae | allegoriace *m. sec.*   7 aut *m. sec.*   8 inipsa | in *m. sec.*

10 Boetes   12 arctofilix | arctonfilix   13 arctutorum   15 flagras *corr.* | gladium *corr.*   16
accintus   18 anticanis   22 omines *corr.*   23 dicuntur—Latinos *om. ex textu add. in mg. inf.* |
Hyerene   28 cuis *corr.*   29 riaadnes   31 per

Perlabitur, id est percurrit, aures virginis Philologiae hoc quoque, quidem illud QUOD ARDET quod flagrat, SPARSUM subauditur nuptiale cubile, NISIACIS FLORIBUS, Indicis herbis ex Nisa Indiae monte lectis.

42, 10 QUANDO PERLABITUR dum complet.

5 **42, 11** FAMA dea velocissima. TECTA Iovis. MAGNO BOATU magno clamore nuptias Mercurii et Philologiae praeconans.

42, 8 SPARSUM pro sparsione.

42, 14 RETRACTABAT deliberabat.

42, 12 COMPERTIS DECRETIS arcanis sententiis.

10 **42, 19** TUNC FLORES IPSA DECERPERET Per hoc significatur initium eloquentiae, nam primo quasi tenebris flores usque dum addatur studium, Filologia igitur dum flores carpebat aspexit Mercurium quia studium sapientiae et amor in primis sic sunt quasi flores.

43, 1 MITHOS fabulas.

15 **43, 2** DELITIAS MILESIAS quia ille scripsit de nuptiis, non ille sapiens Grecus, sed quidam poetarum et per hoc significatur noluisse Philologiam terrenas cogitationes dimittere quamvis verteretur in deam.

43, 5 AETHERII VERTICIS divini capitis, quia Mercurius in aethere est.

43, 4 CONDUCATQUE CONUBIUM ut intelligeres non omne conubium.

20 **43, 13** IN DIGITOS CALCULUMQUE Ideo numerus dicitur calculus quia primo de lapidibus veteres numerum faciebant.

43, 9 PRO LOCORUM CAUSIS ET CULTIBUS Hoc dicit pro diversitatibus locorum in quibus adorantur dii et variantur vocabula, ut in Delphis Apollo humanam imaginem habebat, in Litia lupum, in Delo draconem, 25 sic Cyllenius a Cylleno monte, Mercurius a negociatore, Archas ab Archadia. Pennatus proprium nomen erat eius.

43, 11 PER SOLA COMMENTA per solos libros Aegyptiorum.

43, 12 FALLAX CURIOSITAS quia fefellit Aegyptios in hoc quod nomen secretum Cyllenii caeteris gentibus manifestavit.

30 **43, 14** QUE NUMERI PRIMUM id est cubum primi versus, id est denarii, ostendit.

43, 15 IN FANIS OMNIBUS id est in omnibus templis Mercurii scribebatur

2 fraglat   3 niso   17 dimitere *corr.* | vertetur *corr.*
23 adelpho   24 humanum *corr.* | litium   29 Cyllenu   30 cybum

X supra suam imaginem quia χιλιάς mille significat.

43, 18 SAMIUS Pythagoras a Samo insula.

44, 1 SUBROGATAS subtractas de decadibus.

44, 2 XΥPPIN X sexcentos, Υ quadringentos, P centum, quae item geminatur, I decem, N viii; qui fiunt simul mille ducenti decem et viii.   5
ΦΙΛΟΛΟΓΙΑ Φ quingenti, I decem, Λ xxx, O lxx, Λ xxx, O lxx, Γ iii,
I decem, A unum fiunt Dccxxiiii.

44, 7 SOLIDORUM LONGITUDINEM latidudine altitudine.

44, 8 CENSENTUR subauditur fronte solidorum, ideo hic dimisit latitudine,
quia nullus a longitudine usque ad profunditatem, id est altitudinem, 10
nisi per latitudinem potest venire.

44, 10 TRES SYMPHONIAS diatessaron dyapente dyapason.

44, 12 TRIBUS VICIBUS id est praeterita praesentia et futura, aut frigus
sive calor seu temperies.

44, 13 SEMINARIUM origo perfectorum. SEXTI propter perfeccionem 15
partium, non propter perfectionem primi [*fol. 68ᵛ*] versus. ALTERNA
DIVERSITATE quia aliter nascuntur sex a tribus, aliter novem; tres enim
bis fiunt VI et tria fiunt novem.

44, 16 AESTIMETUR comparetur. FEMINEIS id est partibus. ABSOLUTA
perfecta.   20

44, 17 PARTIBUS pro membris posuit. Membra dicuntur omnes numeri
qui ab uno sunt usque ad summum numeri; verbi gratia, unus duo tria
quattuor.

44, 18 IDEO QUADRATUS EST CYLLENIUS quia omnis species cuborum,
id est quadratorum, ostenditur per ternarium, ideo Philologia quadrata 25
est quia quaternarius numerus quadratus est. Habet enim semel duo
bis, cui sunt Philologiae.

44, 21 SENIS DEIERATIO de Phitagora dicit. MA THN TETPAΔA doctrinam quaternarium, τετράς quattuor.

45, 6 EMIOLIOS sesqualtera.   30

45, 11 ARMONICORUM adunationum, qui numerus rationis supere per-

1 chile   4 XΥPPIN *sic! l.*
deest Dick   6 *l. deest Dick*   7 DCXXIIII   13 praeteria   14 tempoes   15 seminarum   19
paribus   21 menbris   22 uno (*alterum*)   24 cyborum   25 ideo—ternarium *iter. post* ternarium *delevi*
28 deioratio | mathentetradan   29 tetras   30 sexqualtera   31 adunicorumonum adunaconum *m. sec.*

fectio est.

45, 15 SICUT ETIAM OMAΛON ILLA DOCET PLENITUDO Sic debet esse. Ὀμαλόν planarum figurarum interpretatur. Prima plana figura est ternarius in imparibus numeris. Prima igitur plana figura est quater-

5 narius in paribus numeris. Ex prima ergo plana figura est imparium, id est ternario, et prima plana figura parium, id est quaternario, constat septenarius, qui septenarius est perfectio supere rationis propter septem planetas.

45, 16 FATALIS TEMPERAMENTI In primo enim libro dixit septem fata

10 vel fortunas in septem fluminibus planetarum fieri.

45, 17 MOTUSQUE quia ipsi circuli per se motantur.

LATEBRAS UTERI quia evenit ut in septimo mense filii nascantur, sive ideo dixit ABSOLUTA MORTALITAS quia post septem menses integer homo efficitur in utero matrum.

15 **46, 2** EPOGDOI Epogdous dicitur superoctavus quia novenarius superat octonarium in octava sua parte.

46, 3 QUANTUM SYMPHONIA DYAPASON Dyapason dicitur ex omni. Ubicumque enim fuerit dupla proportio, ibi potest esse dyapason atque ideo non de omni dyapason dicit in hoc loco, sed de illa dyapason quae

20 tonon facit, id est octo. Epogdous enim non fit nisi inter octo et novem.

46, 4 CONSONAE UNITATIS id est perfectae armoniae. Nam ex tonis et semitoniis constat omnis musica.

46, 6 RESULTAT IN MEDIO id est nullus numerus interponitur inter tria et quattuor sicut nec inter octo et novem. Primus autem compositus

25 ipse quaternarius, nam longitudo ipsius vi solum modo et potestate constat, latitudo vero et altitudo actu et opere, hoc est semel.

46, 7 Concinno, -nas polluo; CONCINO cano.

[*fol. 68ʳ*] **46, 11** DECORI forme, dativus pro ablativo; SIC SUBSTANTIAE corporeae.

30 **46, 16** Limma corruptio, ALIMMA incontaminatum. Per alimmata omnes intellige virtutes quibus liberatur anima ab aeternis ardoribus.

ABDERITE id est Saturni, a lapide quem devoravit Saturnus pro Iove filio suo.

9 Cf. 13, 1-18.

2 sicun *corr.* | omalon   3 omalon planetarum *corr.*   15 epigdoi | epigdos   16 partes   18 portio

corr.   20 tenon | epigdos   22 semitonis | consostat   26 opepere

46, 17 MEMBRORUM id est animalium.

46, 20 SIGNATUR scribitur.

46, 18 CHOLCHICA FIDUCIA quia Colchi prae omnibus praevalent in incantationibus.

46, 19 ADAMANTINI CACUMINIS duri stili. CONTINUA conveniens.

46, 20 SIGNATUR QUID SUMMOVEBAT id est sursum levaret liberando.

47, 3 ALLINIBAT infundebat. MENSIS id est lune. Ex rore enim cadente de corpore lune allinibat corpus suum.

47, 2 REVIBRATU lucubratione, quia per radios lune cadit ros in terram. Lucubratio dicitur lux blanda.

47, 5 MATRE Fronesis.

47, 4 PERIERGIA sollertia; περί circum, ἔργον opus.

47, 9 AGRYPNIA vigilia, ἀγρυπνέω vigilo.

47, 11 CONIVERE oculos claudere, id est dormire.

47, 12 CUM IPSA id est Periergia.

47, 13 MANCIPIAQUE id est que dotales erant, id est septem artes mechanicas quas Philologia Mercurio donarat.

47, 17 LEUCOTHEA id est alba dea, id est Aurora.

47, 18 REMIGIA SOLIS radii solis.

47, 19 PHOSPHORI Luciferi; φῶς lux, φορός ferens, id est lampas.

47, 21 FRONOSAPIO, FRONESIS, PRUDENTIA Quicumque studiosus est necesse est ut abeat haec tria.

48, 2 BOEMATUM auxiliorum bimatum ascensionum.

48, 3 EXUVIAS indumenta.

48, 6 HERBARUM FELICIUM quia ex illa herba nascitur lana.

48, 8 OSUS pro usus.

48, 9 NETIBUS filis. BISSUM species lini.

27 Cf. Isidorus, *Etym.*, XIX, 27, 4.

3 fidutia *corr.* | colchic 4
incantatiobus   7 allinebat   8 line *corr.* | allinebat   11 Fronosis   12 Perergia | peri |
ergon   13 Agripinia | agripno   16 moechanicas   18 Leucothe   20 phos | phoro | farus
21 Fronosis

48, 12 SECRETI TROIANI quia nulla gens tali gemma utebatur, uti Troiani.

48, 14 SIBI a se ipsa.

48, 13 ANNECTERET pro annectebat. Omnia hec instrumenta orna-
5 menta sapientiae sunt.

48, 18 ACERRA GRAVIDATA arca plena. CANDENTI sunt de ebore.

48, 20 SUBTEXERE valere ortum solis dicit.

48, 21 Antropophagi dicuntur AMBRONES; am ἀν, βρῶσις cibus, ab eo quod est ἄνθρωπος et βρῶσις.

10 **48, 22** CREPERUM mane.

49, 3 QUACIUNT concutiunt.

49, 5 LETHEA obliviosa quia quod homo videt in somnis, mox ut evigilat, oblivioni tradit. Per tibias flatus, per fides pulsus.

49, 10 HYDRAULARUM organorum sonantium de aqua; ὕδωρ aqua, αὐλός
15 tibia vel fistula.

49, 12 COMPLEMENTI SPATIO id est donec completa esset vox virginis, dabant Musae silentium.

49, 14 PRAEVERTIT superat. OMNES ORGANICAS id est alias suavitates.

49, 17 SCANDE CAELI TEMPLA, VIRGO Metrum trochaicum tetrametrum,
20 et hoc metrum cantabant omnes Musae.

50, 2 SIDEREOS COETUS In is versibus laus Philologiae de Astrologia dicitur.

50, 4 NEXOS quia circuli planetarum invicem coniunguntur.

50, 6 TEXTURA absidas dixit. NEXIO quid unusquisque circulus intra
25 se contineat.

50, 8 COGAT concitat. Quantum enim appropinquant planete terrae, citius videntur currere; quantum autem elongantur a terra, tardius. Tardantur sidera duobus modis, aut quando [*fol. 68ᵛ*] retrograda sunt, aut quando appropinquant signifero. Retardantur sidera quattuor
30 modis: quando in absidibus altissimis currunt, quando retrograda,

27 Cf. Plinius, *Hist. nat.*, II, 64.

8 antropophitggi | an | brosis   9 antropos et brosis   13 tibus
14 idor | aula   18 praever   19 tetrametum   24 textra   28 sut *corr.*   29 appinquant   30 quatuordo *corr.*

quando stationaria, quando anomala, hoc est quando discurrunt per latitudinem signiferi. Et tribus modis concitantur, aut quando appropinquant terris, aut quando solis radio moventur, celerius currere coguntur, aut quando per rectam lineam sui circuli moventur.

50, 10 FOMES de sole dicit. REVOLVAT de temporibus dicit.   5

50, 15 SEMPER COMPLACITIS Species choriambi que constat ex choriambo et diiambo. Laus Philologiae in his versibus est de Musica.

51, 2 CIRCI dicuntur symphonie quia ad eandem rationem veniunt.

50, 16 MAGNESIA regio nobilissima Scithiae ubi abundant poete et flumina, ibique canes optimi sunt.   10

50, 17 Forcus rex Asiae habuit tres filias quarum nomina Stenno Euriale Medusa, quae, quoniam agricole erant et colende terre peritissime, Gorgones dicte sunt; γῆ terra, ἔργον opus, gorgones terre cultrices. Quarum unam, id est Medusam, Perseus interemit, de cuius sanguine fons ortus est et ideo dicitur Pegasus, πηγή fons. Propterea hoc nomen 15 commune omnibus fluminibus et omne flumen caballi figuram gestat propter velocitatem cursus. GORGONEUS CABALLUS vocatur flumen quod ex sanguine Medusae ortum est ut mendax Grecia finxit.

50, 18 Aon mons Traciae, ideo dicuntur AONIDES Musae.

50, 19 CIRRE similiter mons Indiae. De floribus Cirrae montis Indie 20 serta habebant Musae et cantabant in Aonio monte Traciae.

50, 21 PINDARUS quidam musicus.

51, 5 POLIMNIA multa memoria.

51, 8 INDITO NUMINE addita divinitate.

51, 7 CONSORCIA palacia.   25

51, 6 TANDEM LABORIS Iambicum senarium de laude Philologiae in Geometria et Musica.

51, 9 CRUENTA RITHMICA imperfecta carmina. DUDUM dum homo eras.

51, 11 IACENTE LINEA longitudinem significat. Duo maxima figurarum notantur in hoc loco, unum quidem angulosum, aliud rotundum.   30

---

11 Cf. Servius, *Aen.*, VI, 289.
11–14 Cf. Fulgentius, *Mit.*, I, 21 (Helm, 32).

    1 anamala   6 choriiambi | choriiambo   7 seplaus   12 Meduse   13 ge | orgon
15 pege   18 et   21 habeant   26 Philologia   28 rithinica   30 retondum

51, 13 CRUSMATA pulsus cordarum.

51, 15 ADACTA mota.

51, 19 SUETA COTURNATOS Senarius aeroicus cui adiungitur dimetrum iambicum. Laus Philologiae de peritia poematum. COTURNATOS can-
5 tus, poetica carmina.

51, 20 SOCCUS COMICUM et coturnus poetarum ac si dixisset: Sueta et perita poematis aeroicis, peritissima in comoediis.

51, 22 RITHMUS dicitur communiter omne genus metrorum specialiter autem ubi non est certus finis.

10 **51, 23** ASSERTIO facundia.

51, 24 VERSA Huc usque simpliciora metra fecimus, nunc autem sub-
tiliora; vel VERSA dum es tu mutata in deam.

52, 1 SERTA carmina.

52, 3 MARITALI OLYMPO marito deo.

15 **52, 8** TU QUE RHETORICO [*fol. 69ʳ*] Pentametrum catalecticum.
SYRMATE tractus. Syrma prolixa sententia rethorice.

52, 9 RABIDI vocantur rethores propter copiam verborum.

52, 10 LIGANS pro ligabas. SENSA HORRIDA hoc est spissas sententias.
NEXIBUS collectionibus, id est syllogismis.

20 **52, 11** SORITA est minutissimarum rerum in unum cumulum collectio.
AGGERANS id est dum aggerabas.

52, 12 STRINGERE pro stringebas.

52, 14 DOCTICANIS SENSIBUS id est numeris.

52, 21 CAPUT ARTIBUS, INCLITA VIRGO Metrum dimetrum anapes-
25 ticum catalectum. Laus Philologiae de Phisica.

52, 23 TIBI soli praeter alios homines.

52, 21 CAPUT ARTIBUS principium artium.

52, 23 ORBIS universitas naturae.

52, 24 ANTE ante formam visibilem quia iste mundus repertus est solis
30 rationibus.

53, 1 PER APERTA per spatia aeris.

3 senaris *corr.* | aerous   6 socus *corr.*   12 ver *corr.*

53, 5 ROTET cogat, acceleret.

53, 7 OPERTA quae sensibus non adiunguntur.

53, 12 LAETA HONORIS Coriambum catalecticum metrum est. Laus Philologiae de Aruspicio.

53, 16 QUICQUID id est cumque. AGENTES disputantes. ΣΤΟΑΣΙ 5 porticibus. Quicquid invenerunt Stoici de praescientia futurorum tu tulisti. Στοά nominativus et adiuncta *s* fit genetivus στοᾶς, addita vero ι genetivo singulari, dativus pluralis fit στοᾶσι. Flectitur ergo sic, στοά nominativo, στοᾶς genetivus singularis, ex quo nascitur dativus pluralis στοᾶσι qui pro ablativo ponitur. 10

53, 21 ANTEVORTIS praescis.

53, 18 QUID EDAT consumit vel divinat. RAPIDIS ARIS id est fumantibus, ac si dixisset: Quicquid per Sabeorum tus cognoscitur tu praevertis.

53, 19 PARET praeparet, id est praesagit. AURA alatus.

53, 20 Aruspicium dictus primo modo AUGURIUM. 15

53, 21 INTREPIDIS FATIBUS in dubiis responsionibus.

54, 4 VIRGO PERITE Laus de Aruspicio de Coniaectura de Augurio. Sunt enim duo genera prophetiae, prima per coniecturam et sepissime fallit, divinatio autem quae per responsa deorum fit non fallit.

54, 12 QUIQUE pro quicumque. Προφήτης Grece, VIDENS Latine. 20

54, 24 IUSTI pro iussisti.

55, 4 BEATA VIRGO Metrum catalecticum; κατά post, λέξις dictio, id est ubi remanet syllaba post pedem. Laus <Philologiae>.

55, 13 PRAETERVOLANS ASTRA velocior caeteris superioribus quia breviorem circulum facit. Dicunt enim phisici quia Mercurius velocior 25 caeteris in suo circulo est et habet virtutem seminum in mari et in terra. Dicunt etiam Mercurium virgam, id est potestatem discretionis.

55, 20 MEMOREM aut quia memoriam facit aut memorabile.

55, 21 SUCCIDENTIS succumbentis vel amputantis.

55, 22 OSIRIS rex Aegypti repperit cultum agricolarum et vinearum. 30 Osiris pauper, ideo dicuntur fata ipsius sationibus gravari.

---

30 Cf. Isidorus, *Etym.*, XVII, 1, 2.

2 adiuguntur   5 stoasi   6 praeusentia   8 getivo | dativus *conieci* genitivus   20 prophetes
22 cata | lexis   23 quaeris *post* laus *delevi* | Philologiae *addidi*   31 Osiros

56, 1 GENITALIBUS seminibus.

56, 4 NOVERCA Iuno.

56, 6 STUPET VENENUM Tanta virtus est sermonis rhetoris ut possit damnare et liberare hominem, [*fol. 69ᵛ*] ideo vocatur Hermes Mercurius a Grecis.

56, 8 ORBEM GEMELLUM geminam speram propter serpentes quia duo serpentes in virga ipsius sunt.   Ideo geminatur draco quia arbiter non solum verbis sed etiam ingenio occidit et liberat homines.

56, 11 NUNC NUNC BEANTUR ARTES Peritia artium Mercurii solius erat, iam modo non ipsi soli sed Philologiae, quando studium additur naturale, tunc beantur.   Greci utebantur topicis, sed nullus scripsit inde artem antequam Marcus Tullius scripsit apud Romanos, nullus Περὶ Ἑρμηνείας ante Aristotelem.

56, 18 NUS deus, nus mens, virtus sapientiae quae propriae deorum erat in principio per vos descendit ad homines, id est per studium et naturam.

56, 19 Probata facundia PROBATA LINGUA, id est certissimas regulas artium.

57, 2 PRUDENTIA est quae docet quid sequendum et quid fugiendum sit.

57, 4 IUSTITIA est unicuiquae propria distribuere.

57, 6 TEMPERANTIA est ab omnibus quae fugienda sunt abstinere. Fortitudo est quae superat omnia quae fugienda sunt.

57, 15 GRAVIS aetate.   QUAEDAM FEMINA de Philosophia dicit.
   CRINITA quia omnes philosophi criniti erant.   Nemo intrat in celum nisi per philosophiam, semel splendoribus.

58, 4 GLABELLA nuditas inter supercilia.   Qualiscumque pars corporis pilis caruerit glabrio dicitur.

58, 3 CILIORUM superior pars venarum.   Pili palpebrarum tautones vocantur.

58, 7 CARITES tres Gratiae filie Iovis.   Carites dicuntur fistule quarum sonus artem musicam excedit et ideo iste Carites supervenerunt quia alias Musas proprio quodam modulamine superabant.

58, 9 LUMINE gratia.   GESTICULATIONES instrumenta Musarum.

        2 noverta   12 periermenies periermenias *m. sec.*   13 aristotilem   16 linga *corr.*   19
propia   22 philolosophia   26 glabrion   27 cilior cilium *m. sec.* | tautomes   29 cantes *bis* | grates
30 cantes   32 gestuculationes *corr.*

58, 11 CROTALUM cymbalum.

58, 18 ANTISTITIO praesulatu.

58, 21 ATHANASIA immortalitas. HEUS ubi es, adverbium loci.

59, 1 QUIDEM SI pro siquidem.

59, 6 EGESTIONE depulsione.

59, 9 Ναῦς navis, inde NAUSEA quia omnes qui in navi sunt nauseam habent.

59, 12 PAPYRUS de suco cedri linitus imputribilis est.

59, 13 CARBASINIUM speties tenuissima lini.

59, 15 PHILLIORUM foligerum; arbor de cuius <foliis> faciebant primo veteres libros, φύλλον folium.

59, 14 RARI propter vilitatem.

59, 17 EFFIGIES propter cosmographiam et zoographiam; ζῷον animal, zoographia pictura animalium.

59, 18 EMINENTIBUS praetiosis lapidibus.

59, 19 ADITA locus secretus templi ubi imagines idolorum erant; adita dicens eo quod vix adiri possunt.

59, 20 STEMMATA origines. STELAS vocavit illa saxa in quibus origo deorum scripta erat propter claritatem.

60, 3 SUBINDE frequenter inter artem et disciplinam hoc interest, quod quando discitur, disciplina vocatur, quando perfecta in habitu mentis est, ars nuncupatur. Ars dicta est ἀπὸ τῆς ἀρετῆς, [*fol. 70ʳ*] hoc est a virtute.

60, 5 FACULTATEM instrumenta. Facultas artis est omne instrumentum quo discitur et docetur. Ideo URANIA ET CALLIOPE collegerunt libros pre ceteris quia doctiores erant. Praesul est Urania caelestis musicae, Calliopea artificialis musice praesul.

60, 8 PAGINULAE dicuntur in musica ubi tropi in altitudinem ascendunt pro differentiam tonorum.

60, 6 CONGESSERE id est collegere ad differentiam toni.

---

1 crotolum   6 naus | nausia | omnis | nausiam   9 carbasim
carbasium *m. sec.*   10 foliis *conieci* libro   11 phillon   13 zoo   18 stellas   19 erant   22
ΑΡΕΘΕC   27 artificalis   29 diferentiam

60, 8 EMISPERIA semicirculi.

60, 10 TEOREMATUM speculationum, teorema proprie dicitur in geometria quod elementa in astrologia; quod enim geometria fingit in geometricis figuris, hoc describit in naturalibus corporibus astrologia.

5 **60, 11** IN UNAM SPECIEM hoc est in unam mundi imaginem. Ut enim una imagine totus mundus cum regionibus et animalibus in una quadam specie compraehenditur aspicientiumque oculis manifestatur, sic tota musica in una imagine describitur per tonos et tropos caeterosque modos et horum singula super notatos numeros et litteras et notas.

10 **60, 15** NIXA pariens. IMITATUS subaudit similitudines et imagines. PALLORE EXHAUSTO colore evacuato.

60, 18 HOC <est> ovum.

60, 19 APOTHEOSIS mater.

60, 16 ATHANASIA interpretatur redeificatio vel consecratio. Θέωσις
15 deificatio, Apotheosis mater est Athanasiae quia purgatio mater immortalitatis.

61, 1 CROCINO roseo. Per ovum totam speram caelestem significat.

61, 14 LEUZOS pro λευκός, albula herba. Dicunt quidam quod lilium sit.

20 **61, 13** ENIGMATE imagine per quam ostendit se ipsam immortalem. REDIMICULI coronae.

61, 15 OMNIA id est Colchica carmina.

61, 22 MATRI EIUS Apotheosis.

61, 23 VEDIUM Orcum cum uxore sua Vedia, id est Allecto; ὀρκόω iuro,
25 inde Orcus quia iurat quod nullum hominem sine poena dimittet.
ETRURIA Italia.

61, 24 Μήνη lune, EUMENIS mala luna.

62, 1 Quidam SYRUS finxit unum simulacrum anime, quod simulacrum verberat transeuntes animas in caelo.

30 **62, 2** FASUS SENEX finxit quod nullus potest venire ad immortalitatem nisi per mortem.
DE MANIBUS de deabus inferni.

3 geomeotria   12 est *conieci* sunt   14 theosis   18

leucos | lium *corr.*   21 redimicul   24 orco   27 mene | eumenia

62, 7 ALUMNUM discipulum.

62, 8 SUPAERE CONCESSIONIS divine lecticae.

62, 12 Due Veneres sunt, una VOLUPTARIA, id est libidinosa, cuius filius est Ermafroditus, altera Casta quae erat uxor Vulcani. Est etiam amor castus et amor impudicus. 5

62, 15 EPIMELIA cura salutis sed non cura illa quae pertinet ad solicitudinem, sed ad sanitatem.

62, 18 PRAEDICTARUM COMITATUM Apotheosis Athanasia Fronesis et illarum pedissequae.

63, 6 ILLEX provocator stupri. Virtutibus enim vitia interseruntur. 10

63, 8 DIVA Iuno. NUBENTIS Philologiae.

63, 10 Era IUNO ab aere.
ALIUD NOMEN incognitum hominibus.

63, 12 LUCESIA a lucae dicitur.

63, 14 FLUVONIA [*fol. 70ᵛ*] propter semina quia liberat de partu feminas. 15
FEBRUALEM a purgationem; februo, purgo.

64, 1 PONENTES pro deponentes. CINGULUM virginitatem, hoc est ut liberas de nuptiis.

64, 2 SATICENAM a satione dictam quia Saturnus liberat mares de nuptiis, Iuno vero feminas; vel SOTICENAM a sociando dictam, quia sociat marem 20 et feminam.

64, 3 PRAECABUNTUR TE POPULONAM a populo quia multiplicas populos si protexeris eum in bello.

64, 4 Curis virtus, inde CURITIM potentem. Hercules quasi Ἡρακλῆς, id est gloriosus Iunonis, quia nutrivit eum Iuno. 25

64, 7 ANIMANTUM quia Plato et demones et angelos animalia vocat.

64, 6 ATOMIS quia ex atomis totum mundum factum esse credunt.

64, 10 DECEM STADIORUM Si enim linea intus perrectum mittatur per medium montis a summo usque deorsum, decem stadia habebit in altitudine Olympus mons. Stadium autem habet centum xxv passus. 30

24 Cf. Macrobius, *Sat.*, I, 20, 10.
26 Cf. Chalcidius, *Comment. in Timaeum*, CXXXII–CXXXIV.

5 casstus 6 pimelia | salus

10 provocatur | strupri 22 populanam 24 cyris | cyritim | heracles

64, 11 ELATA summa.

64, 12 ΠΕΡΙ ΕΤΔΑΙΜΟΝΙΑΣ de bona demonitate.

64, 17 SUSCIPIMUS sursum aspicimus. IPSO AMBITU hoc est ab ultima spera caelestis ambitus.

64, 22 ΑΠΑΘΗΣ impassibiles. SUPERIS inferioris.

65, 2 Inter VATICINIA et prophecia hoc interest, quod in vaticiniis et somniis ambigua sunt, in prodigiis autem non; prodigia dicuntur quasi porro dicentia, id est aperte.

65, 3 PHISSICULANT consulunt. ARUSPICIO arae inspectio.

65, 4 AUGURATIS OMNIBUS omni genere augurii.

65, 6 SIDERIS CURSU flammulas dicit quae cadunt de stellis.

65, 7 NOVITATE sicut comete.

65, 9 COMITATU administratione.

65, 16 GERMANUS quia cum homine nascitur genius.

65, 20 MEDIOXIMUS quasi medius proximus.

66, 3 LARES ignes ipsi sunt genii.

66, 6 SEPTA malis hominibus.

66, 8 INTERSTITII spatii.

66, 10 HEMITHEOS Semideos.

66, 11 SEMONES semihomines.

66, 14 FECERE FIDEM CAELESTIUM Fecere hominibus credere quia celestes sunt.

66, 16 OBLIDENS frangens.

66, 15 Filius Iovis est HERCULES; ipse est Alcus qui etiam Alcmenes dicitur ex quo etiam Alcides Hercules dicitur, sed in ortu eius miracula facta sunt ut crederetur ex Iove fuisse natus. Geminata enim nox est et misit noverca Iuno duos dracones qui eum devorarent, quos ipse, ut natus est, manibus collisit.

66, 17 TAGES rex Hispaniae erat in cuius ortu Tagus fluvius surrexit,

29 Cf. Solinus, *Collectanea*, 23, 6.

2 ΕΤΔΑΙΜΟΝΑC   5

ΑΠΑΤΕC   6 prophetia prophecia *m. sec.*   14 com   15 Mediosimus | quiasi   24 alches |

alcumenes   29 tages (*alterum*)

cuius arena aurea fertur. Sypnum oppidum in quo regnavit et ipse construxit. Tages potens a verbo ταγέω Greco. Ipse Tages, mox ut natus est, cepit loqui et oppida construere.

67, 1 AMMON arena.

67, 5 DIONISIUS qui et Liber pater vocatur, postquam subiecit sibi 5 Indiam reversus <est> in Aethiopiam cum magno exercitu. Non inveniens autem aquam in arenosis locis, sacrificans Iovi, petiit ab eo auxilium quia populus eius siti moriebatur, et subito surrexit fons de arena. Quoniam vero arietem sacrificavit, [*fol. 71ʳ*] fons ille in forma arietis fingitur. Ideoque Ammonius Iovis, id est arenosus, quia in forma 10 arietis similacrum habet et ibi postea templum constitum est, centum aris ornatum. Grece autem dicitur arena ἄμμος vel ψάμμος.

67, 2 LANICIO quia ante arietem nec lana nec fons fuit.

67, 5 DYONISIUS de India progressus ramusculos vineae in Egyptum detulit. 15

67, 8 SEMENTEM seminacionem.

67, 10 AESCULAPIUS filius Apollinis primus in Grecia artem medicinam invenit.

67, 12 CARMENTIS invenit Latinas litteras.

67, 13 SIBILLA σιὸς βουλή, divinum consilium. 20

67, 16 SIMMACHIA adiutrix.

67, 15 EROPHILAM virorum fortium cognitam.

67, 16 ERITHREA rubea.

67, 20 HEMITHEI inferiores. EROES terreni, ab Era, terra.

68, 7 LEMURES limo adhaerentes. 25

68, 10 LARVAE umbrae. MANIAE insanientes.

68, 14 AQUILOS DICUNT monstra diabolica qui in forma avium apparent curvo rostro.

68, 16 Tripto inde TRIPTES lusores dii. Iam modo describit corpulentum

5 sqq. Cf. Hyginus, *Poet. Astr.*, II, 20.
20 Cf. Isidorus, *Etym.*, VIII, 8, 1.

2 tago   6 est *addidi*   7 arenosil | Locisvi | petit *corr.*   8 ausilium | siti
Manitius sati   12 ammon | samon   14 ramuculos   17 Asculapius   20 sios bole   21 Simachia
23 erithria   25 lemores

aerem qui circa terras <est> ubi gravantur et torquentur animae ne reddeant ad superiores sedes.

69, 2 Πῦρ ignis, φλόξ flamma, inde PYRPHLEGETONTA igneus. Per Pyrphlegetonta tonitrua et fulmina significat.

5   **69, 9** SATYRI ludentes. SILVANI qui in silvis habitant.

69, 8 PANES discipuli Panos.

69, 9 FAUNOS ET FONES ab uno verbo veniunt quod est fando. FANTUI qui fatuos homines faciunt, hoc est inanes.

69, 12 INCURSANDI hoc est irruendi.

10   **69, 14** TUA DIVA id est tuus genius hic manebit quia altius non potest ascendere.

69, 15 Aeria IUNO usque modo fuit, nunc vera AETHERIA.

70, 7 SISTRA NILIACA dicit propter sonum qui in primo tono constituitur. Sistrum organum est, quod genus tantum apud Aegyptios invenitur.

15   ELEUSINA regina Greciae, inventrix totius que ferebat iugiter lampadas, quoniam omnia semina quae nascuntur in terra ex rore lune veniunt, et ideo lampas dicitur Eleusina.   Ops dicitur quia multum appropinquat terre.

70, 8 ARCUS DICTINNE quia Ops venatrix dicitur, Ops ab ope.

20   CYBELE alio nomine vocatur propter soliditatem; arcus Dictinne dicitur quia quando nutrivit Ops suum filium in Dicteo monte arcum et sagittas habebat.   Ideo fingitur lampas quia Olimphus mons iuxta civitatem est constitutus.

70, 9 VERTIGO revolutio.   Quicquid in terra nascitur, quoniam ex rore

25   nutritur.   Fingitur Ops in luna TRIFORMIS; νουμηνία id est prima luna, διατομή octava quasi media sectio, πανσέληνος plenilunium.

70, 11 EGESTIONIBUS evacuationibus.   FELIS mitissima bestia est. Quando emittit luna humorem, clarissima est.

70, 13 MEDIO id est emitonio.

30   **71, 16** TEMIS caligo.   ASTREA sidera.

7 Cf. Isidorus, *Etym.*, VIII, 11, 87.
14 Cf. Isidorus, *Etym.*, III, 22, 12.

                            1 est *conieci* sunt   2 redeant   3 pir | flox   5 silius   17 obs   19
obs *bis*   20 Cubile   21 obs   22 habebit   24 quicqid   25 obs | νουμηνία *conieci* mono | prima
m. sec.   26 diaptome | pansileon   27 evacuatiobus *corr.*

71, 17 ERIGONE aut angulus aeris aut contentiosa femina interpretatur; ἔρις contentio, γυνή mulier. Ideo hoc fingunt quia luctatio [*fol. 71ᵛ*] semper est in Mercurio cum sole. Absis Mercurii est in Erigone, hoc est in Virgine. SPICAS habebat quia cum sol est in Virgine tunc colliguntur messes. 5

71, 18 EBENUS nigra. Qualiscumque tabula, si picta fuerit, PINAX vocatur; proprie tamen capsa dicitur organi.

71, 19 IBIS ipsa est ciconia; interpretatur autem ὄρνιν ὀφιοφάγον, id est manducans colubras.

71, 20 Πέτομαι volo, inde PETASUM. 10

71, 21 Per GEMINOS SERPENTES venenosam intellige locutionem rhethorum.

71, 22 CAPUT AURATUM quia sermo rhethoris primo pulcher videtur, deinde etiam exasperatur, deinde condemnat reum.

72, 1 NEPA coluber. Per CAPREAM velocitatem et acumen rhethoris 15 significat. Acumen rhethoris sepe sentit venena alterius. Ὄφις serpens, δειλία formido, inde DILOPHON formidans serpentes.

72, 3 Avis IPSA quae est IBIS.

72, 4 MENSIS CUIUSDAM SCORPEIOS ipse est Novembris quia tum est sol in Scorpione. INGESTAM delatam. 20

72, 9 LIBRA iustitia. BILANCE deliciose, id est libram dicit quia aequale sacrifitium obtulit eis.

72, 11 DUABUS PECUDIBUS id est unam dedit Philologiae, alteram Mercurio. CUM POTENTE cum Mercurio.

72, 16 ANTIAS contraria. 25

72, 17 VULSA soluta.

72, 16 CREBRO CAPILLICIO densis crinibus.

72, 17 AMBIFARIUM invium. AMITAL ros.

72, 18 MITIFICAT subaudis Venus. CONGRESSA luctata. Tria emitonia contra duo, id est ad Venerem et ad Mercurium. 30

72, 21 DIVERSA CUPIDITATE secundum convenientiam uniuscuiusquae

2 eris | gone   6 ibus *post* nigra *delevi*
8 ornion | ophiphagion   9 colubres   10 ΠΕΤΟ   13 rhothoris *corr.*   16 ophi   17 delia |
diliphon   21 blance   24 com (*primum*)   28 amital *l. deest Dick*

creature, totius visibilis et sensibilis naturae fons est sol.

73, 1 CONGESTIONE cumulatione.

73, 2 SEPTEM FRATRES in prora, septem <dies> in ebdomada quibus volvuntur omnia tempora.

73, 3 FORMA LEONIS in arbore picta significat solem in summitate mundi constitutum et omnia felitia visibili mundo administrantem, sed quoniam saepe nimio ardore multis nocet CROCODILLUS ibi pictus esse videtur.

73, 12 ASSERTIO laus.

73, 18 SUPERIS stellis. Sunt enim stelle frigide, sed temperantur calore solis. CONPELLENS quando in statione fiunt, COERCENS quando retrograda sunt.

73, 22 PRINCIPIO Iovem.

74, 7 RETEGIS declaras, aperis; a te est enim lux noctis.

74, 9 DISSOLUIS renovas.

74, 10 SERAPIS maximum idolum est Aegyptiorum et vocatur alio nomine ISEUS, id est aequus vel iustus.

74, 11 MITRA diadema. FORUM speculum. TIPHONE superbum. DITEM quia ditat homines.

74, 12 ATTI puer interpretatur, impetus vel proximus.

74, 13 Biblos civitas Aegypti inde BYBLIOS. ADON cantans interpretatur.

[*fol. 72ʳ*] **74, 15** VERA FACIES quia ipse solus manifestat omnia.

74, 17 COGNOMEN nomen et OMEN numen, id est potestatem.

74, 16 OCTO ET SEXCENTIS H Y C H octo, Y cccc, C cc.

75, 2 PIROIS Martis; πῦρ ignis, ἴσος aequalis, id est equalis igni.

75, 3 MAXIMUS pro ardore.

75, 7 PTONGIO diminutivum est ab eo quod est ptongo, id est dimidius tonus.

75, 10 EX CALIDIS ex parte Martis inferius et ex humore superius Saturni.

1 frons   3 dies *conieci* fratres   5
summitatem   6 et *Manitius* ex   7 cocrodillus   9 sellis *corr.*   16 Iseus *Manitius cf. Dick*
app. crit. ipsius   24 pir | isos | qualis *corr.*   26 ptongio ptonggio *m. sec.* | ptongo ptoggo *m. sec.*

75, 14 PARILI INTERIECTIONE tonum dicit eo quod integer tonus ibi est.

75, 16 HAERENTEM tarde currentem.

75, 17 MELO DORIO gravissimo sono.

75, 20 EXITIALIS mortifer.

75, 18 DRACO propter ferocitatem hiemis.   5

75, 19 RICTUS LEONIS propter ardorem. CRISTE CUM APRINIS DENTIBUS asperitatem singulorum temporum significat.

76, 1 SESCUPLUM tonus et dimidius dicitur.

76, 10 DECANI sunt qui et doriferi dicuntur qui aliis ferunt dona.

76, 11 LITURGI ministri. Spacium quod intra terram et firmamentum 10 est in OCTOGINTA et QUATTUOR varietates dividitur.

76, 13 GLOBOS corpora stellarum dicit. HIC TEXTURAS commissuras absidarum dicit dum unaquaeque planeta in regionem alterius planete currit atque ideo mutant colores.

76, 15 AXIS linea de polo ad polum ducta.   15

76, 16 VIBRATUM directum.

76, 21 EMPIRIO igneo. Duo ignes empirii sunt, unus invisibilis et incomprehensibilis qui inplet totum mundum, alter supra totum mundum et intellectualis.

77, 2 INSPIRATA pronunciata. VERBIS id est vocibus mentis per tres 20 deos, caelestium et terrestrium et infernorum deos, ostendit.

77, 6 SEPTIMO pro septies, septem pro planetis, septem dies septimanae attribuunt.

77, 7 FONTANAM fons totius vite.

77, 8 ΑΠΑΞ ΚΑΙ ΔΙΣ ΕΠΕΚΕΙΝΑ quicquid est super omnia praeterita 25 et futura. Ἅπαξ Pater, δίς Filius, ἐπέκεινα substantialis et consubstantialis amborum, unum et duo et tria; unum principium a quo duo; principium per quod tria omnia, principium medium et finis. Semel locutus est Deus et Locutio Dei semel quid aliud est nisi bis? Semel ergo et bis, Pater et Filius, duo in substantiis, unum in essentia.   30

77, 10 FLOREM IGNIS lucem patris.

---

1 nteriectione *corr.*   9 doriferi *sic!*   11 octoginti   14 adque   17 ignis   23 atribuunt
25 ΚΑΕΔΙϹ ΕΠΙΚΙΝΑ | omia *corr.*   26 ΕΠΙΚΙΝΑ   31 agnis

77, 12 APOTHEOSIS purgationis deus.   VISA est ab aliis.

77, 13 TRACTU pro tractim.

77, 15 Γάλα lac, inde GALACTEUS.   Radii solis repercutiunt signa signiferi et repercussio signorum signiferi facit lacteum circulum.

5   **77, 21** SECTATUM pictum.   LIMBUS proprie dicitur orbis in quo capita deorum videntur compicta.

78, 4 GERMANI non Mercurii, sed inter se.

78, 13 SPERAS AUREAS quia astrologi erant.

78, 14 ERACLYTUS gloriosus.   ESIODUS aequum carmen, TALES Milesius;
10 sapientissimi Grecorum fuerunt.   DEMOCRITUS iudex populi vel iudex publicus.

78, 15 PHITAGORAS inventor arithmetricae artis.

78, 17 ENTELECHIAM originem anime.

78, 19 ZENO scripsit de nuptiis.
15 [*fol. 72ᵛ*] ARCHESILAS scripsit de natura avium.   Virginitas, quamvis praecellat caeteros naturae ordines, non prohibet tamen nuptias, sed laudat.   Ideo Pallas venit ad nuptias.

79, 5 SIBI UNICUIQUAE ATTRIBUENS Vesta ipsa enim distribuit aromata, id est bonam famam Philologiae.

20 **79, 12** DOS A VIRGINE ac si dixisset: Postquam Mercurius dederit septem liberales artes, tunc virgo dabit septem mechanicas.

79, 13 PAPIUS ET POPPAEUS duo iudices a Roma missi ad Ticinam, id est ad Hispaniam, ibi Romanas scripserunt leges.

79, 15 OFFERENDA sunt mancipia, id est septem liberales artes.

25 **79, 18** ADMOVERE tradere, id est Phoebus dabat artes singulas Cyllenio et Cyllenius virgini.

79, 20 TRANSCURSA Iambicum senarium.

79, 22 PALPITARE deficere.

79, 24 PURPURARE tinguere.

30 **80, 5** MITHOS fabula.

80, 11 CHELIS LATOIA lyra Apollinis.

---

1 apotheos   3 gala   10
sapientisimus sapientisimi *m. sec.*   13 endelichiam   15 Archisilas   16 praecelleat   21 vrgo *corr.*
22 Popius   29 purpurare   30 mithus

DE GRAMMATICA

80, 15 PHALERA ornamenta.

81, 2 COMMENTA fabulas.

81, 3 FRINGENTE VERO dum non sit verum; vel a verbo frigo, id est caleo vel ardeo; FRINGENTE VERO id est ardente veritate. 5

81, 6 INFRACTA non fracta, hoc est in fabulas non versa.

81, 7 LEPORE facundia.

81, 9 MULTO COLORE multo pigmento.

81, 11 TITULUS a verbo τελέω, incipio vel finio, inde titulus, praefacio vel conclusio libri; hic pro fine ponitur. 10

81, 16 RICTU risu.

81, 17 NIL MENCIAMUR id est simpliciter et secundum usum dicamus et tamen VESTIANTUR ARTES.

81, 20 IUGANDIS nubendis, id est Philologiae et Mercurio.

81, 21 NOTANDIS repraehendendis. 15

81, 19 GREGEM SORORUM id est Musarum et Artium; Artium quidem quia dotales sunt; Musarum vero quia in explanatione poemata interposita sunt.

81, 23 CULTUM ornamentum.

82, 2 ASOMATO incorporeo, non nudo. IN PROFATU in pronunciacione. 20
Simplex artium explanacio sine ullo ornamento rhethorum, vel et poematum corpus nudum dicitur. Si vero artes explanentur cum ornamentis rhethorum verborum et facundiae poematum, incorporeae dicuntur esse quia nihil simplicitatis in eis apparet.

82, 3 NEMPE nonne.

25

82, 4 DEVIUS fallax.

82, 9 FUGIS O Marciane, a nobis, id est a grege sororum.
IUGABO Iungam in ludum cum veritate.

82, 18 PENULATA in habitu Romanorum. Penula vestis tenuissima de serico. PROPAGINE VENERIS propter Aenean dicit. Omnes philosophi 30
apud Grecos pallium portant.

---

5 fngente *corr.*   8 figmento   9 telo   20 asoma   28 iugamn iungamn *m. sec.*   31 aput

82, 20 FERCULUM enchiridion, <id est> manuale gestamen quod ferunt medici in manibus.

83, 1 SCALPRO flebotomum, τομή incisio, φλεβός vena. ACUMEN artis grammatice significat vel pennas.

5   **83, 4** SEPIA erba de cuius pulvere encaustum efficitur.

83, 3 FAVILLA est humor nascens ex humido fumo in similitudine fuliginis.

83, 4 ILLATO tracto.

83, 5 MEDICAMEN ACERRIMUM flagellum [*fol. 73*ʳ] dicit.

83, 8 VEXATE vitiose.

10 **83, 10** MULTO OLIVO multa vigilia. GRATISSIMUM GUSTUM doctrinam dicit, longo tempore adquisitam.

83, 12 ARTERIAS vias vocis per pectus sensum, per arterias vocem.

83, 14 GALLA herba de qua efficitur caera. GUMMI resina est. Ex mixtura GALLARUM GUMMEOSQUE efficitur caera apta ad scribendum.
15 NILOTICA FRUTEX est cuius resina efficitur caera.

83, 15 NOTABANTUR scribebantur. EPITEMATIS impositis; epithema emplaustrum.

83, 20 SCABROS asperos. Vituligo quasi bituligo abitudine, inde VITULIGINES vitia linguarum.

20 **83, 22** ABSTRUSA obscura. NOSSE CARMINA poetria putabatur.
NUMEROS MULTIFIDOS musica putabatur.

84, 1 CRAEBRE SUPPUTATIONIS arithmeticam dicit.

84, 5 CAPTABAT docebat.

84, 8 SCEMATA formas.

25 **84, 13** CALLENTEM studentem, peritam.

84, 14 IATRICEM medicam.
GENETHLIACA ars de genituris hominum quae magica dicitur.

84, 25 LINEARE scribere. DUCTIBUS lineis. In prima inventione Litteratio vocata sum, postquam autem crevi, Litteratura vocor.

1 id est *conieci* in   3 fleotomum | teno | flevos   5
incaustum   9 visiose *corr.*   10 gratissimun   13 st *corr.*   14 gumeosque   15 nilotici
16 epotema | emplastrum   18 bituligo *sic!*   19 lingarum *corr.*   21 multifides *corr.*   26 Ia-
tricem *Manitius* latricem   28 laniare

85, 8 GRAMMATODIDASCALOS litterarum magister.

85, 10 SCRIBE RECTE lege bene, intellige quod scribis, approba quod intelligis.

85, 13 Crites iudex, inde CRITICUS. Philosophi disputabant et querebant; critici iudicabant. 5

85, 17 ET LICET licitum est.

85, 19 ACTOR rhethor.

86, 2 MISIT promittit debet esse.
In oratione duo considerantur, natura et usus. Natura est ut formetur verbum et nomen; usus est narratio. 10

86, 12 ESTIMEMUS iudicemus.

87, 6 SINE IACTURA sine perditione nominum.

87, 9 NEMPE ponitur pro modo.

88, 14 VEGETANUS habitator Vianne.

88, 15 HEIA hortor. 15

89, 1 OINOS vinum.

89, 4 GEMINAM id est communem.

90, 14 BIDENTAL furca. SIL legumen.

90, 19 SMINTHIUS mons et fluvius.

92, 12 LODIX lomentum. 20

92, 16 AUSPICIA inchoamenta.

92, 21 COLLATERAT colligit.

93, 2 ACMON novus.

93, 3 HOC adverbium loci.

94, 14 TMOLUS mons. QUANDO pro aliquando. POTNIA oppidum. 25

94, 15 SINCIPUT senatus caput.

94, 19 ZETUS Iovis interpretatur autem calor.

95, 2 SMYRNA myrra et est civitas Asiae Minoris.

---

7 actr *corr.*   9 dno *corr.*   14 Vegetaenus   24
adverbium *Manitius* adbium   25 quando *l. deest Dick*   26 senatum

95, 9 CARDINE proprietate.

96, 17 PRIME RATIONIS id est litterarum.

96, 20 ADMITTAT si venerit; facit ut veniat.

96, 21 QUO subauditur usu. Sive in Latino sive in Greco, transmutatur
5 quando vocalis in aliam vocalem transit. Sonus oris facit vocales,
lingua vero consonantes.

96, 24 RUPTA sine lingua ut p.

96, 26 UT FASTIGETUR hoc est cum accentu pronuntietur.

97, 8 HISTORICAM auctoritatem.

10 **97, 17** DE LONGITUDINIBUS de temporibus.

114, 19 ANALOGIA ἀνά praepositio, λόγος ratio, inde componitur
analogia, id est corrationabilitas secundum Augustinum vero, et secundum alios, proportio.

115, 2 HELENA sumpta vel rapta. ANDROMACHA id est virorum pugna.

15 **115, 19** AGAPE proprium nomen. Potest etiam et commune et interpretatur caritas. AUTONOE [*fol. 73ᵛ*] proprium mulieris. Potest et
commune fieri et interpretatur fortis.

116, 13 UNIO herba et castitatem et unitatem significat.

116, 17 ANIO fluvius.

20 **116, 26** Io et INO filia Inachi regis Grecorum. Ipsa est et Isis regina
Aegiptiorum quae est versa in vaccam.

118, 19 PUGIL miles, gladiator qui μονομάχος vocatur a Grecis.

119, 6 Ordo verborum: QUOD POSSUNT VERBA FACERE PER SE, HAEC ET
NOMINA, UT PROCURO ET PROPUGNO ac si dixisset: Quod verba procuro et
25 propugno facere haec nomina a se, hoc est procurator et propugnator.

119, 12 MUGIL piscis.

120, 21 LATERAMINA ansas.

121, 9 LIEN Siculi Dianam vocant. RIEN flumen vel renes. Lien et

---

12 Cf. Augustinus, *De musica*, VI, 17 (Migne, *P.L.*, XXXII, 1192).
13 Cf. Aulus Gellius, *Noct. Att.*, II, 25, 2; Isidorus, *Etym.*, I, 28, 1; Cicero, *Timaeus*, 13.

4 latio *corr.*   6 linga
corr.   11 ana | logos   15 etiam *m. sec.*   16 mulieres *corr.*   17 interpetatur   22 momo-
machos

rien et gluten e observant ante ultimas syllabas in obliquis casibus. Praedicta autem nomina, omen et flumen et tibicen non servant e ante ultimas syllabas, sed mutant in i; flumen fluminis, lien vero lienis, ut superiora declinantur quia eiusdem declinacionis sunt.

121, 7 FLEMEN est ulcus in cruribus. Item feminina dimisit exempla ut 5 siren et triten.

121, 9 Τρίζω murmuro, inde trizans murmurans; ῥέω fluo, inde RIEN fluens.

121, 13 ALCMAN interpretatur nevus vel fortis.

122, 8 UT VIRGO non propter declinacionem hoc dicit sed propter termina- 10 cionem in o, nam AMPHION servat o in genetivo.

125, 9 PRIVERNAS abitator Priverni oppidi.

130, 8 Innulus inde INNULEUS.

131, 2 FEMUS et femur et femen unum sensum retinent.

131, 9 UNIUS GENERIS id est unius forme. 15

131, 14 ARUNS Tarquinii Superbi filius.

133, 17 PRIVILEGIO honor privilegii.

142, 5 ELICIO derivo.

143, 21 SIMILI CORREPCIONE id est in tertia correpta coniugatione.

148, 10 IUPPITER DUOS id est nominativum et vocativum. 20

149, 7 IN OMNIBUS PARTIBUS hoc est in omnibus nominativis.

150, 6 CYRRATOS hispidos.

150, 10 VINDICARIS habearis.

98, 11 ΠΕΡΙ ΠΡΟΣΩΙΔΙΩΝ de porticibus.

98, 16 EX FASTIGIIS ex cacuminibus.
25

98, 17 ADCANTUS supercantus.

100, 5 MEDIA dubia quia produci et corripi possunt.

101, 10 DICERETUR pro diceret.

---

1 glutten | obseruuant   3 liens *corr.*   7 trizo | trizas *corr.* | trizans *sic!* | reo   13 inulus | inuleus.   16 Tarquinnii   17 primilegion   18 flicio   19 correpca   24 peri sopodion   27 dua *corr.*

103, 6 ACCEDIMUS In nominativo raegule Latine tres species accentuum sunt, gravis acutus circumflexus; duo temporis, longus et brevis; duo aspirationis δασύς et ψιλός.

104, 2 CORREPTA FORMA correptus accentus temporis.

5 **104, 8** SUB ALIA FORMA sub forma composita ut clamo, proclamo, non mutat accentum quamvis compositum sit.

107, 7 LIEN splen et rien ante ultimam syllabam ut virtus virtutis, sive litteram ut grus gruis.

109, 6 Unaqueque nympharum vocatur NAIS quasi Νηίς, id est nova.

10 **109, 12** DIOMEDES producitur in nominativo et corripitur in vocativo.

109, 21 Phileni tribuni, inde PHILENON tribunorum.

107, 16 ARCHAS sive Mercurius sive unusquisque de Archadia.

114, 8 EXPLETA iambicum senarium est. PAGINA pro regula ponitur.

114, 9 IUGANDA construenda.

15 **114, 12** Omnium verborum, hoc est omnium partium orationis que flecti possunt, duobus modis considerantur, aut enim secundum ANALOGIAM quam proportionem dicimus flectuntur, aut secundum anomaliam quam dicimus inaequalitatem vel [*fol. 74ʳ*] inlegalitatem; *a* negandi sensum habaet, ὅμοιος similis, λαλιά locutio, inde ex his 20 tribus componitur ANOMALIA, hoc est dissimilis locutio.

114, 15 BIS QUARTA de octo partibus orationis dicit.

114, 16 VULNERATUR corrumpitur. DUCTUS INTEGER sana pronuntiatio.

---

3 Cf. Isidorus, *Etym.*, I, 19, 9–10.
17 Cf. Aulus Gellius, *Noct. Att.*, II, 25, 2.

2 circumfexus *corr.*   3 dasy | psily   7 diana *post* rien *delevi cf. supra* 121, 9
9 neis   12 si (*alterum*) *corr.*   13 senariu   19 omios | lalia

DE DIALECTICA

151, 1 SUPERUM EXCOLICUM superorum caelestium. Excolicus quasi extra mundum colens.

150, 16 EFFAMINA orationes. CONTORTIS NODIS convolutis questionibus. Omnis syllogismus aut condicionalis est aut predicativus, sed con- 5 dicionales praeposuit quia maioris virtutis sunt. Praedicativos autem quamvis plures sint, quoniam minoris virtutis sunt, supposuit. Syllogismorum tres species sunt; quarum prima dicitur praedicativa et est in adfirmatione et negatione, secunda hypotetica, id est condicionalis vel connaturalis, tertia ab utrisque mixta. Omnis praedicativus syllogismus, 10 adiecta si, transfertur ad hypoteticum.

151, 2 PRESTRUIT praedocuit. AXIOMA dignitas a dignitate, quia non est ullum eloquium sicuti proloquium.

151, 3 VERSUS propositiones.

151, 4 ASSOCIUM quasi dixisset: Si hoc sequitur illud. 15

151, 11 APEX dignitas.

151, 6 VERSAT moveat. AFFLICTIM laboriose.

151, 5 DEMUM tandem, quia nullus scripsit ante illum *Decem categorias* quamvis summi philosophi praecesserunt eum.

151, 7 CIRCUMEANT circumveniant. SOPHISMATA cavillationes. 20

151, 8 CORNUA acumen ingenii. Stoici enim non deponunt ferocitatem decipiendi. Una unum dividit in multa sicuti genus in species et vocatur proprie λυτική, altera vero de multis facit unum, sicuti colliguntur multe species ad unum genus et vocatur illa ἀναλυτική.

151, 10 PAREM VIM similem sectam. CARNEADES ET ELLOBORO divide- 25 bant, CRYSIPPUS autem cumulabat.

151, 14 AGIS disputas.

151, 15 DELIO CONVOCANTE quia in tota Grecia non fuit tam sapiens homo.

151, 17 TORTUOSI texti, nexi crines. Tortuose et fallaces et seductrices 30 propositiones sunt.

151, 20 CIRCULABAT Revolutio autem crinium circa caput collectionem syllogismorum significat.

151, 19 ITA UT NIHIL DEESSE CERNERES id est nec in propositionibus nec in argumentationibus. Et in conclusionis fraude et sub pulchritudine
5 quasi sub imagine veritatis infundit venena falsitatis formam sophisticam describit.

151, 20 Per CAPUT summitatem artis, id est conclusionem syllogismorum.

152, 1 ATHENARUM quia a Grecis reperta est dialectica, ideo sophistica, quia prius reperta est ars cavillatoria <a> scismaticis.

10 **152, 3** Γυμνόω exerceo, inde GYMNASIUM exercitatio.

152, 4 GIRIS circuitus. Per serpentem, sophisticas subtilitates intellige.

152, 6 INTERIUS sub tabula.

152, 9 PERCEPISSET assumpsisset.

152, 13 AMBITU MULTIPLICI Ambitus multiplex est quando additur
15 propositioni confirmatio.

152, 16 OCCUPABAT detinebat.

152, 22 VERTIER Sive enim universalem primo quis dixerit et secundo particularem. Abdicativam primo quis ponat [*fol. 74ʳ*] et secundo universalem dedicativam videtur recurrere et ambas veras esse. Quae
20 tamen ratione sibi invicem nullo modo respondere possunt quia sub uno genere non sunt. Assumitur enim universalis dedicativa ex aequivoco genere, particularis vero abdicativa ex univoco genere accipitur.

153, 2 ATQUIN certe. PARMENIDES locus est ubi Parmenes filosophus philosophatus est et inicia huius artis repperit.

25 **153, 4** SOCRATES primo docuit in Athenis. Post eum, Plato suus discipulus qui eruditus in doctrina Socratis magistri sui perrexit Aegyptum. Ibi peritus in artibus Aegyptiacis, reversus est in Italiam quae quondam Magna Grecia vocabatur, ubi Phythagoras summus philosophus docuit. Postquam didicit omnem doctrinam Phythagorae, reversus est iterum
30 Athenas et in Achademia <quae> interpretatur tristicia populi et ibi ampliavit veram philosophiam dialecticae artis.
CALUMNIANTE PROPOSITO dum calumniabatur propositum.

3 proposionibus
corr. 4 pulcritudine *corr.* 5 forma 8 sophisticam 9 a *addidi* 10 gymno | exercitatione
17 dixeris 18 particulam *corr.* 21 aequivocum 22 unovoco 30 quae *addidi*

153, 3 VERSIPELLI studium sunt sophisticae artis ac si dixisset: Vel propositum meum calumniabat versipelle studium.

153, 7 GEMINUS ANGUIS hoc est geminum anguem habens. Ideo Mercurius duos angues habebat quia sermo aut liberat aut damnat reum.

Κηρυκείῳ. Κῆρυξ praedicator, κήρυκος praedicatoris, κήρυκι praedicatori 5 dativus ex quo nascitur κηρύκειον et, conversa ultima syllaba apud nos in um, CERYCEUM dicitur et est locus quo populo praedicatur.

153, 6 VERSUTAM acutam.

153, 10 BROMIUS interpretatur edax.

153, 11 FACETIOR qui facundiam cum ioco habet. 10

153, 16 DELIGITUR colligitur. QUOD NI pro quid ni pro quid nam.

153, 17 METARUM regionum.

153, 20 CONCUSSIOR ferocior.

154, 1 INTER GERMANAS id est Grammaticam Dialecticam Rhethoricam. 15

154, 3 VEROSE acute. ACRIMONIAE aspere. Quicquid affirmatur vel negatur in aliis artibus meum est.

155, 14 CLUEN rhethoricam; cluo, audio.

155, 17 CAETERAE DISCIPLINAE hoc est proprie de rethorica et poetria.

156, 17 QUATINUS quo loco. 20

156, 19 EXCIPIT sequitur.

156, 22 QUID PARTICULARE quidam omo.

156, 23 QUID INDEFINITUM Homo non homo.

157, 2 AFFECTA iuncta.

157, 5 SIMPERASMA confinis, conclusio. 25

157, 4 Συλλέγω colligo, inde SYLLOGISMUS collectio.

157, 5 PREDICATIVUS ex categoriis sillogismus componitur.

157, 6 CONDICIONALIS ex categoriis cum additamento si.

4 deos 5 cκυρικεο | κερυξ | κερυκοc | κερυκυ 6 et | κερυκεον | aput 7 κερυκευμ 11 diligitur | qud *corr.* 17 partibus 18 cluo *sic!* 19 retthorica 21 sequitor 23 infinitum 26 syllogo 27 sillogismi

ISAGOGE introduccio et est prima pars artis dialecticae, et sunt quinque numero: genus species differencia proprium accidens. Isagoge autem introduccio dicitur quia nisi noticiam earum quis habuerit ad decem genera rerum non potest ascendere. Sunt enim decem genera rerum
5 quae a Grecis categoriae, a Latinis predicamenta, dicuntur: substantia quantitas qualitas relatio situs habitus locus tempus [*fol. 75ʳ*] agere pati.

IN ΠΕΡΙ ΕΡΜΗΝΕΙΑΣ vero hoc est interpretationibus quaeritur quid nomen ad verbum et quomodo iunguntur sibi invicem, quid affirmatio, quid negatio, quid oratio, et quot species.

10 **157, 17** GENUS est multarum formarum substantialis unitas. Sursum est generalissimum genus quod a Grecis οὐσία, a nobis essentia vocatur, ultra quod nullus potest ascendere. Est enim quaedam essentia quae compraehendit omnem naturam cuius participatione subsistit omne quod est, et ideo dicitur generalissimum genus. Descendit autem per
15 divisiones per genera per species usque ad specialissimam speciem quae a Grecis ἄτομος dicitur, hoc est individuum, ut est unus homo vel unus bos.

158, 5 CATAMITUS dilectus Opis. Adon autem <dilectus> Veneris. Nam et Venus ipsa est terra et Ops terra, ideo Catamitus et Adon solem
20 significant. Quando ad inferiora descendit sol, Catamitus vocatur, id est incumbens; quando ad superiora aquilonis et superficiem terre viridem facit, Adon vocatur, id est delectans.

158, 13 FORMAS Secundum Augustinum species differt a forma, nam forma potest fieri genus, species autem proprie individua intelligitur.
25 Animal est multarum formarum substantialis unitas; forma est partitio substantialis. Homo est multorum hominum substantialis unitas.

159, 14 OMNIBUS IN SINGULIS id est differentia sexus in omnibus animalibus, differentia motus in omnibus, differentia habitationis in omnibus. Unaqueque differentia sive ex sexu venerit sive ex aetate sive
30 ex quantitate sive ex motu sive ex habitatione sufficit ad perfectam differentiam.

1 Cf. Isidorus, *Etym.*, ii, 25.
4 Cf. Isidorus, *Etym.*, ii, 26, 1, 5.
7 Cf. Isidorus, *Etym.*, ii, 27, 4; Boethius, *In librum Aristotelis De interpretatione*, i (Migne, *P.L.*, LXIV, 294, 295).
16 Cf. Boethius, *In Porphyrium dialogus I*, (Migne, *P.L.*, LXIV, 29).
23 Cf. Pseudo- Augustinus, *Decem categoriae*, vii (Migne, *P.L.*, xxxii, 1424, 1425).

1 isagoge *l. deest Dick*   7 inperiermenus *l. deest Dick*   13 vel ō̄ *post* participatione *delevi*
16 athomos   18 opus | dilectus (*alterum*) *addidi*

159, 19 STOLIDUM irrationale.

160, 2 Rimor et rite, inde rethor. Duobus modis consideratur
RHETHORICA in homine: primum quidem generaliter inest omni rationabili animae, aliter enim rationabilis non esset si omnibus liberalibus
disciplinis careret. Secundo vero consideratur rhethorica in homine 5
secundum exercitationem. Eo autem modo non inest universaliter omni
rationabili anime sed omni sapienti et disciplinis exercitato.

160, 7 QUIS pro quiddam.

160, 8 QUANTUM IN EIUS NATURA EST id est quantum potest homo ridere,
id est susceptum negotium. Inter differentiam et proprium et accidens 10
hoc interest quod accidens non nisi unius formae est, nec in tota forma ut
rhethorica in homine, non in omni homine quantum ad exercitium
pertinet. Proprium autem unius formae est et totius forme ut risus in
homine et in omni homine. Differentia vero non <in> una forma sed
in multis formis et in totis, ut est ferocitas <in leone> et in aliis. 15

161, 21 ALIO QUODAM INTELLECTU Quamvis enim omne pro toto vel
totum pro omni quantum ad vocem posuero, intellectum tamen omnis
in toto vel totius in omni intelligo. Verbi gratia, si dixero, 'Homo est
pars animalis,' in parte intelligo omnia, id est formam, et si dixero, 'Divisio hominis est vel membrum vel caput,' intellectum partis habeo non 20
intellectum forme.

[*fol. 75ᵛ*] **162, 19** SED IN SUBTILI De oratoribus loquitur qui necessitate
artis ex dialectica accipiunt disposicionem de forma vel de parte, sed
non dividit sicut dialecticus, non partitur totum sicut dialecticus, sed
de sola differencia seu parte illius negotii de quo actio est sufficit ei 25
accipere. Illud proprie dictum de dialectico qui dividit quantum dividi
potest et partitur quantum partiri potest.

163, 1 DIFFERENTIAE id est significationes vel nominationes.

163, 6 UTI COGIMUR <id est> certis nominibus certarum partium utimur
in certis, ut dicitur caput digiti et cetera. 30

163, 15 NOMEN INTERDUM TOTIUS interdum accipiunt partes. Unusquisque homo duabus partibus maximis constat, anima videlicet <et>
corpore, quibus partibus sepissime et <in> Divina Scriptura et in
secularibus litteris totum significatur:

1 riationale   2 rima   4 anima   14 homni
| in *addidi*   15 in leone *addidi*   19 omnia *m. sec.*   22 necessitatem   25 negotia *corr.*   28
differentia   29 id est *conieci* in   30 incertis   32 //// constat | et *addidi*   33 in *addidi*

Et videbit omnis caro salutare Dei, hoc est omnis homo;
Descendit Iacob in Aegyptum cum septuaginta
quinque animabus.
Ab anima totus homo vocatur ibi, sed caro per se diffinitionem hominis
5 numquam habet. Et in secularibus:
'Septem corpora habet in servitute,' id est septem homines.

166, 1 SUBSTANTIAM non essentiam, hoc est ipostasin non οὐσίαν quia
οὐσία ultra omnes categorias est et nullum accidens recipit. Deinde
descendit ad substantiam, hoc est ad ipostasin, tunc recipit accidentia et
10 primum locum habet in categoriis.

166, 6 NON NOMEN DICO ac si dixisset: Non sonum significantem primam
substantiam. Non ille sonus accidit, sed illud individuum quod significatur eo nomine. Quattuor in omnibus consideranda sunt: signum et
quod significatur et res et notio. Verbi gratia, Cicero signum est;
15 significatur enim quia nomen est. Res ipsa que significatur prima substantia et individua, sed ipsa res iterum suam notionem in anima ubi
naturaliter subsistit habet. A quibusdam post substantiam quantitas
ponitur, a quibusdam qualitas. Sed qui ponunt quantitatem considerant
quantitatem primo omnium naturaliter substantiae accidere. Caeterae
20 predicationes quasi accidentiae quantitatis inveniuntur. Qui vero
qualitatem post substantiam ponunt latitudinem qualitatis considerant.
Omnes enim predicationes qualitatis nomen accipiunt. Omnis disciplina
dispositio est.

170, 14 PERCEPTE ARTES dicuntur quia communi animi perceptione
25 iudicantur, ideo perceptae artes liberales dicuntur quoniam propter
semet ipsas adipiscuntur et discuntur, ut in habitum mentis perveniant;
et dum perveniunt ad habitum mentis antequam perveniunt, ipse
disciplinae sola ipsa anima percipiuntur nec aliunde assumuntur, sed
naturaliter in ipsa anima intelliguntur. Mechanice enim artes non
30 naturaliter insunt sed quadam excogitatione humana.

1 *Prophetia Isaiae*, XL, 5.
3 *Actus Apostolorum*, VII, 14–15.
6 Virgilius, *Aen.*, VI, 20–22.
17 Cf. Cassiodorus, *Institutiones*, II, 10; Isidorus, *Etym.*, II, 25, 2; Boethius, *In Categorias Aristotelis*,
II (Migne, *P.L.*, LXIV, 201).
18 Cf. Martianus Capella, 170, 11; Boethius, *In Porphyrium commentaria*, I (Migne, *P.L.*, LXIV, 75).

1 salusare *corr.*   2 sexaginta   5 habiit *corr.*   7 apostasiụn | usian   8 usia   9 subsantiam
corr.   11 disṭxisset   12 in *post* sed *delevi* | dividuum   14 ciero *corr.*   16 suum *corr.*   23 est
(*alterum*) *delevi*   25 liberares *corr.*   26 adipiscuntur *corr.*   29 moechanice

170, 22 DULCE ATQUAE AMARUM Dulce posuit pro dulcedine et amarum pro amaritudine.

171, 10 HE [*fol. 76ʳ*] QUALITATES PASSIBILES dicuntur quia naturalis humor qui diffunditur per omnia patitur dulcedinem in melle, patitur amaritudinem in absinthio. Qualitates autem impassibiles dicuntur 5 quia a nullo afficiuntur sed afficiunt humorem. Unus enim atquae idem humor diffusus per omnia corpora ex qualitatibus occultis efficitur <diversus>; intrans in balsamum colorem patitur. Quaeritur autem cur praedicte liberales discipline passibiles qualitates non sunt. Ea ratio est quia liberales disciplinae naturaliter insunt anime ut aliunde 10 venire non intelligantur, et ideo animum non afficiunt, hoc est non corrumpunt, sed exornant. Habitudines enim ornamenta sunt nature sed illae qualitates, dum per se ipsas incorporalis naturae sint, descendentes in humorem quasi quaedam corpora sensibilia fiunt; non enim sentiri possunt si non veluti quaedam corpora fierent sensibilia. 15

172, 13 MAGIS IUSTUS Iustus, quando de pio iusto dicitur, non recipit magis et minus; quando autem de voluptate, tunc recipit magis et minus. Plus enim adipiscitur iustus fieri unus quam alter. Similiter etiam de omnibus nominibus quae a qualitate sumuntur, ut est doctus. Nam quando perfectum doctum significat non recipit magis et minus; potest 20 enim et doctus et doctior fieri, hoc est potest perfectior appetitus esse unius quam alterius. In appetere enim comparatio est.

172, 17 PER IPSAS in ipsis, id est quando in animo solam notionem qualitatis consideraveris, quoniam una ac perfecta est, ipsa qualitas non recipit per se ipsam magis et minus. Similiter si consideraveris sub- 25 stantiam individuam, dico quoniam perfecta in semet ipsa est atque individua, non recipit magis et minus. Si vero participationem qualitatis per substantias consideraveris, invenies magis ac minus. Potest enim fieri quedam substantia quae plus participat eandem qualitatem quam alia. Substantia individua est circa quam considerantur qualitates 30 quantitates loca tempora et reliqua. Substantia generalis est multorum individuorum unitas; contrarium est quod appetit destruere quod ex diametro ei opponitur.

174, 11 RELATIVUM non hoc ipsum quod est secundum substantiam, sed hoc ipsum quod dicitur, id est ipsa nominatio; et non solum nominatio 35 sed quod significatur per illam nominationem. Non enim est nomen substantiae sed nomen accidentis. Homo enim secundum naturam non

---

4 adulcedine   5 amaritudine   8 diversus *addidi*   15 quaeda   19 sumuntutur   27
particionem   29 pus *corr.*   32 dividumum | contrariorum | apetit

est pater neque filius; accidit enim homini pater vel filius esse. In hoc
loco confundit duas categorias, qualitatis videlicet et relationis. Proprie
enim relativa dicuntur quae eodem modo sibi invicem respondent et
verti possunt per eosdem casus.

5   INCIPIUNT HAEC PAUCA IN DIALECTICA MARTIANI

Dialectica ideo suum nomen non potuit apud Latinos mutari quia, si
suum [*fol. 76ᵛ*] nomen interpretaretur in Latinum sermonem, titulus esse
putaretur. Dialectica enim interpretatur de dictione, atque ideo sic
Latialiter vocata est, sicuti in Athenis fuit vocata.

10   **150, 16** HAEC QUOQUE CONTORTIS et reliqua. HAEC QUOQUE ideo dixit
quia Grammatica quam laboriose inter dotales virgines recepta est, quia
inter duos parvam potestatem habet litteratoria ars; tamen, quia
dialecticae brachium fuit recepta est. STRINGENS ideo dixit, quia non
tam late curavit Dialectica de declinationibus declinabilium et de
15   rationibus indeclinabilium sicut Grammatica; strinxerat enim totum in
tres partes syllogismorum, id est <ab> antecedentibus, a consequentibus, a repugnantibus.

EFFAMINA id est propositiones et assumptiones et conclusiones.

CONTORTIS NODIS id est convolutis questionibus. Convolvuntur enim
20   questiones inquirendo veritatem.

150, 17 QUA SINE et reliqua. Cum tria genera sunt syllogismorum, ut
diximus, in hoc versu non dixit nisi duo, id est a consequentibus et <a>
repugnantibus. Sed tamen in eo quod dixit QUA SINE NIL SEQUITUR,
intelligitur ab antecedentibus, quia nihil sequitur nisi praecedat aliquid;
25   ab antecedentibus, 'Si sol est super terram, dies est'; a consequentibus,
'Si stertit, dormit'; a repugnantibus, 'Non ut dies est, et lux non fit.'

151, 1 IN COETUM id est in conventum.

151, 2 SUPERUM EXCOLICUM id est superiorum caelestium. Excolici
enim dicuntur dii qui aextra mundum coluntur, quia semidii dicuntur
30   qui in mundo coluntur.

Omnis syllogismus aut condicionalis est aut praedicativus, sed condi-
cionales praeposuit in eo quod dixit QUA SINE et reliqua, quia maioris
virtutis sunt. <Praedicativos autem quamvis plures sunt, quoniam
minoris virtutis sunt>, supposuit. Syllogismorum tres species sunt,
35   quarum prima dicitur praedicativa quae sine interrogatione proponitur,
et est in affirmatione et negatione, ut 'Omnis homo animal est; omnis

6 aput   12 litteratoria *Hauréau* littoratoria
16 ab *addidi*   22 a *addidi*   33 Praedicativos—virtutis sunt *supplevit Hauréau ex supra*

homo animal non est'; secunda hypothetica, id est condicionalis vel
connaturalis, ut est 'Si homo est, risibilis est'; tertia ab utrisque mixta,
ut est 'Si ridet, homo est,' vel 'Si bene disputare utile est.' Ecce
condicionalis. 'Utilis est bene disputandi scientia at <dialectica bene
disputandi scientia est, utilis> est igitur dialectica,' ecce praedicativus. 5
Omnis praedicativus syllogismus, adiecta si, transfertur ad hypotheticum
syllogismum.
 PRAESTRUIT id est praedocuit Dialectica. AXIOMAS id est proloquia
digna. Axioma enim dicitur dignitas quia non est ullum eloquium
sicut proloquium. 10

151, 3 VERSUS genetivus est et significat propositiones.

151, 4 ASSOCIUM id est nihil regulare potest esse in caeteris disciplinis,
nisi fuerit dialecticae adiunctum. Nam si hoc est, sequitur illud, ut 'Si
dies est, lucet.'

151, 5 BIS QUINQUE PROFATUS id est decem categorias, id est praedica- 15
menta uniuscuiusque vocis, nam PROFATUS genetivus est. Categoriae
autem sunt substancia qualitas quantitas relatio situs habitus locus
tempus agere pati.

151, 6 VERSAT id est moveat.

151, 11 APEX id est dignitas. 20

151, 6 AFFLICTIM id est laboriose.

151, 5 DEMUM id est post Dialecticam. Nullus scripsit *Decem categorias*
[*fol. 77ʳ*] ante illum Aristotelem, quamvis summi philosophi praecesserunt
<eum>. Aristoteles autem dicitur quasi ἄρης τὸ τέλος, id est ἄρης
virtus, τό articulus, τέλος finis. Aristoteles igitur quasi finis virtutis 25
interpretatur.

151, 7 CIRCUMIENT id est circumvenient. SOPHISMATA cavillationes.
Sophista enim dicitur falsorum conclusor, ideo cavillatoriam artem, id
est cavillam, dicuntur habere.

151, 8 CORNUA id est acumen ingenii. Stoici enim numquam deponunt 30
ferocitatem decipiendi atque ideo dicuntur habere semper cornua in
frontibus.

22 Cf. Isidorus, *Etym.*, ii, 22, 2.

4 bene disputare utile est ecce condicionalis *post* at *delevi et conieci* bene—utilis 16 uninius 22
scriptis 23 Aristotilem 24 eum *add. Hauréau* | apec *bis* 25 Aristotiles 27 circuient |
sopismata *corr.* 28 sopista *corr.* 29 vacillam 31 adque

151, 9 Crisippus cumulat id est unum dividit in multa, sicuti genus in speties et vocatur proprie λυτική. consumat acervum id est de multis facit unum sicuti colliguntur multae speties ad unum genus et vocatur ἀναλυτική.

5 **151, 10** parem vim id est similem sectam, id est Carneades et Elleboron dividunt, Crisippus autem cumulat.

151, 12 nec tibi tam Felix Ad Martianum loquitur Satyra illa quae omnes fabulas istius libri finxit.

151, 14 agis id est disputas. Iove conspecto id est dum totum mun-
10 dum visibilem et invisibilem conspicis quia Iovis nihil aliud est nisi mundus et Dialectica inquisitio est veritatis mundanae locutionis.

151, 15 Delio convocante Delius dicitur Apollo, eo quod in Delo insula natus est. Delos interpretatur clara vel aperta quod ad solem pertinet. Re autem vera Apollo fuit sapientissimus in tota Gretia,
15 atque ideo soli comparatur, quia sicut sol expellit tenebras, ita ille expellebat stulticiam.

151, 17 tortuosi id est texti. Per tortuosos et nexiles crines significantur fallaces et seductrices propositiones. Revolutio autem crinium circa caput collectionem syllogismorum significat.

20 **151, 19** ita ut nihil deesse cerneres id est nec in propositionibus nec in argumentationibus et in conclusionibus de fraude aliquid defuit. Sub imagine veritatis, formam sophisticam describit in hoc loco que sub imagine veritatis de falsitate veritatem vult facere. Per caput, summitatem artis, id est conclusionem syllogismorum, insinuat.

25 **152, 1** Athenarum quia a Grecis prius reperta est dialectica. Athena immortalitas interpretatur quamvis plurali numero semper sit.

152, 4 gyris id est circuitibus. Per serpentem sophisticas subtilitates intellige.

152, 6 interius id est sub tabula.

30 **152, 9** percepisset id est assumpsisset.

152, 13 ambitu multiplici Ambitus multiplex est quando additur propositioni confirmatio; vel ambitus multiplex est quando subiectiva prioris sumpti efficitur declarativa sequentis, ut 'Omne bonum honestum, omne honestum utile.'

2 λιτικε   4 αναλιτικε

10 aliut   15 adque   24 conculsionem *corr.*   27 ΓΥΡΙϹ   29 intelligerius

152, 16 OCCUPABAT id est detinebat vel tegebat.

152, 22 OBLIQUAM ideo dixit quia in tetragono ab universali dedicativa deducitur linea ad particularem abdicativam.

SED AMBAS POSSE VERTIER ac si dixisset: Sive universalem dedicativam primo loco ponas, et secundo loco particularem abdicativam, <sive 5 particularem abdicativam > primo et universalem dedicativam secundo, videntur recurrere et ambas [*fol. 77ᵛ*] veras esse, atque ideo dixit VERTIER. Vel ideo dicit VERTIER AMBAS quia universalis dedicativa in univocis convertitur. Homo enim univocum est, id significat enim Romanum et barbarum, atque ideo suam diffinitionem et suum nomen dat suis 10 spetiebus. Romanus enim dicitur homo animal rationale mortale; non sic aequivocum est. Nam animal aequivocum est; significat enim hominem equum leonem; sed non eandem diffinitionem habent. Aliter enim diffinitur homo, aliter equus. Sic igitur convertitur universalis dedicativa. 'Omnis homo animal <est> racionale mortale' ita con- 15 vertitur, 'Omne animal rationale mortale homo est.' Et rursum, 'Omnis homo risibilis est' ita 'Omne risibile homo est.' Particulare autem abdicativum sic convertitur, 'Quiddam risibile non est praeter hominem' sic recurrit, 'Quiddam praeter hominem non est risibile.'

152, 23 UNIVOCA AEQUIVOCIS CONNECTENDO id est quando falsitatem 20 volebat conducere. Homo enim ut diximus univocum est, animal vero aequivocum. Sic ergo coniungebat 'Omnis homo animal est' cum 'Homo pictus non sit animal.'

153, 2 ATQUIN id est certe. PARMENIDIS locus ubi Parmenes philosophus fuit et initia huius artis repperit. 25

153, 4 SOCRATES primo docuit in Athenis. Post eum, Plato suus discipulus qui eruditus in doctrina Socratis magistri sui perrexit Aegyptum. Ibi peritus in artibus Aegyptiacis, reversus in Italiam quae quondam Magna Gretia vocabatur, ubi Phitagoras summus philosophus docuit. Postquam didicit omnem doctrinam Phitagorae, reversus est 30 iterum Athenas. Achademia interpretatur tristicia populi, in qua Plato amplificavit veram philosophiam dialecticae artis.

CALUMNIANTE PROPOSITO ac si dixisset Dialectica: Verum propositum meum calumniabat.

VERSIPELLE studium sophisticae artis. 35

153, 7 GEMINUS ANGUIS hoc est geminum anguem habens, quia Mer-

5 sive particu-
larem abdicativam *add. Hauréau*   7 adque   10 adque   15 animalem | est *addidi*   20
atquivocis   22 omis   28 peritur *corr.*   29 philosopus *corr.*   32 amplificaum *corr.*   33
dixissięd

curius habuit virgam nomine Caduceum, eo quod faciebat reos cadere;
in cuius summitate erant duo angues, quia sermo aut damnat aut liberat
reum.

Κηρυκείῳ. Κῆρυξ interpretatur praedicator, inde κήρυκος praedicatoris,
5 inde κήρυκι praedicatori, ex quo nascitur κηρύκειον et, conversa ultima
syllaba apud nos in um, CERYCEUM dicitur et est locus quo populo
praedicatur.

153, 6 VERSUTAM id est acutam.

153, 10 BROMIUS interpretatur edax, ab eo quod est βρῶσις cibus.

10 **153, 11** FACETIOR qui facundiam cum ioco loquitur.

153, 16 DELIGITUR id est colligitur. QUOD NI pro quid ni et quid ni
pro quid nam.

153, 17 METARUM id est regionum. MARSICA enim gens est quae suos
infantes inter serpentes ponunt et si illorum fuerint, serpentes nihil illis
15 nocent.

153, 20 CONCUSSIOR id est mitior.

154, 1 INTER GERMANAS id est Grammaticam Dialecticam Rethoricam.

154, 3 VEROSAE id est acute. ACRIMONIA id est aspera.

155, 14 CLUEN auditricem, id est rethoricam dicit. Cluo enim audio
20 interpretatur.

155, 17 CETERAE DISCIPLINE de rethorica et de poetria dicit.

156, 17 QUATENUS id est quo loco.

156, 19 EXCIPIT id est sequitur.

156, 22 QUID PARTICULARE ut quidam homo.

25 **156, 23** QUID INDEFINITUM ut homo non homo.

157, 2 AFFECTA id est iuncta.

157, 5 SIMPERASMA id est confinis, conclusio.

157, 4 Συλλέγω id est colligo, [*fol. 78ʳ*] inde SYLLOGISMUS conclusio.

157, 5 PREDICATIVUS ex cathegoriis syllogismus componitur sine si;

13 Cf. Aulus Gellius, *Noct. Att.*, xvi, 11, 1–3; Solinus, *Collectanea*, 27, 41.

4 κερκεο | κερυχ | κερυκος | praedicatores   5 κερυκυ | κερυκεν   6 aput | κερυκευμ
9 brosis   16 minor *corr.*   18 acremonia   19 audi   25 infinitum   28 sillego

condicionalis vero cum si.

ISAGOGAE introductiones et est prima pars artis dialecticae et sunt quinque numero: genus species vel forma differentia proprium accidens. Isagogae autem dicuntur introductiones, quia sine illis diffinitio non potest esse et per notitiam earum pervenitur ad decem cathegorias, id 5 est praedicamenta.

IN ΠΕΡΙ ΕΡΜΗΝΕΙΑΣ hoc est interpretationibus, queritur quid nomen, quid verbum, et quo modo iunguntur sibi invicem, quid affirmatio, quid negatio, et quid species.

157, 17 GENUS est multarum formarum substantialis unitas. Secundum 10 quosdam sic diffinitur genus: Sursum est generalissimum genus ultra quod nullus intellectus potest ascendere, quod a Grecis dicitur οὐσία, a nobis, essentia. Est enim quaedam essentia quae compraehendit omnem naturam cuius participatione consistit omne quod est, et ideo dicitur generalissimum genus. Descendit autem per divisionem per 15 genera per species usque ad specialissimam speciem quae a Grecis ἄτομος dicitur, hoc est individuum vel insecabile, ut unus homo vel unus bos.

158, 5 CATAMITUS dilectus Opis. Sic Adon dilectus Veneris dicitur. Nam et Venus ipsa est Ops, id est terra, ideo Catamitus et Adon solem significant. Quando enim ad inferiora descendit sol, Catamitus vocatur, 20 id est incumbens; quando ad superiora aquilonis et superficiem terrae viridem facit, Adon vocatur, id est delectans.

158, 13 FORMAS Secundum Augustinum species differt a forma, nam forma potest fieri genus, species autem proprie individua intelligitur. Animal est multarum formarum substantialis unitas; forma est partitio 25 substantialis. Homo est multorum hominum substantialis unitas.

159, 14 OMNES IN SINGULIS id est differentia sexus in omnibus animalibus, differentia aetatis in omnibus, differentia quantitatis in omnibus, differentia motus in omnibus, differentia habitationis in omnibus. Nam quodcumque animal posueris in medio et omnia animalia in gyro, illud 30 unum animal habebit differentiam in se propriam contra omnia animalia.

159, 19 STOLIDUM id est inrationalem.

2 Cf. Isidorus, *Etym.*, II, 25.
7 Cf. Isidorus, *Etym.*, II, 26.
8 Cf. Isidorus, *Etym.*, II, 27.
23 Cf. Pseudo-Augustinus, *Decem categoriae*, VII (Migne, *P.L.*, XXXII, 1424–1425).

2 isagogae
l. deest Dick   7 periermeniis *l. deest Dick*   15 generalissimus   16 gespecies | athomos
25 substantilis *corr.*   26 multarum *corr.*   31 nimalia *corr.*

160, 2 UT RETHORICA Duobus modis consideratur rethorica in homine: primum quidem in omni rationabili anima est, aliter enim rationabilis non potest esse, si omnibus liberalibus disciplinis caruerit. Secundo vero consideratur rethorica in homine secundum exercitationem. Eo
5 autem modo non est universaliter omni rationabili anime sed omni sapienti et disciplinis exercitato.

160, 8 QUANTUM IN EIUS NATURA EST id est quantum potest homo ridere. Inter differentiam et proprium et accidens hoc interest quod accidens non nisi unius formae est, nec in tota forma ut rhethorica in homine,
10 non in omni homine quantum ad exercitium pertinet. Proprium autem unius forme est et totius formae ut risus in homine et in omni [*fol. 78ᵛ*] homine. Differentia vero non in una forma sed in multis formis et in totis, ut est ferocitas in leone et in aliis.

161, 21 ALIO QUODAM INTELLECTU Quamvis enim omne pro toto et
15 totum pro omni quantum ad vocem posuero, intellectum tamen omnis in toto vel totius in omni intelligo. Verbi gratia, si dixero, 'Homo est pars animalis,' in parte intelligo omne, id est formam; si autem hominem divisero per membra, intellectum partis habeo in omni, non intellectum forme.

20 **162, 19** SED IN SUBTILI De oratoribus loquitur qui necessitate artis ex dialectica accipiunt dispositionem de forma vel de parte propter subtile negotium de quo agitur.

163, 1 DIFFERENTIAE id est significationes vel nominationes.

163, 6 UTI COGIMUR id est certis nominibus certarum partium utimur in
25 certis partibus et dicimus caput digiti et caeterarum partium.

163, 15 NOMEN INTERDUM id est nomen totius interdum accipiunt partes. Unusquisque homo duabus partibus maximis constat, anima videlicet et corpore, quibus partibus sepissime totum significatur ut est;
   Et videbit omnis caro salutare Dei, hoc est omnis homo;
30   Descendit Iacob cum animabus LXXV.
Ab anima totus homo vocatur, sed caro per se vel anima per se diffinitionem hominis numquam habet.
   Item 'septem corpora,' id est septem homines.

29 Cf. *Prophetia Isaiae*, XL, 5.
30 Cf. *Actus Apostolorum*, VII, 14–15.
33 Cf. Virgilius, *Aen.*, VI, 21–22.

5 in (*bis*) *ante* omni *delevi* | om   6 exercitati
12 set   23 nominatines *corr.*   25 incertis   28 significat   29 videldebit

166, 1 QUID SIT SUBSTANTIA? Substantiam essentiam, hoc est ypostasin, non οὐσίαν dicit quia οὐσία ultra omnes cathegorias est et nullum accidens recipit. Deinde descendit ad substantiam, hoc est ad hypostasin, tunc recipit accidentia et primum locum in cathegoriis habet.

166, 6 NON NOMEN DICO ac si dixisset: Non sonum significantem primam   5
substantiam. Non ille sonus accidit sed illud individuum quod significatur eo nomine. Quattuor enim in nominibus vel in omnibus conservanda sunt: signum et quod significatur et res et notio. Verbi gratia: Cicero signum est; significatur enim quia nomen est. Res ipsa que significatur prima est substantia et individua, sed ipsa res iterum suam notionem in   10
anima ubi naturaliter subsistit habet. A quibusdam post substantiam quantitas ponitur, a quibusdam qualitas. Sed qui ponunt quantitatem considerant quia quantitas naturaliter ante omnes cathegorias post substantiam est, caeterae praedicationes quasi accidentia quantitatis inveniuntur. Qui vero qualitatem post substantiam ponunt lati-   15
tudinem qualitatis considerant. Omnes enim praedicationes qualitatis nomen accipiunt.

166, 3 DE SUBIECTO ET IN SUBIECTO EST ut disciplina. Nam disciplina de subiecto ideo dicitur quia de speciebus suis praedicatur, id est proprie de septem liberalibus artibus. Sicut enim homo praedicatur de omnibus   20
hominibus, ita disciplina de rhethorica et de ceteris et sicut homo dat suum nomen et diffinitionem suis speciebus, ita disciplina dat rhethorice et aliis. Disciplina autem dicitur eo quod discitur plene, id est perfecte et proprie secundum rei veritatem. Sic rhethorica disciplina est et discitur secundum rei veritatem. [*fol. 79ʳ*] In subiecto autem ideo dicitur disciplina   25
quia per se sine aliqua substantia non potest esse. Disciplina enim in aliquo subiecto intelligitur ut in Cicerone. Homo autem non potest esse in subiecto quia nulla substantia, id est prima, ut Cicero, vel secunda, ut homo, in aliquo possunt esse inseparabiliter. Atque in hoc discordat disciplina que est de subiecto et homo qui est de subiecto. Disciplina   30
enim in aliquo intelligitur atque ideo in subiecto est. Homo autem, quamvis de subiecto, id est Cicerone, praedicatur, in subiecto tamen non potest esse. Concordant igitur quia homo de subiecto est et disciplina de subiecto. Discordant quia disciplina in subiecto est, id est in Cicerone, homo in nullo subiecto potest esse.   35

11 Cf. Cassiodorus, *Institutiones*, II, 10; Isidorus, *Etym.*, II, 25, 2; Boethius, *In Categorias Aristotelis*, II (Migne, *P.L.*, LXIV, 201).
12 Cf. Martianus Capella, 170, 11; Boethius, *In Porphyrium commentaria*, I (Migne, *P.L.*, LXIV, 75).
13 Cf. Aristoteles, *Categoriae*, II, 2; Boethius, *In Categorias Aristotelis*, I (Migne, *P.L.*, LXIV, 169-177).

1 yposṣtasin   4 cathegiis   5 dixissed   6 nam   15 pos   18 disciplinam   27 subiecta *corr.*
30 disciplina—est *in mg. ima*   33 subiec

167, 19 ET NON NULLA SUNT DE QUIBUS DICANTUR EA QUAE DICUNTUR IN
ANIMA VIDEBUNTUR ac si dixisset: Non nulla sunt, id est multa, subiecta
sunt de quibus dicuntur cathegoriae, id est praedicamenta, et ea subiecta
et in anima intelliguntur. Verbi gratia, candor oculis corporalibus
5 sentiri potest, simili modo, bipedale. Qualitas igitur que est candor, et
quantitas, que est bipedale, non solum in animo intelliguntur, sed etiam
corporalibus sensibus sentiuntur, quamvis neque quantitas, quae est
bipedale, neque qualitas, que est candor, per se separatim ab aliquo
subiecto possint sentiri, nec ipsum subiectum in quo fiunt per se potest
10 videri. Candor enim sine corpore non videtur et corpus sine colore
aliquo non videtur. Ideo ergo dixit quia substantia, sive prima sive
secunda, et predicamenta alia novem quae de illis praedicantur semper in
animo sentiuntur vel intelliguntur. Verbi gratia, quomodo possum
sensibus corporalibus relativa, ut pater et filius et reliqua, nisi in animo
15 intelligere? In eo enim nomine quod dicitur pater intelligo filium
habere; simili modo in filio intelligo et hoc in anima. Sic in caeteris
intelligendum est.

168, 11 QUAE NEC IN SUBIECTO INSEPARABILITER Cicero enim prima
substantia, quamvis in aliquo loco fuerit, separari potest ab eo, et scitur
20 unde venit ad illum, et scitur quo vadit et per se potest esse, etiam si
ab illo loco in quo fuerit separetur. Non sic rhethorica quamvis in
subiecto sit, id est Ciceronae, et quamvis a Cicerone separari possit,
nescitur quando a Cicerone separatur, nec per se potest esse post sepa-
rationem, nec quo recedit intelligitur. Igitur Cicero vel quodcumque
25 aliud nomen proprium fuerit, vel appellativum, accidens est quia nihil
aliud est Cicero nisi vox significativa secundum placitum, cuius pars
extra nihil significat. Propterea dixit retro non nomen sed quod eo
nomine significatur. Illa enim substantia, que illo nomine significatur
quod secundum placitum ponitur, nulli alii accidit inseparabiliter.
30 Illud autem nomen quod est Cicero potest accidere et potest separari
a substantia alterius persone; multi enim Cicerones fuerunt.

170, 14 PERCEPTIS Percepte artes dicuntur que [*fol. 79ᵛ*] communi animi
perceptione iudicantur ut septem liberales artes. Perceptae igitur artes
dicuntur liberales quoniam propter se ipsas adipiscuntur et discuntur,
35 ut in habitum mentis perveniant; et dum perveniunt ad abitum mentis
antequam perveniunt, ipse disciplinae sola ipsa anima percipiuntur nec
aliunde assumuntur, sed naturaliter in anima intelliguntur. Non sic
ceterae artes quae imitatione quadam vel excogitatione humana fiunt,

18 sqq. Cf. Aristoteles, *Categoriae*, v, 1; Boethius, *In Categorias Aristotelis*, 1 (Migne, *P.L.*, LXIV, 174).

23 quado *corr.* | cirone   29 inseparabiter
34 liberares   37 aliunde (*alterum*) *delevi*

ut architectoria et caetere.

170, 22 DULCE ATQUE AMARUM Dulce posuit pro dulcedine et amarum pro amaritudine, quia dulce non est qualitas sed dulcedo; sic amarum et amaritudo.

171, 10 ILLAE PASSIONES, HAE QUALITATES Qualitates passibiles dicuntur 5 quia naturalis humor qui diffunditur per omne dulcedinem in melle patitur, amaritudinem in absintio. Qualitates autem inpassibiles dicuntur quia nullo modo per se afficiuntur vel patiuntur, sed afficiunt humorem. Unus enim atque idem humor diffusus per omnia corpora ex qualitatibus occultis efficitur diversus; intrans enim in absintium, ut 10 diximus, non dulcescit; intrans vero in balsamum odoratur, cum ipse humor per se nil patitur, sicuti omnia corporea et incorporea per se ipsa nihil patiuntur, sed quando in variabili re fiunt variantur et videntur quasi pati aliquid. Ignis enim per se non est calidus, sed illud quod ab eo calificatur dicitur calidum esse. Sic aqua per se non est frigida neque 15 humida, sed frigiditas vel humiditas ab aliquo alio corpore sentitur. Queritur autem cur praedictae liberales disciplinae passibiles qualitates non sunt. Haec ratio est quia liberales disciplinae naturaliter insunt in anima ut aliunde venire non intelligantur, et ideo animum non corrumpunt, sed ornant. Habitudines enim disciplinarum ornamenta sunt 20 animae, sed ille qualitates, dum per se ipsas incorporalis naturae sint, descendentes, verbi gratia, in humorem quasi quedam corpora sensibilia fiunt; non enim sentiri possent si non veluti quedam corpora sensibilia fierent.

172, 13 MAGIS IUSTUS Iustus, quando de pio iusto dicitur, non recipit 25 magis et minus, vel quando per se intelligitur; quando autem de voluptate accipitur tunc recipit magis et minus. Plus enim iustitiae adipiscitur unus iustus quam alter. Similiter etiam de omnibus que e qualitate sumuntur intelligendum est, ut est doctus. Nam quando perfectum significat, non recipit magis et minus; quando autem appetitionem 30 doctrine significat, recipit magis et minus. Potest enim et doctus et doctior fieri, hoc est potest perfectior appetitus esse unius quam alterius. In appetendo enim fit comparatio.

172, 17 PER IPSAS SUBSTANTIAS id est in ipsas substantias ac si dixisset: Quando in animo solam notionem qualitatis consideraveris, [*fol. 80ʳ*] 35 quoniam una ac perfecta est, ipsa qualitas non recipit per se ipsam magis et minus. Similiter si consideraveris substantiam individuam, dico

---

6 omnem   11 disimus *corr.*   13 variabile *corr.*
16 umiditas *corr.*   17 liberares   20 ornamen   27 tunt *corr.*   35 notitionem | considederaveris

quoniam perfecta in semet ipsa est atque individua, non recipit magis et
minus; si vero participationem qualitatis per substantias, invenies
magis et minus. Potest enim fieri quaedam substantia esse quae
plus participat eandem qualitatem quam alia. Substantia individua
5 est circa quam considerantur qualitates quantitates loca tempora
et reliqua. Substantia generalis est multorum individuorum substantialis unitas; contrarium est quod appetit destruere illud quod ex diametro, id est ex medio, ei opponitur, ut sanitas et imbecillitas. Nam si
sanitas est, destruitur imbecillitas et si imbecillitas est, destruitur sanitas.

10 **174, 11** RELATIVUM EST QUOD HOC IPSUM QUOD DICITUR ac si dixisset:
Non hoc ipsum quod est secundum naturam vel substantiam sed hoc
ipsum quod dicitur, id est ipsa nominatio; et non solum nominatio sed
quod significatur per illorum nominationem. Non enim est nomen
relativum substantiae sed nomen accidentis. Homo enim secundum
15 naturam non est pater neque filius; accidit enim homini pater vel filius
esse. In hoc loco confundit duas cathegorias, qualitatis videlicet et
relationis. Proprie enim relativae dicuntur quae eodem modo sibi
invicem respondent et verti possunt per eosdem casus. Quicquid autem
conversionem non recipit, quamvis formam relativam habeat, proprie ad
20 qualitatem pertinet.

175, 13 QUAEDAM RELATIVA Hic iterum confundit relativa et qualitativa,
nam quae respondent eisdem casibus vera relativa sunt; quae vero
mutant casus qualitativa sunt et non relativa. Ideo bis diffinitionum
relativum, una enim diffinitio pertinet ad relativa, altera vero ad
25 qualitativa.

175, 19 NOSCIBILIS RES vel scibilis. Scientia scibilis rei scientia est, et
scibilis res a scientia scibilis est. Quae relativae proprie non dicuntur,
ideo quia haec substantialiter intelliguntur, illa vero supradicta, id est
vera relativa, extra substantiam considerantur; scirae enim rem intelligo
30 per scientiam; scibilis autem res substantialis res est. Hic igitur nocio
substantie, illic notio earum quae extra substantiam sunt, quoniam
duobus modis scibilis res dicitur, aut quia noscitur ab aliquo, aut quia
possibilitatem noscendi habet, quamvis ab aliquo non noscatur, atque
ideo non recurrit per eosdem casus. Nam scientia scibilis rei scientia est,
35 scibilis autem res scientiae est. Non possum dicere quia potest esse
scibilis res et nescitur, atque ideo sic recurrit: scibilis res a scientia
scibilis est; possibilitas ergo vi atque potestate fit, notio vero actu et
opere, et ita est ut et possibilitas notio dicatur.

1 individuam   4 pus *corr.*   5 consirantur   11 set   23 diffinium   28 subsantialiter *corr.*
36 res (*alterum*) *m. sec.*   37 vim

177, 7 MANUS VERO NON EIUS Ideo hoc addidit ne quis aestimet manus, id est partem prime substantiae, relative dici, sed ostensionem tantum modo totius partis in qua est. Ideo dicit MANUS VERO NON EIUS SECUNDUM RELATIONEM sed SPECIALITER MANUS, hoc est manus individua, id est pars individuae speciei, et sic dicendum est de omnibus partibus 5 totius; omnis enim pars totius est, sic omne totum partium est. Haec tamen non relative dicuntur. Quicquid ergo in ipsa substantia intelligitur, non [*fol. 80ᵛ*] ut accidens, sed ut naturalis integritas; quamvis in forma relativa videatur, non tamen relativa intelligere debemus. Si vero aliquid extra totum intellexeris sine quo illud totum fieri potest, 10 relative potest dici.

177, 8 ITA SECUNDA SUBSTANTIA ac si dixisset: Quemadmodum pars primae substantiae relative prime substantiae dici non potest, ita eadem pars primae substantiae non potest relative dici secundae substantiae. Ut enim non possumus dicere 'manus Ciceronis' relative, ita non 15 possumus relative dicere 'manus hominis,' quoniam non possunt conversionem recipere, ut ita possint converti 'manus Ciceronis' et 'Cicero manus' et 'manus hominis' et 'homo manus.' Dempta enim una parte totum perfectum non remanebit. Quaeritur quare partes secundae substantiae possunt relative dici primae substantiae, partes vero primae 20 substantiae, neque primae neque secundae. Et haec est ratio; prima substantia singularis est et individua, et sine ea totum suum intelligi non potest, ac per hoc ita pars est primae substantiae sicuti illa prima substantia. Manus enim in secunda substantia non ut unius et singularis pars intelligitur sed generalis in generali homine, et quamvis pars generalis 25 hominis generalis manus videatur esse, non tamen unum intellectum habent. Nam quod manuatum est secundae substantiae non a sua natura accepit, sed a suo individuo, id est a prima substantia, atque ideo refertur ei quasi sua pars quam accepit aliunde.

178, 9 EXCEPTO EO ac si dixisset: Si prima relativorum diffinitio perman- 30 serit, ut dicitur relativum est quod alicuius sit, potest fieri pars secundae substantiae ut relative dicatur. Si vero aliter diffiniatur ut relativum sit illud quod ad aliquid refertur, excepto eo quod in aliquo est, non invenietur aliqua substantia, nec pars eius aliqua in relativis. Verbi gratia, vel filius vel simplum referuntur ita, excepto eo in quo sunt. Nam 35 servitus non ad servum refertur sed ad dominum, nec filiolitas refertur ad filium sed ad patrem, nec simplicitas refertur ad simplum sed ad

1 hec *corr.*   6 totiuṣe (*alterum*)   7 quicqid   8 naralis *corr.*
20 subṣtstantiae (*primum*)   21 prima substantia *Hauréau* primae substantiae   31 secunda
32 substantia   33 aliaquid   37 patem *corr.* | sinplum

duplum, atque ideo ista sunt vera relativa.   Penna autem ad nihil aliud
referri potest nisi ad id in quo est, id est in pennatum.   Ita de aliis
partibus substantiarum intelligendum est.

181, 18 EDENTULUS senex sine dentibus.

5   **183, 9** A SUPERIORIBUS id est ab oppositorum tribus generibus, id est
relativis contrariis habitu et orbatione.

184, 12 QUID SIT NOMEN Nunc incipit de περὶ Ἑρμηνείας, id est de
interpretationibus, dicere.

186, 10 Locutio dicitur unaquaeque pars orationis significans aliquid,
10   ut decem cathegoriae, id est praedicamenta.   Elocutio vero est sententia
quedam composita, constans ex partibus orationis, id est ex nomine et
verbo, vel ex his que vicem tenent eorum.   Et nunc gignit questionem
ut 'Curre' et 'Noli currere' vel 'Utinam scribam' et 'Utinam non scribam.'
Si vero nomen et verbum coniuncta fuerint et fecerint questionem,
15   PROLOQUIUM dicimus ut est, 'Omnis homo animal est; omnis homo animal
non est.'   Sillogismi autem dicuntur summa proloquiorum et tribus
proloquiis unusquisque sillogismus efficitur, id est propositione sumpto
conclusione, ut est hoc, 'Omne iustum honestum' propositio; 'Omne
honestum bonum' sumptum; 'Omne igitur iustum bonum' conclusio.
20   Plena sententia est quae constat a substantia et possibilitate et actu.
Quatuor genera sunt oppositorum ut diximus, locutio elocutio prolocutio
proloquiorum summa, sed unum facit proloquium, hoc est gignit questionem.   Tria vero dubia sunt, quando de persona certa non praedicantur; quando vero [*fol. 81ʳ*] praedicantur de certa persona, questionem
25   faciunt, ut 'Disputat' dubium est, si non addatur nomen, si autem nomen
addatur, potest fieri questio, ut 'Cicero disputat.'

186, 2 ET RESISTIT id est negatur, 'Cicero non disputat.'

187, 21 HOC FACIT id est quod imperativus facit, facit et optativus; id
est eloquia faciunt, et non proloquia.   Si enim affirmatio quae dicit
30   'Cicero disputat,' non connexe sed separatim, et non opponitur 'Cicero
non disputat,' eloquia erunt.   Tunc ergo sunt eloquia quando connexe
affirmatio et negatio sibi invicem opponuntur uno eodemque tempore
et de una eademque persona.   Si autem affirmatio fuerit seorsum et non
opponitur ei negatio, affirmari potest; si negatio absoluta fuerit, et non
35   opponitur ei affirmatio, similiter affirmari potest, et tunc sunt eloquia,

18 Cf. Isidorus, *Etym.*, II, 28, 3.

7 perihiermeniis   34 neganetio

et non proloquia, quia non faciunt questionem. Ideo primo ponitur nomen, quia praecedit substantia actum, vel passionem; ideo verbum secundum ponitur quia actus et passio substantiam sequuntur. Ideo subiectiva dicitur in nomine et declarativa in verbo, et si subiectiva et declarativa aequales fiant, necesse est ut conversio fiat. Si autem maior 5 fuerit declarativa, minor vero subiectiva, non potest conversio fieri. Verbi gratia, 'Omnis homo risibilis est' et convertitur 'Omne risibile homo est' quia aequalis est subiectiva declarativae.

191, 26 DIFFINITIO id est speties. Cur differentiam post genus in secundo loco posuit, cum non sic fecit in ordine Isagogarum? Nam in 10 hoc loco videtur confundere priorem ordinem introductionum. Non irrationabiliter hoc fecit quia differentia facit speciem; species autem non facit differentiam, quia a genere non pervenitur ad spetiem, nisi per differentiam vel accidens. Ordo tamen naturalis exigit ut species sequatur genus, sicut praedicit, nam haec duo in substantia intelliguntur, 15 caeterae vero quasi extra substantiam. Quare accidens ante diffinitionem, id est ante speciem posuit, quia accidens pro differentia accipitur. Propterea quia sepe accidentia differentiam spetierum faciunt, proprium in fine quia discernit superiora, id est speciem a genere et differentiam et accidens. Ideo proprium in fine Isagogarum ponitur. 20

192, 2 RATIONALE naturalis differentia est. Mortale autem non naturalis differentia est, sed accidens.

193, 1 OMNE NON ANIMAL NON HOMO Ne existimes duas negationes esse in uno proloquio converso, sed ea negatio quae primo posita est in subiectiva particulari deseruit subiectivam et migravit in declarativam. 25

193, 2 DEINDE SI CONSTITUTIO Omnis constitutio duabus partibus constituitur, et prima quidem dicitur intentio, hoc est accusatio, secunda vero dicitur repulsio vel defensio, id est refellit accusationem, quae secunda pars constitutionis dicitur. Prima enim pars non facit questionem, opposita autem secunda constituit questionem et haec pars 30 proprie dicitur constitutio quia constituit litem. Si ergo constitutio tota aut pars eius aliqua intentionis depulsio non sit, ea neque erit constitutio tota neque pars constitutionis; omnis igitur constitutio repulsio est.

193, 4 INTENTIONIS id est accusationis. Quae autem non fuerit repulsio 35 intentionis nec constitutio est nec pars constitutionis, ut dicitur, 'Omnis homo animal est, omne [*fol. 81ᵛ*] non animal non homo.'

8 declarativa
9 diferentiam *corr.*   16 quasire   25 particula   36 constitutio ////

193, 11 QUAE ILLAM PRIMAM ac si dixisset: Illa duo proloquia, id est universalis dedicativa et particularis abdicativa, non possunt habere conversionem primam quae fit naturaliter per se in universali abdicativa et particulari dedicativa. Possunt autem converti duobus modis, id
5 est aut per differentias et propria, aut per particulas indiffinitas, et per migrationem negationis de subiectiva in declarativam, aut declarativa in subiectivam. Vocatur ergo prima conversio que fit sine his duobus; secunda vero conversio vocatur que fit ex his duobus, id est ex Isagogis duabus et ex particulis indiffinitis et negatione migrante.

10 **193, 12** SOLUM UNIVERSALE ABDICATIVUM NON ILLAM RECIPIT quia naturaliter ex se convertitur. Ideo non recipit secundam conversionem quae fit artificialiter, sed primam, id est naturalem. Igitur tria proloquia recipiunt conversionem, id est universalis dedicativa et particularis abdicativa tribus modis converti possunt, id est aut per differentias, ut
15 diximus, aut per propria, aut per negationem migrantem. Particularis vero abdicativa quattuor modis convertitur: primo naturaliter, secundo per differentiam, tertio per proprium, quarto per generationem. Omnis universalis dedicativa, praeposita ei negatione, vertitur in particularem suam, hoc est in particularem dedicativam, ut est 'Omnis voluptas bonum
20 est.' Si dixero, 'Non omnis voluptas bonum est,' sequitur ut quaedam sit bona. Similiter omnis universalis abdicativa, praeposita ei negatione, vertitur in particularem suam, hoc est in abdicativam, ut 'Omnis voluptas bonum non est.' Si sic dixero, 'Non omnis voluptas non bonum est,' sequitur ut quedam non bona sit. Ergo, ut diximus, universale abdi-
25 cativum solam conversionem naturalem et contrarium recipit. Universale autem dedicativum quattuor, duo alia proloquia tres conversiones recipiunt.

193, 15 AFFECTA id est sibi invicem apposita.

In primo angulo tetragoni universalitas est. Quamvis sit falsum
30 exemplum, 'Omnis voluptas bonum est,' tamen secundum Epicureos summum bonum est voluptas, et ideo dixerunt, 'Omnis voluptas bonum est.' In secundo angulo sola subiectiva particularis universalis est. In declarativa vero diminuitur universalitas subiectivae particularis et de universali efficitur particulare. Qui enim dicit, 'Omnis voluptas'
35 universaliter subiectivam particularem depromit. Dum vero dicit 'non est bonum,' illam universalitatem minuit. Si enim omnis voluptas non est bonum, relinquitur quaedam voluptas quae non est bonum.

9 duabus *Hauréau* duobus | partilculis   10 abdicativam *corr.* | recipit *Hauréau* cipit   12 artificaliter | naturalē //   21 praeposit   24 abdicati *corr.*   26 quartuor *corr.*   30 Epicureos *Hauréau* Epicuros   31 bonu (*alterum*)   32 particula   33 particule   35 particulam

197, 21 SINPERASMA πέρας finis, σύν con; sinperasma igitur confinitatem significat conclusionis.

197, 25 IN CONDITIONALI id est in connaturali. Si hoc sequitur illud, omnis praedicativus sillogismus, addita si, vertitur in condicionalem.

199, 7 PER CONTRARIUM id est abdicativa quantitas concluditur par- 5 ticulariter. Omnes enim syllogismi qui universaliter concluduntur praecedunt eos qui particulariter concluduntur, maioris enim virtutis est universalitas, sive dedicativa, sive abdicativa.

201, 3 ALIUM MODUM NON EFFICIT ac si dixisset: Nulla illatio reflexionis modum efficit, nisi illa sola quae ex subiectiva prioris sumpti et declara- 10 tiva sequentis efficitur. Omnis vero illatio quae fit ex duobus subiectivis, sive ex duobus declarativis efficitur, quamvis reflecti posse videatur, nullum [*fol. 82ᵛ*] modum facit. Cur autem non efficiunt modum, cum possint reflecti, nulla aperta ratione demonstratur, nisi quis dixerit quia in quibusdam vera videntur, in quibusdam vero falsa. Omne autem 15 quod universaliter non invenitur pro certa regula teneri vera ratione non sinit.

202, 16 OMNES IGITUR MODI In primae formae illationibus tota quantitas et qualitas observatur; in secundae vero illationibus tota quantitas, id est universalis et particularis, et non tota qualitas, quoniam abdicative 20 concluditur; in tertiae formae illationibus, tota qualitas, et non tota quantitas, non enim concluditur nisi particulariter. Ideo autem diximus totam qualitatem in tertia observari, quia tres modi primi particulariter abdicativae, tres vero sequentes particulariter dedicative concluduntur.

202, 18 CONDICIONALIS per c scribitur non per t, et a verbo dico vel 25 condico, condicionalis dicitur. Simul enim dicuntur quaestio et argumentum; argumentum dicitur quod rei dubiae facit fidem.

203, 9 PRIMUS MODUS AB ANTECEDENTIBUS vocatur quoniam in eo argumentum praecedit questionem; secundus a consequentibus propterea dicitur, quia in eo questio precedit et argumentum sequitur; tertius a 30 Grecis ἐνθύμημα, hoc est mentis conceptio dicitur; a contrario assumitur, hoc est per negationem negationis. Hi tres modi dupliciter possunt pronuntiari, ita tamen ut condicionis virtus servetur, hoc est si. Ubicumque enim si fuerit, sive primo ponitur sive secundo loco, virtutem prioris loci obtinebit. Verbi gratia, 'Si rhethorica bene dicendi scientia 35

1 peras|sin 2 signf
5 particularitur 6 omnis 9 reflexe 13 com *corr.* 23 tota 24 teres|dedicative conclu-
duntur *in mg.* 31 entimema 32 possum 33 ut // 34 virtutem *Hauréau* virtustis

est, utilis est' potest et sic, 'Utilis est rethorica, si bene dicendi scientia
est.' Animadverte in secundo loco argumentum cum conditione positum
virtutem tamen prioris loci obtinere. Similiter in aliis duobus virtus
condicionis observatur. 'Si bene disputandi utile est' conditionalis
5 generis forma est, quia argumentum et questio cum conditione ponitur
in subiectiva parte. Declarativa vero, ad similitudinem praedicativi
generis, aliquid aliunde assumit, 'Scientia scilicet ut est, utilis est bene
disputandi scientia.' Et iterum forma condicionalis est, quando argumentum et questio sine conditione assumitur, ut 'Bene disputare utile
10 est.' Et iterum forma praedicativi, quando ex questione conclusio facta
est, et aliquid aliunde assumit, 'Utilis est igitur dialectica.' Et iterum, si
aliter, recurre ad illum locum ubi dixit declarativa superioris sumpti fit
subiectiva sequentis, ut in superiori proposito exemplo, 'Omnis voluptas
bonum est; omne bonum utile est.' Subiectiva autem superioris fit
15 declarativa sequentis si hoc modo velis convertere, 'Omne bonum utile
est; omnis voluptas bonum est.' Talis igitur differentia est inter priora
exempla formularum syllogismorum prime formae et ista de qua nunc
loquitur quod in prioribus tota subiectiva particularis prioris sumpti et
tota declarativa sequentis efficiunt illationem, hic autem non ita. Verbi
20 gratia, 'Omnis ars frequenti exercitatione meditanda est.' Animadverte
quo modo [*fol. 82ᵛ*] dividitur declarativa in duas partes, 'frequenti exercitatione' et 'meditanda est.' 'Exercitatio' reperitur in declarativa
sequentis sumpti, reservatur vero 'meditanda est' ad conclusionem
illationis.

25 **207, 9** AUT DECLARATIVA PROPOSITIONIS ut est 'Dictio autem exercitatio
est rhethoricae.' 'Exercitatio' subiectiva est assumpcionis, quia nominativus est. Praedixerat enim: Quicquid subiectivae accidit, nominativus accidit.

207, 10 AUT SUBIECTIVA PROPOSICIONIS ut est 'Omnis ars' et reliqua,
30 propositio est. Declarativa autem assumptionis est, 'Rhethorica igitur,'
subiectiva propositionis; 'ars' fit declarativa assumptionis quia rhethorica
ars est. In quibusdam libris ita invenitur IN PRIMA FORMA ITA ASSUMI
SUBIECTIVAM ASSUMPTIONIS UT SI PROPONAMUS SIC: OMNIS ARS et reliqua.
Ecce subiectiva assumptionis est, 'Dictio autem exercitatio est,' illa
35 subiectiva efficitur declarativa conclusionis, 'Rhethorica igitur frequenti
dictione meditanda est.'

2 ditione
4 conditiolis   5 ditione   7 scientiam   9 questionem   12 recurre //   18 particula   19 illa ////
tionem   23 reseruatur //   25 proposionis   26 assumcionis   30 declativa *corr.*   33 onūs
34 autem ////

207, 23 TOTUM SERVABITUR ac si dixisset: Tota declarativa particularis propositionis.

208, 2 MULTA ESSE COMMUNIA id est in regula primae formae. Regula enim primae formae est, ut declarativa prioris sumpti fiat subiecta sequentis, et subiectiva prioris sumpti fiat subiectiva illationis, decla- 5 rativa vero sequentis sumpti fiat declarativa illationis. Sepe tamen efficitur ad similitudinem secunde formae declarativa prioris sumpti, ut fiat declarativa sequentis in prima forma, ut est praesens exemplum, 'Omnis ars frequenti exercitatione meditanda est,' ecce videtur 'exercitatio' declarativa esse sequentis sumpti. 'Dictio autem exercitatio est 10 rhethoricae,' in utrisque proloquiis eadem declarativa est, quamvis non nota. Et si sic est, melius invenitur in quibusdam libris, PRIMA FORMA ITA ASSUMI SUBIECTIVAM ASSUMPTIONIS, UT SI PROPONAMUS SIC.

208, 7 FESTINANTE id est accelerante Dialectica. INTERVENIT id est prohibuit. 15

208, 6 INEXTRICABILIA id est insolubilia. NUTU MAIUGENE id est iussione Mercurii qui filius Maiae fuit, filiae Athlantis, quae est septima Pliadum, id est Vergiliarum.

208, 8 PERITA FANDI Iambicum senarium.

208, 9 TORTOS id est laesos deos aut retentos. INFLEXA id est multiplex. 20

208, 10 PERPETUI id est prolixi sermonis. MULTIMODAS ANFRACTAS volubiles syllogismos.

208, 11 YMEN ipse est deus nuptiarum, filius Veneris, qui etiam Menica vocatur. Re vera μήνιγγα dicitur membranula circa cerebrum ex quo cerebro omnes voluptates et semina per poros, id est venas, descendunt 25 per totum corpus. Nam due sunt membranule, id est φρήν et ὑμήν. Diximus quid sit ὑμήν; φρήν vero membranula quae adheret costis intrinsecus, inde frenetica passio dicitur.

COMPENDIO id est brevitate.

208, 12 DOCTA DISPUTATIO id est dialectica, ac si dixisset: Quod magno 30 volumine vel multis contineri potest, isto libello breviter conducit Dialectica.

208, 15 NIL DIFFERENS id est nihil narrans; NIL DESERENS id est nihil relinquens.

1 particula   2 propositonis *corr.*   8 fiet *corr.*   10 sequentis *Hauréau* sequen
12 si *m. sec.*   16 mauigene   20 infexa *corr.*   23 idse   24 menica   26 membranle | fren |
ymen   27 ymen | fren   28 fretica *corr.*   33 disferens

208, 16 PRAETERVOLANDO.

208, 19 PRAESTRUIS id est praedoces. Quattuor enim partes sunt dialecticae artis: verum falsum verisimile sophisma. Tres partes exposuit: dixit enim de vero et falso et verisimili; tacuit autem de
5 quarta parte quae dicitur sophisma, in qua vis fallendi dominatur.

208, 20 CAPTENTULIS ILLIGANTIBUS id est formulis decipientibus.

209, 1 PELLAX id est fallax, aut Argolica, quia Pelasgi Greci dicuntur. Minutissimas omnium rerum congeries SORITAS appellant Greci.

209, 5 TURPIS FEMINE id est horridae propter sophismata et quasi de
10 alia femina loquitur.

209, 6 CAVILLA deceptrix.

209, 9 FACESSAT recedat. [*fol. 83ʳ*] VERSILIS fallax.

209, 13 VENERANDUS Metrum anapesticum.

209, 15 PERMITTERE id est donare sibi ut derideret Bromium. UNAM
15 CULPAM id est sophisticam artem praeponere qua deciperem Bromium deridentem, et venenosam me esse asserentem ET CONCEDEREM, id est si talem honorem perpetrassem, ut possem fingere sophismata, in quibus deluderem et deciperem Bromium, precio illius honoris dedissem locum aliis artibus.

20 **209, 17** QUO CONCIPEREM id est ut conciperem.

FINIT DIALECTICA

---

1 *gl. deest*   5 quarte   18 illus *corr.*

INCIPIUNT HAEC PAUCA IN RHETHORICA MARTIANI

Diximus de nomine dialecticae quia ideo non interpretatur, id est Latialiter non dicitur, quia titulus esse putaretur; sic rhethorice nomen ideo non interpretatur quia duae partes fuissent, si interpretaretur. Nam ῥήτω et ῥητεύω duo verba sunt apud Grecos, et significant copiose 5 loquor; inde derivatur ῥήτωρ, id est copiose loquens, et rhetorica, copiosa eloquentia, et sine aspiratione scribitur, ac per hoc, ut diximus, non interpretatur suum nomen.

210, 8 PER AETRAM id est per aetheram, sublata media syllaba.

210, 10 TURBATI de diis inferioribus dicit, nam sequitur vulgus minorum. 10 Vulgus enim dicitur voluntate vagus.

210, 11 CAELICOLUM pro celicolarum. NESCIA CORDA quia non sic sciverunt sicut supremi dii.

210, 12 CRIMINA id est bella vel proelia.

FLEGRAE Flegra est nunc civitas Macedoniae quae quondam fuerat 15 Gigantum proeliorumque inmanium temeritate famosa, quae sola etiam diluvio mundi asseritur non operta, quod utique praestitit montium celsitudo. Ideo dixit RENOVANTUR quia lites et proelia que tunc temporis erant quando Gigantes in summitate illius montis habitaverunt minores dii iterum renovaverunt. 20

210, 13 AMNES dii amnium. FAUNI dii silvarum. PALES deae herbarum. EPHIALTA demones qui obprimunt homines in somnis. NAPEAE nymfe nemorum, atque ideo quia isti habuerunt potestatem in terris, timuerunt quando sonitus tubarum auditus est. Othus et Ephialta gemini fuerunt ex Iphimede et Neptuno geniti. Quidam dicunt quia 25 istos Virgilius Aloidas vocat quia Aloius pater erat eorum qui novem digitis per singulos crescebat menses.

210, 14 ASSURGERE id est assurgebat.

211, 3 PERCITUS id est velox.

211, 2 SILVANUS in figura omnium rusticorum vel reorum ponitur, 30 propterea sicuti stultus et reus timent sapientiam rhethoris et contradi-

---

15 Cf. Solinus, *Collectanea*, 9, 6–7.
24 Cf. Servius, *Aen.*, VI, 582; Mythographus Primus, 83.
26 Cf. Virgilius, *Aen.*, VI, 582.

3 si *corr.*   5 ρετο et ρετυο *sic!*   6 diriuatur | ρετορ | retorica *corr.*   8 terpretatur *corr.*
15 Flagra   16 praeliorumque   18 x̄ | praelia   19 illus *corr.*   20 renovari   23 numfe *corr.*
25 Fimele   26 Alloidas | Alloius

cere ei volunt, sed tamen arma non habent cum quibus resistere veritati
possint, sic Silvanus surrexit contra Rhethoricam quia timebat eam et
querebat arma quibus <se> defenderet et non invenit. Ideo supra
dixit MIRANTUR PLACIDAM et reliqua, quamvis enim dii inferiores moti
5 fuerant, tamen dii summi placidam quietem habuerunt quia sciverunt
feminam quae introgressa est senatum caelitum.

211, 4 DELLA id est duella; duellum enim dicitur bellum.

211, 5 TRIFIDAM id est triformem. Est enim natura aquae liquida
potabilis fecunda, vel quia in tribus mundi elementis humor dominatur,
10 id est in terra et mari et in aere.

211, 6 GRADIVI FRAMEAM id est gladium bis acutum Martis. Gradivus
enim dicitur Mars quasi grandis divus, id est deus, vel quia adorabant
eum gradientes ad proelium. Sed illius arma non ausus fuit poscere
Silvanus quia Mars dicitur quasi mors. Quae mors a Marte derivatur,
15 id est separatio corporis et animae. Nulla enim mors apud paganos tam
praeciosa fuit et laudabilis quam illa quae eveniret in proelio pro patria.
FALCEM SATURNI quia sic pingitur Saturnus quasi falcem in manu habens
cum qua castratus fuit a suo filio, id est Iove. Saturnus enim significat
annum Iovis quasi iuvans vita. Vita ergo castrat tempus cum falce
20 quia quicquid in anno, id est in Saturno, crescit, castratur ab Iove, id est
vita humani [*fol. 83ᵛ*] corporis.

211, 9 TERRESTRIUM ideo hoc dicit quia non celestes dii turbati sunt
audito sonitu, sed terrestres quia minoris potestatis sunt, id est minus
sciunt.

25 **211, 12** GALEATUS VERTEX quia omnis rhetor semper paratus et firmus
debet esse contra accusantes vel defendentes reos. Hoc etiam significant
arma in manibus.

211, 15 SUBARMALIS Per subarmalem vestem significatur interior habitus
artis in anima; per peplum significatur corporalis sonus per quem ars
30 significatur et profertur inter homines.

211, 16 LATIALITER ideo hoc dicit quia rhethorica reperta est a philosophis Grecorum locorum, vero inventio, unde argumenta rhethoricae
artis ducuntur, a Marco Tullio Cicerone reperta est apud Latinos.
Que pars est summa rhethoricae artis.

14 Cf. Isidorus, *Etym.*, VIII, 11, 51.

3 se *addidi*   5 ahbuerunt | sciverant   13 praelium   14
diriuatur   20 quid *corr.*   23 potestati *corr.*   25 rhetio   26 acusantes   29 corporis *corr.*

211, 18 EXQUISITISSIMIS Hoc dicit propter varietates et pulcherrimas locutiones.

211, 21 BOMBIS Bombus dicitur maximus sonus et est onomatopoeia, id est nomen de sono factum.

211, 22 TONITRUA Bene hic ostendit quid sit tonitruum, quia nihil aliud 5
est nisi collisio nubium obviantium invicem propter vim venti; inde
enim nascitur tonitruum et fulgur.

212, 5 ROSTRA promuralia.

212, 6 CURIA est ubi de curis, id est de causis agitur. GYMNASIUM vero
exercitatio militum et philosophorum. TEATHRA ubi ludi aguntur et 10
videntur militum. Θεάομαι enim video interpretatur, inde theathrum
visibile.

212, 15 EXILIS id est humilis, in humili causa, ut mediocris in causis
que nec magnae sunt nec parvae, ut excelsus in excelsis elocutionibus,
id est in epilogis. Sicut enim in dialectica summa proloquiorum dicitur 15
sillogismus, ita summum altercantium de reo dicitur epilogus, id est
accumulatio criminis vel defensionis, id est publici nominis, id est epilogi.

212, 21 GEMMAS inventiones pulcherrimas dicit artis rhethorice.

212, 23 DUO DIVERSO HABITU de Platone et de Cicerone dicit.

213, 1 NOVI id est ignoti vel iuvenes. 20

213, 2 PAUPERTATIS quia divitiae multum nocent sapientibus.

213, 4 POST FATA id est post fortunas immeritas, quia non debuerunt
mori.

213, 6 SECULA SUPERARENT Saeculis enim transeuntibus, immortalis
gloria illorum manet. 25

213, 11 SAPIENS VEL VIRTUS Pestis vir artis mala et contraria fecit.
Primo enim Plato et sapiens et philosophus et bonus fuit, postea vero in
causis durus et asper in damnandis omnibus reis.

213, 12 CONIURATIONES EXTINCTAE Ideo hoc dicit quia Cicero superavit
Catilinam et occidit eum qui prius conspirationem et coniurationem 30
contra rem publicam et populum Romanum fecit.

5 Cf. Isidorus, *Etym.*, XIII, 8, 1-2.

3 onomatapeon 5 be *corr.* 9 igitur 10 teatha *corr.* 11 θεο | athrum 14 exelsus *corr.*
16 altcan // tiū 18 rhetorice *corr.* 24 se //// cula 26 *l. deest* Dick | pestis—fecit *trans. versus*
Graeci δεινὸς ἀνήρ. τάχα κεν καὶ ἀναίτιον αἰτιόῳτο

213, 17 PRAE SE FERENTES id est unusquisque ferebat signum suae linguae. Omnis enim lingua suum signum habet apud Grecos; Atis habet suum, Doris suum, Eoles suum, Ias suum, Coene suum.

214, 3 LICTORIS Lictor dicitur antesignanus qui signum portat in proelio.

5　　**214, 4** CORAX inventor fuit rhethoricae artis, TISIAS usitator.

214, 8 COMMUNE PIGNUS id est commune munus quia omnes utebantur rhethorica.

214, 11 COGNATAM quia illa avis, id est corvus, ad Apollinem pertinet. Nam quando maxime ardet sol, tunc ore aperto pro desiderio ardoris
10　solis videtur; sic reus desiderat verba rhethoris defendentis se. Dicunt etiam hanc avem naturaliter naturam prophetiae habere in voculis suis, ideoque Apollini deputatur aut quia ipse Apollo summus philosophus Greciae usitator rhethoricae artis erat.

214, 12 DE GENTE CORVINI Ἐκ τοῦ Πέπλου Θεοφράστου, id est ex
15　Peplo Teofrasti; τέχνην, id est artem, λόγων verborum, Κόραξ corvus, Συρακόσιος εὕρατο [*fol. 84ʳ*] invenit. Dicunt etiam quia corvus quando plus fervet sol, tunc ova sua plus cooperit, sic rhetor defendit reum, quando ab accusatoribus plus accusatur.

215, 5 PRAECONIA id est laudes. PROMERITI id est valde meriti.

20　**215, 7** SCOLARIUM ac si dixisset: Ego Rhethorica quae fui famosissima et magistra et que accusabam et defendebam multos pro arbitrio meo, nunc mihi verecundiae est dicere initia meae artis, sed tamen quia vobis diis obedire praetium est inmortalitatis, dicam vel primora, id est summa.

25　**215, 13** HABEAM pro habeo posuit, ac si dixisset: Multos sectatores mei habeo qui etiam poterant facere quod vos iubetis, sed quia in numero dotalium sum, non possum aliter nisi ut ego ipsa pro me loquar.

215, 12 COGNOSCENTUM Tria genera sunt cognoscentum, id est oratorum. Unum genus est oratorum qui arte rhethorica utebantur, de ea tamen
30　nihil scripserunt, ideoque plus perturbabant populum quam rem publicam defendebant. Aliud genus oratorum erat qui de arte scripserunt et in commentis artis scribendis laborabant et docendis, magis quam in

---

5 Cf. Cicero, *Brutus*, 12; Cicero, *De oratore*, I, 91.
15 Cf. Appendix II.

4 antesignamus *corr.*　　9 masime | derio *corr.*
12 Apllini *corr.*　　14 ΠΕ | ΠΛΟΤ *in mg.*　　15 plo | texnen | ΛΟΓΟΝ | ΚΟΡΑΞ　　16 ϹΙΡΑΚΟΤ-
ϹΑΝΟΤϹΕΡΑΤΟ | dicut *corr.*　　18 accusaribus *corr.*　　20 dixesset *corr.* | qui　　23 oboedi　　27
loquor *corr.*　　28 connoscentum (*primum*)　　32 scribentis

ornamentis verborum. Tertium autem genus oratorum est qui non solum utebantur arte et summa facundia, verum etiam de ea libros atque praecepta tradiderunt.

215, 13 PRAECEPTORUM id est regularum.

215, 14 INTER UTRUMQUE id est inter eos videlicet qui arte solum modo usi sunt et de ea nihil scripserunt, et eos qui de arte scripserunt nec multum facundia usi sunt.

215, 21 DETRACTARET abnueret. AD PRAEMIUM INMORTALITATIS quasi dixisset: Si vobis obediero, immortalis ero.

216, 6 REFRAGETUR id est resistat, quia Plato artem et disciplinam unam dicit esse.

216, 23 IN SUPERIORI id est in hypotesin quae est prima colluctatio.

217, 1 ASSIDUE quia in foro agitur et inter plurimos sibi invicem adversantes.

217, 5 ΘΕΣΙΣ vero a solo homine disputatur.

217, 6 AMENTATAS HASTAS id est acutas sapientias. Nam quando agitur de certo facto et de certa persona, sepissime introducitur generalis questio, hoc est exempla ex generali disputatione sumuntur. Ypotesin dicunt quidam non esse per se questionem sed partem questionis. Nam sicuti vix proprium nomen invenitur, sic etiam finita questio difficillime invenitur quia nullum crimen inveniri potest ab aliquo quod antea non fuisset factum et quod post non possit evenire, atque ideo generalis questio est.

217, 18 IUDICATIO Ideo secundum Martianum iudicatio non est pars quia de quinque partibus rhethoricae artis iudicat. Iudicatur enim si bona sit inventio aut mala, sic de ceteris quaeque nova facit ac si dixisset: Elocutio sic nova verba componit ut non sint nimis inusitata et sint secundum regulam veterum verborum; nam si aliter fuerit, iudex movebitur.

218, 5 VOCIS MOTUS Movet enim rhetor vocem suam prout fuerit persona de qua loquitur, id est si de femina, quasi femina loquitur et reliqua. GESTUS vero est habitus vocis, id est utrum magna an mediocris an humilis.

218, 8 IDONEA sufficientia.

6 scripserant (*alterum*)   7 facundiae
11 di *corr.*   12 collutatio   16 amentas   18 sumuntur   22 eveniri   27 com // ponit   30 retor *corr.*

218, 10 PRINCIPALES STATUS Principales status sunt qui de facto ipso constituuntur, non de accidentibus quae extra inveniuntur, sed ad illum factum adiunguntur. Nam INCIDENTES illi status sunt qui sic fiunt extrinsecus. Principalis status est 'Occidisti, [*fol. 84ᵛ*] non occidi':
5 Incidens status est 'Occidisti, insidias illi fecisti,' ecce status de insidiis incidens est.

218, 13 SCRIPTA leges vel cyrographum.

218, 18 CONIECTURA est contentio de facto.

218, 19 FINIS diffinitio illius criminis, sic enim invocantur isti tres
10 status, coniectura finis qualitas.

218, 22 QUARTUM STATUM id est translationem.

219, 7 ILLUD FACILE NON EST ac si dixisset: Levius est negare id quod opponitur quam invenire id quod proponitur. Nam plus laborat accusator quaerens argumenta ut affirmet id quod dicit quam ille qui
15 respondet. Tantum per negationem coniectura erit semper. Coniecturalis status est in quo pugna est de facto tantum, et solus et simplex est; non sic nomen facti. Verbi gratia, homicidium non est simplex quia in eo quod est 'Homicidium non feci,' duo quaedam intelligo, id est aut nullum hominem interfecit aut si interfecit, homicidium non fecit, quia
20 interfectio tyranni non est homicidium, atque ideo sequitur an quicumque homo, id est, 'Non est occisus aliquis homo a me,' an cum innocens occiderit, id est, 'Quamvis occidi, innocens sum.'

219, 16 QUI STATUS id est aut coniecturalis aut diffinitivus, nam in homicidio et coniectura potest intelligi, id est 'Non occidi,' et diffinitivus,
25 nam diffinitur quid sit homicidium quando negat, 'Non feci homicidium.'

219, 21 HABEAM CONIECTURAM id est litem de facto.

219, 22 FINEM id est diffinitionem nominis illius litis.

219, 24 QUALITAS id est pro qua utilitate fecerit factum. DE RE id est de eo facto quod agitur et de quo quaestio est inter accusatorem et
30 defensorem.

220, 1 DE ACTIONE id est de persona agentis illud factum. Quaeritur enim qualis sit persona quae per se debeat respondere et quae non debeat et hoc actum est inter rhethores et constitutum.

3 adiungunt 5 satus (*bis*) *corr.* 7 legis *corr.* 15 coniectura coniactura *m. sec.* |
coniacturalis 19 fecit (*primum*) *corr.* | homiocidium 23 coniacturalis 24 coniactura 26
coniacturam

220, 2 TRIBUNOS id est consules.

220, 3 APPELLARE id est accusare. Nulla enim persona inferior accusare potest superiorem.
CONVICTIONEM id est disputationem vel negotium.

220, 4 TRANSLATIO id est transfertur causa a persona ignobili ad personam 5 nobilem ut pro illa possit respondere.

220, 5 AUDITORIS id est iudicis.

220, 6 SOLA QUALITAS id est quando non factum oppono vel nomen facti, tunc necesse est ut sola qualitas fiat in controversia. Verbi gratia, si dixerit accusator, 'Damnandus est iste antequam de facto vel de 10 nomine facti dixerit,' officium iudicis intendit, atque ideo qualitas quaeritur, id est utrum iuste an iniuste damnandus sit. Non potest probare quia auditor, id est iudex, contra illum est quia suum officium ab eo tulit.

220, 9 UNUM id est primus iudex de recte aut non recte factis pensat, id 15 est iudicat, sed si recte, sequitur laus; si non recte, sequitur vituperatio. Ille autem qui iudicat de laude aut vituperatione ESTIMATOR vocatur, et hoc est tertium genus iudicum. De is autem quae agenda et quae non agenda deliberator iudex est, id est dubius cuius iudex finis est.

220, 11 UTILITAS et inutilitas et necessitas, et hoc est secundum genus, 20 et ideo liberator dicitur quia expectat alienae sententiae persuasionem. Ideo ergo tres iudices sunt quia aliud est considerare aequitatem in rebus sicut perpense iudex, id est recte iudicans, aliud utilitatem, aliud laudabile vel honestum.

220, 20 DEDUCAT detineat.

25

220, 19 PRAEDICTARUM RERUM id est praedictorum statuum qui a tribus iudicibus iudicantur. DUBITATIO Nam ut primus iudex dubitat de facto usque dum concessum fuerit an non concessum, sic secundus dubitat quia expectat alienam sententiam. Similiter tertius dubitat de onestate vel turpitudine.

30

220, 26 IN DIVERSUM id est in diversa offitia. Nam [*fol. 85ʳ*] differunt iudices in suis officiis, nam deliberatio futuri temporis est quia expectat secundus iudex alienam sententiam.

221, 4 CATO Censorinus consul fuit.

221, 7 IN PRAETERITO TANTUM FACTO In iuditiali enim genere semper de 35

2 apellare | acusare   7 autditoris   27 et   29 sentiam

praeterito altercatio est, ut 'Occidi, non occidi,' et est coniectura. EX
FUTURO id est quando factum conceditur, tunc consideratur qualitas, id
est quae utilitas secuta est illud factum.

221, 9 IN PRAETERITIS FACTIS id est quando laudantur parentes iudicum
5   qui praecesserunt in factis, in pulchritudine, in hutilitate iudicii, ideo
dicit in sequentibus INSIGNIUM MERITORUM praecedentium in parentibus
accedit.

221, 13 Ordo est: ACCEDIT QUOD AMBIGIT id est dubitat in iudiciali genere
quisque cognitor, id est unusquisque iudex in rebus alienis quia de factis
10   aliorum disputat, in rebus autem suis non dubitat.

221, 14 IN DELIBERATIVO de suis et de rebus externis.   Nam deliberator
de suo officio ambigit et de facto quod agitur in altercatione usque dum
audiat persuasionem alienae sententiae.   Alii vero qui non sunt cogni-
tores, id est iudices, nec de suis factis nec de rebus extraneis possunt
15   cognoscere, id est iudicare.

221, 16 IN LAUDATIVO Laudativum genus appellat tertium in quo estimator iudicat, id est iudex, et ideo estimator dicitur quia aestimationem
habet honestatis vel turpitudinis.

221, 17 LICET NOVELLA id est quamvis novas laudes dixerint, ita debent
20   fieri ut ipse arbiter, id est iudex, sciat veras esse et propitias et non
superfluas.   Ideo dixit blandimenta, id est ut sibi placeant ea que
dicuntur.

221, 20 DAMNANDUS Hoc nomen non est accusatoris sed iudicis, atque
ideo si accusator dixerit, 'Damnandus es,' respondebit, 'Non sum
25   damnandus.'   Si autem iudex dixerit, non respondebit reus quia non
audet, atque ideo sola qualitas in hac contentione consideratur, id est
utrum iuste an iniuste damnandus sit.

222, 4 IN ARBITRIO IUDICIS id est ut damnandus sit vel damnandus non
sit.

30   **222, 5** FACTI NOMEN id est homicidium.   NON IPSUM CRIMEN id est
'Occidisti.'

222, 6 LEX ULLA VEL SCRIPTURA id est cyrographum.   Nam quid prodest
de lege tractare vel contendere, dum non sit factum assumptum vel non
assumptum?

                                                        1 coniactura   4
quado *corr.*   6 sequentitibus   8 iuciali   10 //// autem   12 qđ //   17 iudicax   20 proficuas
23 accusatores *corr.*   24 est   25 dannandus   27 urum *corr.* | inisiuste

222, 10 PUGNA DE LEGE Sunt enim leges sibimet ipsis contrariae. Quaedam enim lex vetat peregrinum murum ascendere; alia lex dicit
quicumque praesidium praestiterit civitati, praecium quod petat, debet
accipere. Quidam peregrinus ascendit murum, liberavit civitatem.
Ecce una lex eum damnat, altera liberat! 5

222, 14 IURIS id est legis. SED VERITATIS id est facti.

222, 15 FALSI id est quia de lege accusabant et non de facto, et ideo falsi
dicuntur qui talia agunt.

222, 19 NUMQUAM IN PRINCIPALI quia principalem locum, hoc est
principalem questionem nunquam legalis status obtinet, sed aut coniec- 10
turalis aut diffinitivus aut qualitativus status principalem obtinet locum.

223, 6 IUS FACTI id est rationem.

223, 19 NON FACIET CONIECTURAM quia proprie non dicitur coniectura
nisi de facto.

223, 21 REPUDIATA id est reiecta. 15

224, 3 CONIECTURA non fit nisi in negatione facti.

224, 4 FINIS id est diffinitio non fit in negatione facti, sed in negatione
nominis facti.

224, 6 ALIUD NOMEN id est 'Hominem occidi, non homicidium feci.'
Ideo dixit ALIUD NOMEN quia cum factum confessum fuerit, potest 20
negari illud nomen facti ut 'Homicidium non feci.'

224, 12 AD DEORUM ac si dixisset: Qui sacrilegium facit contra deos
peccat; qui furtum vero, contra homines.

224, 18 DE RE ut diximus de facto quod agitur in contradiccione. DE
ACTIONE id est de persona agentis illud factum. 25

224, 21 DISCEPTATUR disputatur.

[*fol. 85ᵛ*] **224, 23** AN ADMITTENDA SIT ACCIO ac si dixisset: Accio, id est
persona, non est dimittenda quia sine ea rectum iudicium non est
faciendum.

224, 24 IURIS AEQUITATE id est rationis aequitate. Ideo non erit pars 30
qualitatis accio, id est persona, sed species qualitatis.

224, 26 ALIAM AUTEM QUAM ERMAGORAS Haec qualitas quam Ermagoras

9 pincipalem 10
pincipalem | coniacturalis   13 coniacturam | coniactura   17 negationem (*alterum*) 19
// hominem   22 quia   24 contradicione *corr.*   27 admitenda   28 dimitenda

invenit a praedicta qualitate quae dividitur in rem et actionem segregavit
et translationem vel perscriptionem vocare voluit talem virtutem habet,
id est excludit aut causam aut actionem causae, id est personam causam
agentem. Non enim omnis causa ab oratoribus recipit actionem nec
5 venit in iuditiale genus nec in deliberativum nec in demonstrativum, id
est laudativum, sed penitus praescribitur ut nulla actio de ea agatur,
sicut persona meretricis et causa repellitur ab oratoribus.

225, 4 PRAETERITI IURIDICIALIS Iuridicialis de praeterita qualitate
disputat. Praecedit enim naturaliter qualitas iuridicialis quae in natura
10 constitit. Aliter enim de rebus sive bonis sive malis, id est sive virtutibus
sive vitiis, secundum naturam tractatur, aliter secundum leges ab hominibus dictas et constitutas vel secundum consuetudinem populi. Sed dum
de qualitate virtutis vel vitiis secundum naturam consideratur, iuridicialis
qualitas ab oratoribus dicitur; dum vero de eadem virtute seu vitio
15 secundum leges et consuetudines ratio est, negotialis qualitas dicitur.
Verbi gratia, virtus animi quae prudentia dicitur, aliter consideratur
secundum naturam quando diffinitur sic—prudentia est virtus quae
discernit a virtutibus vitia—aliter secundum legem et consuetudinem.
Dicitur enim peritia cuiusdam negotii vel officii extra naturam constituta
20 prudentia secundum legem et consuetudinem. Dum ergo diffinio
naturam prudentiae, iuridicialem qualitatem appello; dum vero secundum
usitatas leges et consuetudines prudentiam diffinio, negotialis qualitas
est.

225, 18 QUI PERTULIT qui passus est.

25 **225, 19** ORESTES Agamemnonis filius suam matrem Clytemnestram
interemit hac occasione quia suo consilio Agamemnon occisus est.

226, 1 ORATIUS IN SOROREM quia illa voluit concumbere cum illo.

226, 2 IN FACINUS in occisionem sororis.

226, 4 PERCELLITUR id est ab eo qui accusatur.

30 **226, 12** AUT IPSUM FACTUM ut legatus in questorem.

226, 14 AUT CAUSA ut Tiberius in Mancinum.

226, 17 SUBROGATUR opponitur.

226, 22 MAGNO id est praecio.

25 Cf. Cicero, *De inventione*, 1, 19; 1, 31.

3 excudit
corr.   7 meritricis   8 dei   19 negotia *corr.*   20 diffinitio   22 usitatatas   25 Clemestram
27 sorororem

226, 23 DECUMUS pro decimas frumenti. Nam legatus vendidit decimas frumenti quia in illa regione ad quam Verres profectus est, carum erat frumentum, et apud Romanos, vile. Propterea vendidit decimas et magnum praecium inde attulit.

227, 3 AB ANIMO hoc est a voluntate quia invitus fecit. 5

227, 11 DELITESCENTEM id est latitantem.

227, 14 CAETERAQUE ut ruinae lapidum.

227, 15 EXONERAT levigat.

227, 16 FLUMINIS INCREMENTIS Hoc enim casu evenit, nam dum voluit ad diem sacrum cum victimis ire, repente pluvia maxima cadente crevit 10 flumen.

227, 17 INSONTEM id est innocentem quantum ad interfectorem pertinet, quantum vero ad ducem, non erat innocens. Non iuberet enim eum [*fol. 86ʳ*] interfici si culpam non habuisset.

227, 20 NIHIL CAUSATIONIS id est nullam causam quaerit ad se defen- 15 dendum, sed tantum modo per praeces depraecatur veniam.

227, 22 CAETERAS QUAESTIONES ideo hoc dicit quia ordo mutatur. Fit enim depulsio in primo loco et intentio in secundo.

227, 23 INTERIUS id est in secunda voce. ADVERTANT id est animad- vertant qui didicerunt demonstrationem talium. SICUT FORMET id est 20 quo modo formet ingestio prime vocis caetaeras quaestiones.

228, 3 QUOD VOLET subauditur sit.

228, 5 NIHIL INTENDIT quia vir fortis putat nullum sibi resistere, quia lex iubet viro forti praemium quod volet sit vel fiat.

228, 6 CONTRADICTOR INTENDIT id est maritus cuius uxorem vir fortis 25 querit. Accusat enim virum fortem pro uxore sua quamvis in secundo loco surgat ubi depulsio solebat esse in prihoribus, et inde contendunt tamquam de facto aliquo vir fortis et maritus.

228, 9 ACCUSANTI In quibusdam libris AB ACCUSANTI legitur, id est a marito. 30

228, 11 MEMORAVI id est in illo loco superiori ubi dixit INCEDENTES VERO

31 Cf. 218, 12.

6 delitiscentem   9 enānī   14 culpamnnon   17 ordo *m. sec.*   25 contadictor *corr.*   27 inde ////

QUE DUM TRACTATUR CAUSA, DUM ARGUMENTA VEL SCRIPTA et reliqua.

228, 12 NON EADEM REGULA id est non ea regula, quia primi status prorumpunt in negotiali qualitate, id est ad confirmationem vel refutacionem primi status fiunt.

5 **228, 15** IN PRAEDICTA PARTE id est in negotiali qualitate. Non sic in legalibus sicut dicet in sequentibus.

228, 16 TO KPINOMENON id est iudiciale genus. Nunc incipit tractare quomodo tres rationales status et principales in tribus generibus inveniuntur, hoc est in iudiciali et in deliberativo et demonstrativo. Non
10 enim inveniuntur in is tribus eodem ordine, namque ille status naturalis in quo intentio primum locum, depulsio vero secundum, in iudiciali solum modo servatur. Ideo dicit IUDICATIONE PRAEBEBIT PARITER RATIONEM.

228, 21 ALIO LOCO id est non in primis duabus vocibus accusantis et depellentis. Ratio causae et materies iudicii queritur in fine et qualitate.
15 'Homicidium fecisti, homicidium non feci,' ecce status sed non est ibi materies iudicii sed in sequenti loco in quo aliud nomen facto inponitur. 'Occidi hominem sed homicidium non feci,' ibi diffinitur quid sit homicidium et est diffinitivus status. Dum autem addit, 'Depulsor, iure occidi,' qualitatem inducit de qua questio erat.

20 **228, 22** RATIONEM confirmationem.

229, 2 HIC ILLUD id est de hoc erit iudicium in iudiciali genere de fine et qualitate.

229, 3 POSSE VERSARI id est uti defensionem. Nam in qualitate et in fine omne genus iudicum invenitur, id est iudiciale deliberativum laudati-
25 vum vel demonstrativum, quia intentio et depulsio in qualitate inveniuntur. ESTIMATOR de secundo genere dicit.

229, 4 QUAMVIS CAUSA id est sive in quacumque causa sive in tribus generibus iudicum.

229, 10 ORATOR id est defensor.

30 **229, 12** RATIONALES proprie dicuntur iuridiciales.

230, 10 ARGUITUR Accusator sola verba legis considerat, reus virtutem, id est quia hostem deiecit.

231, 4 CULLEO Culleus dicitur pellis tauri in quam consutam mittitur reus vel rea. Hoc genus sic efficitur: taurina pellis depillata circa

---

3 a   9 demontrativo *corr.*   13 non *m. sec.*   18 finitivus   21 hica   29 id est
m. sec.   30 iuridicaales

ungulas consuitur [*fol. 86ᵛ*] et mittitur ibi solus reus et datur ei cultellus
et pulmentarium et postea ex omni parte concluditur ne aqua ibi possit
intrare et portatur quasi per unam leugam in mare cum vento et proicitur
postea in mare et de quacumque parte ventus sufflaverit cum vento
portatur.   5

231, 6 QUI SUASIT TYRANNO ac si dixisset: Qui suasit tyranno deponere
dominatum, id est ut non sit tyrannus, si praemium querit, quasi tyran-
nicida fuisset.

231, 16 MAGISTRATUS aut proprium nomen est aut dux illius officii, id
est magistratus.   10

231, 20 DISCUTITUR diffinitur.

231, 24 DECURSIS CONSTITUCIONIBUS Constitutio proprie dicitur coniectura, id est contentio de facto, et in iudiciali genere fit.   CONTROVERSIAS
id est altercationes de honestate vel necessitate; in deliberativo, de laude
vero vel vituperatione, in demonstrativo ergo in primo genere de facto   15
disputatur, in duobus aliis de incidentibus statibus disputatur maxime,
et in illis inveniuntur tres status, id est coniecturalis diffinitivus qualitativus, sicut in iudiciali quamvis de facto non sint controversiae.

232, 1 TRIA GENERA AUT IUDICUM AUT STATUUM QUALITATEM NEGOTIALEM
CONSISTERE id est quidam putant non esse aliam qualitatem in   20
deliberativo nisi negotialis qualitas quae extra naturam invenitur.
Negotialis enim ut praedixit de futuris disputat, sicut iuridicialis de
praeteritis.

232, 5 UT ALII QUOQUE STATUS id est quamvis maxime negotialis qualitas
in deliberativo genere invenitur, tamen ita ibi fit ut alii status huhic   25
generi, id est deliberativo, possent accidere, id est coniecturalis et
diffinitivus et qualitativus.

232, 6 IN TALIBUS id est in deliberativo et demonstrativo.

232, 8 IN CONFLICTIBUS Nam propriae dicitur conflictus ubi intentio et
depulsio inveniuntur, igitur non eadem regula in his duobus est et in   30
iudiciali sicut ille ostendet.

232, 9 VEL ORDINE SOLITO ac si dixisset: Potest eciam in his inveniri
solitus ordo sicut in iuditiali genere est, nam in his conflictio quaedam
est.   QUID INTENDAT id est de quo facto aut quis, id est quae persona,
intendit causam.   35

232, 11 IN ASTRUCTIONIBUS id est in rationibus artis rhethoricae. Necesse enim est ut persuasor diligatur, id est assumatur, vel desuasor. ACCUSATORIS PARTES ac si dixisset: Non sic sicut in prioribus, nam in prioribus accusatio praecedit, negatio subsequitur; hic vero accusatio
5   secundum locum tenet. Persuasor enim intendit honestatem rei vel necessitatem, desuasor vero accusat quod persuasor dicit esse honestum vel utile. Igitur persuasor locum defensionis habet, desuasor locum accusationis. Suasor vocatur qui suadet negotium, desuasor autem qui id ipsum negotium de quo contenditur accusat.

10 **232, 16** ABSOLUIT liberat.

232, 19 EXERCITU FUGIENTE id est exercitus imperatoris fugiebat ad muros.

232, 21 ACCUSARE id est exercitus imperatorem accusat. In aliis invenitur ACCUSARI, id est ab exercitu.

15 **233, 1** PERPESSURUM id est rem sustentaturum impetum exercitus.

233, 2 SI DICAT id est exercitus.

233, 5 DESUASOR id est exercitus.

233, 6 PERSCRIPTIO id est qualitas legis videtur accidere.

233, 10 PROHIBEAT ac si dixisset: Cavendum est desuasori ne dicat
20 sententiam quasi iudex et prohibeat persuasorem loqui quod pertinet ad iudicem.

233, 11 NE FACIAT PERSUADERE ac si dixisset: Officium persuasoris est accusare persuasoris causam, dicens inutilem [*fol. 87ʳ*] et inhonestam rem quam dicit persuasor utilem et honestam.

25 **233, 19** EST ERGO NOMEN MEDIUM id est privatio. Inter laudem et vituperationem, adversus quam intentionem auditoris videlicet qui locum adversantis habet ut suam intentionem inter persuasorem et desuasorem confirmet, duo conflictus sunt: unus apertus inter laudatorem et vituperatorem de laude vel vituperatione cuiusdam per-
30 sonae vel facti, alter vero subtilis et occultus qui de intentione iudicis agitur inter laudatorem et vituperatorem. Contendit enim laudator suspitionem, id est dubitationem, auferre ab animo auditoris; contendit vituperator auditorem detinere in eadem suspicione quae ad suam partem defendendam pertinet, atque ideo iudex inter utrosque ponitur.

---

1 astuctionibus *corr.*   8 adet *corr.*   15 sustaturum *corr.*   20 uidex | prohib // eat |
loqui //   23 et in *ante* et inhonestam *delevi* | et inhutilem *post* rem *delevi*

233, 26 LIBRATUS id est dubius vel perpensus.

234, 8 PERCENSENDA id est iudicanda vel numeranda.

234, 16 ANTIKATHΓOPIAN Κατηγορία cum aspirationem habet prae-
dicamentum significat; sine aspiratione, accusationem. Ἀντικατηγορία
contrariae accusatio.   5

234, 17 GENUS CAUSAE ac si dixisset: Incidens, causa quae dicitur de
facto aliquo, NON POTEST FACERE genus causae, id est ut sit in principali
loco; ideo UTER UTRI INSIDIAS COMPARARIT non est causa per se, sed
accidens cause.

234, 22 OMNES VERRINAE id est res repetundarum rerum, utrum res   10
Verri reddendae sunt quas perdidit propter decimas.

234, 23 ET DECIMIS TRIBUS quia tribus vicibus Verres vendidit decimas
frumenti Romanorum in Sicilia.

235, 1 DUCTUS Color et ductus eiusdem naturae sunt, nam et color sicut
et ductus quinquepartitus est.   In hoc tantum differunt, quia si in una   15
parte orationis, color vocatur; si per omnem orationem perseveraverit,
ductus dicitur.   Orationem appellat rationem causae ab initio usque ad
finem.   Si ergo eadem ratio, id est aeadem causa, sine mixtura rationis
alterius causae aut sine incidentibus de ipsa causa, disputatur ab initio
usque ad finem, ductus dicitur.   Si autem partim ipsa causa partim   20
ratio alterius causae vel incidentibus interpositi fuerunt, color dicitur,
vel si unus ductus fuerit vel duo ductus in disputatione causae et omnes
ductus non sint, color dicitur.

235, 7 ABDICAT id est negat.   Nam pater non ideo filium prohibet ut
non abeat amicos sed ut habeat.   Si pius pater est, aliud vult, aliud   25
sonat.

235, 10 VERECUNDIA ac si dixisset: Sic loquitur rhetor de verecundosa
causa et de obscena, id est de turpi, ut non ipsam causam propter vere-
cundiam dicat, sed in SIGNIFICATIONE ALIA ET INTEGUMENTIS, id est in
verbis aliis.   Nam sic rhetor de causa meretricis quae penitus ab iudicio   30
iudicum repudiata est loquitur dimisso nomine meretricis et causa.

235, 14 SUB ABOLITIONE id est sub vastatione patriae.   Fortiter hyronia
est.

235, 15 ARCISQUE id est Capitolii.

3 ANTIKATEΓOPIAM
ΚΑΤΗΓΟΡΙΕ   4 ANTIKATEΓOPIE   5 contraria *corr.*   7 pincipali   8 comparari   10
omnis | repentendarum   14 eidem   25 ali (*alterum*) *corr.*   27 retor *corr.*   30 retor *corr.* |
meritricis   31 meritricisque

235, 19 IN QUA INFAMIS id est maritus quia pater suus cum sua uxore concubuit, et ideo se suspendit.

236, 6 CAUSATIVUM LITIS dicitur quando lis, id est altercatio, de causa fit.

236, 11 INSIMULAT id est accusat.

5 **236, 16** ETHICA id est moralis, et hoc mos. APODICTICA id est doctrinalis vel demonstrativa; ἀποδεικνύω demonstro vel doceo.

236, 17 PATHETICA id est passiva; πάθος passio.

236, 19 EPILOGUS exaggeratio vel supersermo, id est quando reus confitetur suam culpam post magnam altercationem, supersermonem vel
10 exaggerationem multarum culparum [*fol. 87ᵛ*] quas etiam non fecerat ponit accusator super eum et negare non potest, confessa prima culpa. IN COMMOVENDO Quamvis enim commoti in caeteris partibus sint questionis, maxime tamen orator debet commovere animam iudicis sive in iram sive in misericordiam, iudicatione adpropinquante.

15 **236, 21** QUESTIONIBUS accusationibus.

236, 22 ASTRUCTIO id est doctrina.

237, 3 INARTIFICIALIA ut testes tormenta fama et multa alia.

237, 4 QUESTIONES sine diptongo, tormenta significant.

237, 7 TAM TOTUM id est argumentum a toto.

20 **237, 14** RELATIVAM INESSE RATIONEM Nam tredecim loca a quibus argumenta sumuntur relative fiunt, ideo non ex se nomen accipiunt ut ipse dicit.

238, 11 QUE NON TANTUM NUMERO ac si dixisset: Genus non solum in formis suis differt numero, sed etiam in specie. Leones enim et homines
25 non solum numero differunt, sed etiam in forma.

238, 28 A PARTE AD PARTEM Principale argumentum dicitur a parte ad partem quoniam in ipso negotio intelligitur.

239, 9 A MINORE VERO AD MAIUS vel A MAIORE AD MINUS inter attingentia computatur, atque ideo in hoc exemplo plus valet argumentum a parte
30 ad partem quam a minore ad maius, quia maius et minus in uno negotio non sunt, sed extrinsecus circa negotium intelliguntur.

239, 20 NOTA id est argumentum a nomine.

240, 1 AFFICIT affligit.

240, 6 COMMUTATI id est nominis. Commutatur enim nomen et tempus in sequenti exemplo, nam PIETAS et PIE ibi est, VIRTUS est praesens, FACTUM est futurum.

240, 9 A SUPERIORE id est a nota. 5

240, 19 IN ILLO id est in toto, id est in propria individuaque substantia, quod in genere totum est, ut Cicero in homine; si perierit pars totius, verbi gratia, Ciceronis, non erit totus Cicero. Genus vero manebit etiam si partes eius, id est formae eius, separentur.

240, 25 EST QUEDAM LEX id est quando dicitur quedam lex intelligitur 10 quia lex generalis est. ACTUM ENIM GENUS EST Actum genus legis est. Actio enim erat de generali lege. Quaesitum erat utrum esset lex generalis quod probatur a spetie, id est LEGE LATA et reliqua.

241, 1 A SIMILIBUS ideo hoc dicit quia diverse sunt personae quamvis eadem lex sit. 15

241, 3 UT ELENA id est sicut Helena fuit causa excidii Troiae, sic et tu.

241, 8 DIVERSAS id est diversae res sunt factum et consilium.

241, 12 QUAE EX QUIBUS ac si dixisset: Sicuti mors contrarium est vitae, sic illa quae sunt ex quibus nascitur vita et mors. Si enim vita et mors contrariae sunt, similiter ea ex quibus fiunt, ut sanitas causa vitae, 20 infirmitas causa mortis, que sibi invicem contrarie sunt.

241, 14 OBIURGES increpes.

241, 16 FUSTUARIUM Fustuarius dicitur qui cum fuste ceditur.

242, 3 TENUIS id est pauper.

243, 6 AMBITUS id est lege ambitionis, id est circumventionis. 25

243, 12 MENE FUGIS ac si dixisset: Ego sum causa tue fugae.

244, 13 PARVAE CONSUETUDINES ac si dixisset: Quamvis ille fuit per parvum spatium in suo servitio, fabulariter tamen mortem suam plorat.

244, 17 IMPROBIS CONTIONIBUS id est malis rationibus.

245, 2 AB ORATORE id est ex natura artis. 30

245, 6 TESTAMENTUM id est inter eredem et patrem.

245, 7 CAETERAQUE ut sortes.

10 quado   17 diersae *corr.*   31 patem *corr.*

245, 15 EX TORMENTIS Tormentum est qualicumque poena reus torquitur.

245, 17 QUAE OMNIA id est inartificialia quae attingunt negotium.

245, 20 NAM NEC [*fol. 88ʳ*] CAUSA id est causa dicentis et persona rei et persona ipsius scripturae secum aut qualitas cum causa non possunt
5   simul esse in una coniectura. Necesse est enim ut praecedat persona, inde fit contentio, et postea causa illius facti, postquam factum negatum vel confessum fuerit, et postea persona scripturae, id est legis, id est que persona fecit legem, et inde qualitas cum causa.

246, 19 QUAMQUAM pro quippe.

10   **246, 20** DICENDI FORMA Forma dicendi est ductus et color.

246, 21 QUO LOCO id est in parte argumentationis.
    PATETICA FACULTAS multum valet in communibus, id est in civilibus, questionibus.

247, 1 MEA PRIMORDIA In primordiis apud veteres nihil aliud agebatur
15   nisi ut docilis et benevolus esset iudex. Non autem movebatur animus eius aut in iram aut in misericordiam. Moderni autem rhetores per motionem animi iudicibus addiderunt.

247, 5 AFFECTIBUS id est modis.

247, 17 IACTARI id est devulgari. Devulgabat Verres per populum se
20   corrupisse iudices, hoc est seduxisse muneribus.

247, 19 INFICIT movet.

248, 5 PROPRIIS PERICULIS id est Romanorum tantum. COMMUNIBUS id est totius orbis.

248, 9 UNO INCENDIO ac si dixisset: Imminet periculum totius orbis et
25   incendium subitaneum, si Catilina evaserit.

248, 11 POLLICETUR id est promittit Tullius fidem Milonis, Pompeio iudici.

248, 12 OBSTRICTUM id est iuge.

248, 19 EXTRA CAUSAM id est extra artem.

30   **249, 4** COMPARATUR adquiritur.

250, 6 QUORUM UNUM id est fundamenta.

---

2 inartificialia   3 id (*alterum*) *delevi*   4 ausa   5 coniactura   15 benivolus   16 retores *corr.*   19 iacturi | polum *corr.*   20 corruppisse   25 Catelina

250, 12 HUIUS REI id est elocutionis.

250, 19 EXOLEVIT id est decrevit.

250, 20 ALUCINARI illuminari.

250, 21 CERRITUM id est hispidum. CAPERRATUM id est caprinum.

250, 24 GURGULIONIBUS id est arteriis.   5

251, 2 AUCUPIO id est obtentu.

251, 13 PARAGOGA Ago duco, inde paragogo deduco.

251, 15 CRISPA id est frequentativa.

252, 16 E NAVI id est Roma. ARCHIPYRATA princeps pyratarum. Pyrate autem dicuntur predones qui igne aliorum naves incendunt. 10
Πῦρ enim dicitur ignis.

252, 17 IMPURISSIMORUM id est spurcissimorum. PLENISSIMIS VELIS per prosperitatem ventorum.

252, 20 NEBECULAM id est supercilium.

253, 14 HIULCAS id est apertas.   15

253, 15 POLISIGMA id est multum sigma habens.

254, 3 LABDACISMUS id est scissio orationis per l litteram, sic in ceteris.

254, 6 IUNIO id est in mense Iunio. IRASCITUR id est laetatur. Iuno enim laetatur, id est aer quo fiunt omnes humores per quos vestitur terra diversis ornamentis. Hoc fit maxime in Iunio mense, nam tunc nec in- 20
cipiunt decrescere sed finem habent tunc crescendi.

254, 8 OMOEOPROFORON id est simul prolocutio.

254, 11 DISPROFORON id est bis prolatum.

255, 3 FUNDATUR id est terminetur.

255, 9 MUTILUM id est turpem.   25

255, 13 PETULANTIAM id est levitatem.

255, 20 CACOFATON id est mala enuntiatio.

---

10 Cf. Isidorus, *Etym.*, x, 220.

3 allucinaria   4 kerricum | capirrarum   6 occupio   9 princes *corr.*   10 quugne *corr.*   16 polisicmia | sicma   17 laudacismus | scisscio   22 omoeproferon   23 disproferon   25 trpem *corr.*   27 caconfaton

255, 22 ARRIGE asininum verbum est.

256, 2 FRENUM id est asperum. Inter frenum et asperum hoc interest, asperum inter penultimum et ultimum verbum tantum, frenum vero in magna parte orationis.

5 **256, 20** DEUTERIAMBUM id est secundum iambum, id est duos iambos habens.

257, 6 PENDENTE SENSU id est in commatibus non in fine periodi.

257, 15 COLA id est membra.

258, 20 NOVISSIMI MOLOSSI Omnis trisyllabus pes in fine positus molossus
10 dicitur.

259, 2 TERTIE MOLOSSI Molossus enim est numero temporum quamvis non sit numero syllabarum.

259, 13 NOVUM CRIMEN Crimen pro virtute posuit.

260, 6 ΕΡΩΤΗΜΑ [*fol. 88ᵛ*] Ἐρῶ interrogo, θῆμα additamentum.

15 **260, 8** ACERVAMUS exasperamus.

260, 15 DEFORMATIO valde deformatio.

260, 20 CONTRARIA id est apposita.

261, 14 ΕΙΠΟΜΕΝΗΝ ΛΕΞΙΝ id est manantem dictionem. Caret enim colis et commatibus et periodis et nullum reditum habet sed in infinitum
20 vadit et ideo familiaris et similis est narrationis. Inter historiam et narrationem hoc interest, quod historia est rerum gestarum antiquo tempore commemoratio, narratio autem non solum de preteritis sed etiam de praesentibus et de futuris conficitur.

263, 3 PERIODON id est ambitum. VERUM SUPERIOR quia de periodo sermo
25 fuit prius. OPTIMA IGITUR Hoc dicit quod vera et bona oratio sit quae ex duobus generibus elocutionis componitur, ex periodico quidem genere et continua elocutione, saepe cola sine ambitu, id est periodo.

263, 18 PARIBUS VOCIBUS ut habebas et egebas. PARIA PARIBUS in pace et reliqua. Quot enim partes sunt in primo membro, tot in secundo.

30 **264, 5** IMPUGNANTIBUS VERBIS sicut in prima forma fit SED PARIBUS et non repugnantibus UT SI DICAS classe et reliqua.

1 asinum *corr.*   5 deoteriambum   7 commanibus *corr.*   8 menbra   9 molosi |
molosus   11 molosi | molosus | quavis   14 herathema | ero | thema | additamenta *corr.*   16
dematio *corr.*   17 aposita   18 epimonelexi | manente | karet   26 compontur

264, 11 IN QUOVIS LOCO id est interpones aliquod verbum vel nomen ut non sint paria loca. Nam si in superiori figura addas aliquod nomen, verbi gratia, exercitum pulcherrimum elegantissimum et fortissimum elegit, efficitur parison.

265, 2 SED TAMEN AD ILLAM DIEM MEMMIUS et ad illam causam male faciendam Memmius et reliqua quibus potest Memmius iungi ab una parte orationis, ut QUIS LEGEM TULIT? et IN UNAM DESINIT UT RULLUS. QUIS enim praecedit et RULLUS subsequitur.

267, 13 DIEZEUGMENON In quibusdam libris invenitur ZEUGMENON tantum. Si sic fuerit, OCTUPLO DAMNARI AMFRONIUM DIE, octuplo die, id est octo vicibus, damnari Amfronium cupio in uno die.

269, 8 DETINEAS nuptiarum subaudis imagines. VELATAM NUBENTEM Quidam dicunt ut proprium nomen sit Velata homicidae, alii dicunt Velatam proprium nomen feminae quae nupsit flammeo marito suo, alii dicunt Velatam nonnam. GLADIUM id est Ulixis qui Aiacem interfecit.

269, 21 MATURIUS cicius.

270, 6 INCALESCAT id est ut ardeat.

271, 12 ORTENSI non ut Ortensius fecisset, sed ut videbatur facere.

271, 14 ACTORES In quibusdam libris invenitur ACTONES id est histriones. SCENA theatrum.

272, 18 INPOTENTES valde potentes aut IMPOTENTES id est nullam potentiam habentes et ideo invidiam habent cum potentibus iudicibus sive cum aliis potentioribus se invident.

272, 22 CIRCUMSCRIBIMUS circumvenimus.

273, 10 SUBIECTIONE id est mutatione.

273, 11 PERSONAM patroni. Si libertus, id est homo non naturaliter liber, aut cliens, id est inferior amicus, personam patroni agat, eius persona non est consideranda, sed ipsius patroni cuius vicem tenet.

274, 1 IN ARBOREM id est laurum. Inter historiam et negotialem assertionem talis differentia est, quod historia sit res antiquo tempore gesta et memoriae tradita, similiter et fabula ab antiquis poetis ficta; negotialis autem assertio, res in praesenti tempori gestas sive res similes veri.

---

3 pulcherrimus | elegantissimus *corr.*   9 diezeumenonus | zeumenon   14 falflammeo   19 striones   21 inponentes | imponen impoten *m. sec.*   27 personam (*alterum*)   28 icsius *corr.*

274, 10 AFFECTATAE aliunde assumptae.

[*fol. 89ᵛ*] **274, 19** ΠΡΟΔΙΗΓΗΣΙΝ id est praenarrationem quae primo loco ponitur. ΥΠΟΔΙΗΓΗΣΙΝ subnarrationem quae secundum obtinet locum. ΠΑΡΑΔΙΗΓΗΣΙΝ adnarrationem quae aliunde assumitur ad confirmandam
5 primam seu secundam causam.

274, 20 ΑΝΑΔΙΗΓΗΣΙΝ renarrationem, hoc est recapitulationem narrationis. ΚΑΤΑΔΙΗΓΗΣΙΝ pernarrationem quae omnia compraehendit et omnino perfecta, ac per hoc possumus dicere pernarrationem, id est perfectam comparationem.

10 **275, 18** SIMPLEX EST quia de causa meretricis agitur ad quam causam alia causa accidere non potest, quia non invenitur turpior.

276, 7 ARMA ENIM DOMI HABES non illius tyranni sed qualiacumque arma. Ex hoc apparet quia nullus proprie arma habebat nisi quae de armamentario tempore belli accipiebat unusquisque.

15 **276, 19** DE PRIVATIS id est de propriis rebus.

277, 2 PERORABO terminabo, cum epilogum fatiam.

277, 6 DERIVATA id est divisa.

277, 13 NON DESERUERIT id est non dereliquit quia non abuit.

277, 17 FUNDUS ager dicitur proprie.

20 **278, 6** NON EFFITIANTUR id est non negant.

279, 3 APOLOGOS id est proverbium.

279, 7 PER ABITIONEM id est per habitum.

279, 11 ΑΠΟ ΤΗΣ ΣΥΖΥΓΙΑΣ male scribunt qui per n scribunt.

279, 16 ΑΠΟ ΠΤΩΣΕΩΝ id est a casibus ΚΑΙ ΣΥΝΘΕΤΩΝ id est et
25 coniunctionibus.

280, 1 CURULIS SELLA dicta a curru. Ideo autem dicitur curulis sella quia in ea sedebat magistratus in curru et cum descendebat de curru, in sella portabatur ad praetorium.

278, 16 ANTE REM quia initio uniuscuiusque facti septem periochae, id
30 est septem circumstantiae, ante quam illud factum sit diffinitum. Septem

1 assupte
2 ΠΡΩΔΙΗΓΗCΙΝ   3 ΥΠΩΔΙΗΓΗCΙΝ   4 ΠΑΡΑΔΙΗΓΙΝ | asmitur   6 recatulationem *corr.*
10 meritricis   17 diriuata   18 buit *corr.*   23 apotissefugies   24 ΑΠΟΤΟΤΠΖΟΞΕΩΣ |
ΞΙΝΤΗΤΩΝ et ΩΝ   25 coniuntionibus   26 currulis *bis*   27 curu | in sella (*alterum*) *delevi*
28 pretorium *corr.* | *post* praetorium causam alia—turpior *iter. ex suprascr. ad* 275,18

autem circumstantiae sunt: quis quid quare quando ubi quomodo quo secutus est.

278, 18 A TOTO ut 'Si totum corpus tuendum est et providendum, quanto magis oculus'; A PARTE 'Si oculus providendus est, quanto magis totus homo.'

278, 19 A GENERE 'Si animal dicitur corpus anima participans, nomen animal igitur est homo quia sic potest diffiniri: homo est animal, et cetera.' A SPETIE 'Si homo dicitur animal, corpus anima participans nomen similiter animalis, omnes species ita diffiniuntur.' A DIFFERENTIA 'Si homo quia bipes est differt a leone, ita leo differt ab homine quia quadrupes est.'

278, 20 A MAIORE AD MINUS ut prius dixit QUENDAM DEPRAEHENSUM NOCTE et reliqua. A MINORE AD MAIUS 'Si digitus tuetur, quanto magis totum corpus.' A PROPRIO 'Si homo risibilis est, igitur et Cicero.' A DIFFINITIONE 'Si homo animal rationale, sic et Cicero.' A NOMINE ut 'Si consul est qui consulit.'

278, 22 A MULTIPLICI APPELLATIONE ut sunt aequivoca. AB INITIO ut 'Si bonus fuit aut malus in initio, quomodo [*fol. 89ᵛ*] aliter potest esse?'

281, 3 ΠΡΟΗΓΟΥΜΕΝΗ id est praecedens questio.

281, 4 A NOBIS id est accusantibus nobis.

281, 6 ΕΝΑΝΤΙΑ contraria questio.

281, 10 Ἐννοίας scemata, ΔΙΑΝΟΙΑΣ scemata virtutum.

282, 16 ΕΝ ΥΠΟΦΟΡΑ id est in epilogo.

283, 2 ΑΝΘΥΠΟΦΟΡΑ contraria epilogo.

283, 4 ΑΝΑΚΕΦΑΛΑΙΩΣΙΣ id est recapitulatio.

283, 8 NON PARTES PARTIUM id est non questiones questionum, id est non incidentes.

283, 10 ΕΠΙΜΕΡΙΣΜΟΣ id est superparticularis.

283, 14 ΔΕΙΝΩΣΙΣ indignatio.

12 Cf. 231, 14.

corr.   4 oculos   6 agere   7 est (*alterum*) *m. sec.*   1 // // sunt   3 prouidendum   10 pes   13 minere *corr.* | tue//tur   18 Ἀπὸ τὸ—ad praetorium *post* esse *iter. ex suprascr.*, 279, 16 *delevi*   19 ΠΡΟΕΙΜΙΝΟC   20 acusantibus   21 ΑΝΑΝΤΕΑ   22 ΕΑΝΟGΙΕS | ΔΕΑΝΟGΙΕS   23 ΕΝΙΠΟΦΟΡΑ   24 ΑΝΤΙΠΟΦΟΡΑ   25 ΑΝΑΚΕΦΑΛΕΟCΙC   26 par partes *m. sec.*   28 ΕΠΙΜΕΡΙCΜΩC   29 ΔΙΝΟCΙC

284, 9 TANDEM LOQUACIS Metrum iambicum senarium quod Cillenius composuit. LOQUACIS Rhethoricae.

284, 11 VIX UMBILICUM ac si dixisset: Vix pervenit ad medietatem artis. Umbilicus enim dicitur in hoc loco mediaetas libri, quae medietas cum minio notatur. OPERTUM id est obscurum. MULTA FASCIA magna obscuritate.

284, 12 TURGORE inflatione. INSUIT composuit.

284, 13 QUI umbilicus.

284, 16 SANNA querela vel derisione. TYFI NARIS id est superbae naris.

284, 17 HORRUISSE densasse vel arripuisse.

284, 18 LOCUS FORMIDINIS id est ubi dii terrestres sunt.

285, 1 CLANGORE VERSO a diis ad Philologiam.

285, 2 SACRUM id est sacrorum. NEGOSOR negotiator, velut in aliis NECOSOS. Osor dicitur Silvanus qui Rhethoricam odio abuit.

FINIT DE RHETHORICA

---

3 umlibicum   4 meditas   5 fascie   8 verbilicus   9 dirisione | tufi   12 ad *ante* diis

[*fol.* 90ʳ] INCIPIUNT HAEC PAUCA IN MARTIANI GEOMETRIAM

Geometria dicitur apud Latinos sicut et apud Grecos quia simplex unum nomen interpretationis eius non invenitur. Geometria enim dicitur terrae mensura ab eo quod est γῆς terra et μέτρον mensura.

285, 6 VIRGO ARMATA Armata dicitur Pallas, id est sapientia, quia pugnat 5 contra stultitiam.

285, 11 SACER NUS id est sanctus animus.

285, 12 ULTRA TERGA Nihil enim finit mundum nisi sapientia.

285, 13 CELSIOR IOVE quia Iovem mundum philosophi vocant.

285, 14 ΕΠΤΑΣ IN NUMERIS Septenarius numerus tribuitur Palladi multis 10 modis: primo modo quia omnes numeri qui sunt intra denarium numerum aut generant aut generantur, septenarius vero nec generat nec generatur, quia per nullius numeri duplicationem generatur nec generat aliquem numerum infra denarium per duplicationem. Verbi gratia, duo duplicati pariunt IIII, tria nullo duplicata nascuntur, ipsa duplicata pariunt 15 senarium; quattuor numerus et parit et paritur, paritur autem ab his duobus, parit autem duplicatus octonarium; quinque numerus a nullo nascitur bis supputato, ipse bis supputatus parit decem. Item sex numerus nascitur quidem ex duplicata triade, parit autem infra decimum limitem neminem; octavus nascitur ex bis supputatis quattuor, ipse 20 neminem parit; nonus nascitur ex ter tribus, ipse neminem parit. Decimus nascitur ex duplicato numero, ipse porro neminem parit. Atque omnibus partim nascentibus, partim parientibus, partim et nascentibus et parientibus, solus septenarius numerus neque ex duplicatione alterius nascitur nec infra decimum limitem parit quenquam, propterea Minervae 25 datur. Minerva dicitur quasi Μινέρυα; μίν non, ἔρυα mortalis, igitur Minerva inmortalis dicitur. Alio modo septenarius tribuitur Minervae quia multa eorum quae naturae lege proveniunt iuxta hunc numerum fieri notantur. Principio septimani partus ante caeteros legitimi sunt in generis humani fetibus, id est qui fiunt in septimo mense, deinde 30 quod post partus septimo mense dentes aguntur, septimo deinceps anno mutantur. Post idem septimus annus affert utrique sexui gignendique et pariendi maturitatem; inde septimo anno ostendit se flos et

---

3 Cf. Isidorus, *Etym.*, III, 10, 3.
10 sqq. Cf. Macrobius, *Comment. in Somn. Scip.*, I, 6, 11–83.
29 sqq. Cf. Chalcidius, *Comment. in Timaeum*, XXXVII.

4 ΜΕΤΡΩΝ   10 eptas | multos *corr.*   12 geratur   16 pariter (*primum*) *corr.*   17 duplicata
18 suputato   24 paentibus   26 MINEPTA | MIN | EPTA *sic!*   32 utriqe

132   *Annotationes in Marcianum*

lanugo circa genas. Item inde septimo finiuntur more mentis staturae;
[*fol. 90ᵛ*] item inde septimo iuvenilis aetas affert perfectionem, sic semper
per septenarium numerum usque in decrepitum vadit. Iterum septem
meatus sunt in capite, oculorum aurium narium atque oris. Vitalia
5 quoque membra sunt septem: lingua pulmo cor lien epar duo renes.
Numerus quoque vocalium litterarum Grecarum septenarius est, id est
quinque vocales antiquae et η producta et ω producta. Luna quoque
crescentis et senescentis septem formas habet, siquidem de obscura
crescente luminis sit bicornis, dehinc sectilis, dehinc dimidiato maior,
10 dehinc plena; sic in decrescendo maior dimidiato, sectilis, bicornis.
Septem quoque planete sunt in mundo. Musica item caelestis septem
spatia habet et septem tonos. Item septenarius intra se continet totam
rationabilem creaturam, id est hominem. Habet enim septenarius intra
se ternarium et quaternarium. Per quaternarium corpoream creaturam
15 intelligimus quae constat ex quattuor elementis; per ternarium intelligimus rationabilem animam. Habet enim anima rationabilis esse velle
scire. De septenario numero multa possum dicere cur datur Palladi.
ΕΠΤΑΣ IN NUMERIS id est inter illos numeros qui in principio versu, id est
denario, septenarius solus et singularis est quia nec gignitur.
20   PRIOR IGNI illa stella quae a Grecis dicitur Φωσφόρος, id est sedes
lucis, a Latinis Lucifer vel Vesper nominatur, Palladi attribuitur plus
quam Veneri, et enim prae claritate sui luminis sapientiae distribuitur.
Qui autem carnaliter naturas rerum cogitant Veneri attribuunt propter
splendoris decorem. PRIOR IGNI id est sole. Quando enim ordo plane-
25 tarum sive sursum versus sive deorsum, prius per Venerem ad Palladem,
hoc est ad Luciferum. Est enim Lucifer iuxta solem. Sive enim dixeris
luna Mercurius, Venus prior invenitur antequam ad solem perveniatur,
sive sic dixeris, sol Venus Mercurius luna, prior est Venus quam Mercurius; PRIOR IGNI propinquior est enim terris Venus quam sol. TERTIA
30 LUNA Tertio enim loco post lunam est interposito Mercurio.

285, 15 QUAM pro quantum. FIRMANT id est pingunt. AGALMATA id est
imagines; idolum et agalma unum est, hoc est simulacrum vel imago;
idolum ab eo quod est εἶδος, id est forma vel species. Agalma vero
dicitur ab eo quod omnes aspicientes laetari facit; ἀγαλλιάω letor vel
35 exsulto dicitur.

---

32 Cf. Isidorus, *Etym.*, VIII, 11, 13.

1 menti   2 aetates   7 antiquas   9 demediato
10 demediato   14 quaterrium (*primum*) *corr.*   16 rationis   17 septerio   18 Eptas
19 singulis *corr.*   20 ΦΟCΦΟΡΩC   23 vene   25 vem verm *m. sec.*   30 enim *m. sec.*   32 idal-
ma   33 idalma | ΙΔΕC   34 laeta *corr.* | ΑΓΑΛΗΤΖΟ   35 exulto

285, 16 TERGEMINAE CRISTAE Duces enim belli [*fol. 91ʳ*] tres cristas in galea habebant, caeteri autem militaes unam.

285, 18 TIBI id est a te. TRIANGULUS IGNIS Triangulus dicitur ignis sol quia tres motus per singulos annos habet; aut enim in augmentum luminis surgit aut in decrementum descendit aut luminis tenebrarum aequalia 5 facit spatia. In uno angulo facit aequinoctium, in altero solstitium aestivum, in tertio solstitium brumale.

286, 3 LYMPHASEUM dicitur aut a limbo in quo capita deorum pinguntur quia omnium deorum virtus Palladi ascribitur, aut ab eo quod est νύμφας quod dicitur apud Latinos limfa, id est unda, quia sicut ambit oceanus 10 terram ita creditur ambire sapientia omnem creaturam.

286, 6 VOLUCRE noctuam dicit sicut enim NOCTIVIDA videt in tenebris, sic sapientia intelligit ignorantiam, nam sapientia lucet in tenebris, sicuti oculi illius avis in nocte lucent. Noctua dicitur nicticora, id est a nocte et κόρη; κόρη enim pupilla dicitur, inde nicticora dicitur quasi pupilla 15 noctis. Errant enim qui nocticorax dicunt.

GLAUCAM γλαυκόν apud Grecos, caecum apud Latinos per antifrasin ergo dicitur.

286, 8 NOCTIVIDA glauca, id est caeca, eo non sit caeca, nocte enim videt.

286, 7 FLOS id est lux. GLAUCOPIS vocatur Athena propter sapientiam 20 sapientum quae in tenebris ignorantiae lucet in cordibus discentium ut expellat tenebras.

CLIUS Ops cultrix vel Clius Ops †cultas† depraecationibus noctivide Athenae. In honore enim Palladis Athenae constructe sunt et de nomine ipsius cognominatae. Athena enim a Grecis vocatur Πάλλας, id est 25 inmortalis, 'Αθηνᾶ quasi ἀθάνατος, hoc est sine θάνατος, id est sine morte; non enim moritur sapientia.

286, 9 INSOMNES id est vigiles.

286, 10 SAXIFICAM de omnibus saxa fatientem. TERRERET Terret enim sapientia stultos atque stupefactos eos facit. Medusa ponitur in figura 30 stultitiae, ideo Minerva dicitur eam interfecisse quoniam vero stulti prudentiam sapientum audientes stupefacti fiunt, ideo finguntur veluti in saxa moveri. Gorgones quasi γεωργοῦντες, id est terrae cultrices.

33 Cf. Fulgentius, *Mit.*, 1, 21 (Helm, 32).

4 aumentum *corr.* 8 lim-
fasium lymphasium *m. sec. in mg.* 10 limfas 13 sic—tenebris *m. sec. in mg.* | intellegit *corr.*
15 core *bis* | niticora 17 glaucon 19 notivida 20 fos *corr.* | glaucops 23 Obs *bis* 25
Pallas 26 Athene | ΑΤΑΝΑΘΕ | ΘΑΝΕ 29 Terreret *l. deest Dick.* 30 Mediisa 33 gorgonis |
georgones

286, 11 QUOD pro quia.

286, 13 URBES id est quam urbes.

286, 14 SINE MATRIS FOEDERE Ideo dicitur Pallas nasci de vertice Iovis sine matre, quia sapientia extra omnia est atque ideo matrem habere non
5 potuit.

286, 15 CURIA id est plebs. MATRUM id est mulierum ac si dixisset: Hoc consilium, id est hoc factum, ut aliquid nascatur sine matre, nescit plebs matrem quamvis provida sit.

286, 16 VIRAGO id est viriliter agens.

10 **286, 17** FONTIGENARUM id est Musarum. Fontigenae enim dicuntur [*fol. 91ᵛ*] Musae eo quod in undis prius musica artificialis inventa est, nam μοῦσα dicitur aqua.

286, 18 SOLA NOVEM sola enim Pallas, unica mens est implens novem Musas; ipsa enim inspirat omnem musicam.

15 **286, 19** DEPRAECOR Istos duos versus prius debes construere et postea a capite inchoare. LABERE descende.

286, 22 FULCITA placata.

287, 1 PARENT obediunt.

287, 2 ELECTISSIMAE id est Philologiae.

20 **287, 3** HYALINI id est vitrei.

287, 5 PROCEDUNT id est Geometria et Paedia sua germana, id est Astrologia.

287, 6 NON ADVERTO id est ego Martianus.

287, 7 LEPIDULA facundula.

25 **287, 9** PLURIMUM id est multum, et est adverbium.

287, 10 AFFATIM id est sufficienter.

287, 11 SPONSI Cyllenii qui semper luctatur cum sole ac si dixisset: Tantum perdidisti de oleo quantum poterat corpus Mercurii ungui oleo qui semper luctatur cum sole et cui opus est semper unguentum.

30 **287, 12** LINI ac si dixisset: Linum etiam et caeram perdidisti devorante Mulcifero, id est Vulcano qui mulcet ferrum; Vulcanus enim dicitur ignis

---

4 matem *corr.*   6 ples   11 artificia   12 MΩΤΟΕ   17 fulcida   21 Geometrie et pedie   27 cullimi   29 oleoqi | unguntum *corr.*

quasi mulcens ferrum, quia nescis istas duas feminas et quid gestitant. CASSUM in vanum, inutiliter.

287, 14 DUDUM id est quando Iovis concessit hominibus nosse consilium deorum et scripturas, per philosophiam devulgavit.

287, 16 PROCUM pro procerum, id est petentium Philologiam. Mercurius 5
enim et Apollo proceri Philologiae sunt.

287, 17 AFFATUM id est consilium. In quibusdam libris AFFATU id est a consilio.

287, 16 CONSORTIA nuptias.

287, 18 MEDIMNUM ARCHADICUM id est artem poeticam quia Medimnus 10
fuit summus poeta in Archadia.

287, 20 RABULATIONIS id est elocutionis rhethoricae ac si aperte diceret: Ex quo studium poematis atque rethoricae rabulationi intendisti, perdidisti melioris industriae artem, hoc est philosophiam, nec non etiam intelligis. 15

287, 21 OBTUDIT repercussit.

288, 1 PEDIA disciplina, id est Astrologia.

288, 2 CROESIAS Croesus rex ditissimus Asie fuit, similiter Darius.

288, 8 MARCUM TERENTIUM Varronem dicit. PAUCOSQUE ROMULEOS hoc est Gracchos et Marcum Tullium Ciceronem. 20

288, 11 FASTUOSA pomposa CENSURA aestimatio superba divitiarum. MERCURIALIS id est Philologiae ac si dixisset: Geometria et Pedia officio Philologiae praeparantur.

288, 16 ARRADUNTUR pinguntur. AMFRACTUS id est flexus.

288, 18 ADUMBRARE adimaginare. 25

288, 20 APELLEN POLYCLYTUMQUE duos geometricos dicunt.

289, 8 MURICE purpura. VIDEBATUR ipsa femina [*fol. 92ʳ*] in caelum perveniens, nam umbra terrae non pervenit in celum.

289, 9 SALO liquore maris.

289, 11 RELIQUA id est per reliqua. ILLITUM id est pictum. 30
VERSIS ordinibus.

1 qid   2 mutiliter

5 procoro procorū *m. sec.*   6 proci   11 sumus   12 dicaret *corr.*   16 obculit obtulit *m. sec.*
26 geomeotricos   27 porpura | aelum *corr.*   29 li////quore

289, 14 CREPIDAS caltiamenta.

289, 18 INSTANTER studiose.

289, 19 RENUDATI monstrati.

289, 20 LAQUEATA picta. CAMARE Camara dicitur proprie meridialis
5 punctus; transfertur autem ad culmina aliarum rerum.

289, 23 CRINIS Per crines pulcra erat; pedes vero erant pulverei.

290, 6 UNA sola.

290, 10 MARMORE id est mari. INTERRIVATA interfusa.

290, 12 LUMINA MULTA septem planetas.

10 **290, 17** PERFUSO SIDERE sole occidente. Nam Venus Cipris vocatur cum
sit cum sole; quando autem occidit sol Lucifer vocatur. Igitur Cipris
tota lumina sua dat Lucifero suo ut vocetur Lucifer occidente sole, id est
lucem ferens.

291, 1 TRINACRIA dicitur Sicilia quia tria acria, hoc est promontoria,
15 habet.

291, 5 REGLUTINATIS id est restrictis vel retortis oculis propter etherium
splendorem.

291, 7 CENSURA numero.

291, 6 DIVIS pro divinis.

20 **291, 10** AUSPICATA incipiens, CUNABULIS exordiis. Unaquaeque ars
habet suam notam feminam, hoc est intimam virtutem cuius magistra est
Geometria.

291, 12 ORIS id est vultus.

291, 15 IN EXCURSUS in doctrinas.

25 **291, 16** SUBROGARE pro me ponere.

291, 18 EXCUDIT formatur.

291, 23 SQUALENTIOR sordidior.

292, 1 CILINDRIS id est plagis rotundis quia planum est caelum et fulget
stellis; ideo dicunt GEMMANTIBUS. Cylindrus dicitur rotundissimum
30 lignum quo pavimentum coaequatur proprie.

---

14 Cf. Isidorus, *Etym.*, XIV, 6, 32.

3 monstati *corr.*   5 trasfertur *corr.*   8 intervinata   11 vocaturi   14 acra   29 caelindus

292, 2 RESPERSURA pollutura.

292, 5 STADIUM octava pars miliarii et dicitur a stando; quantum enim currit miles cum una anhela sine aspiratione stadium dicitur quia stat ibi.

292, 6 TOTI id est penitus non fuerant terreni.

292, 11 CREDO per yroniam hoc Marcianus dicit deridendo Iovem. 5

293, 2 ABDERETUR absconderet. SUBDUCTIORIS id est humilioris ac si dixisset: Si plana fuisset terra aut concava, id est si fuisset ut discus planus aut discus concavus, eodem modo omnibus esset ortus et occasus et longitudo omnium dierum, quod non potest esse.

293, 6 QUAMVIS ac si dixisset: Anaxagoras reprehenditur QUAMVIS NON 10 NULLAS.

293, 9 DIRIGUNTUR id est ortus et occasus.

293, 13 CONDITA abscondita.

293, 15 EXPLODERETUR evacuaretur.

293, 20 CERTA id est propria. 15

293, 21 ARCTOA CONVERSIO id est conversio Bootis secundum Martianum qui a [*fol. 92ᵛ*] Grecis dicitur Arctofilax, id est custos aquilonis. Aratus vero dicit Arcturum quasi ἄρκτου taurum, id est taurum aquilonis et Septemtrionem significat maiorem et minorem. Sic etiam Priscianus intelligit in eo versu: 20

Ad Boraee partes Ἄρκτου vertuntur et Anguis.

HESPERIAE Greci appellant Italiam nomine Hesperiae quia super Italiam occidit eis stella Veneris quae dicitur Vesper, et aspiratio locum digammae, id est vau, tenet. Duae enim Hesperiae sunt, una quae dicitur ab Hespero rege. 25

293, 22 TROGODITAS Trogoditae sunt gentes in litore Maris Rubri ad orientalem partem habitantes. EGYPTUM CONFINEM id est Trogoditarum, nam est Egyptus in aliis locis.

293, 26 ANTARCTICIS dicitur contrarius arctico, id est aquilonali.

21 Cf. Priscianus, *De sideribus*, I, I.
22 Cf. Macrobius, *Sat.*, I, 3, 15.

1 pollututura 3 qia
4 fuerunt *corr.* 5 yromam 10 rehenditur 13 abcondita *corr.* 17 ctofilax 18 arctoy
21 al | arctoy 22 appelant 26 tragoditas | tragoditae 27 tragoditarum 29 antarticis |
artico

294, 1 INTERSTITII SIGNILIS id est duae horae.   Signile enim interstitium est spatium in quo movetur aliquod signum de loco in locum, aut in quo oritur aut in quo occidit, et duas horas tenet.   Nam duodecim signa sunt in signifero et XXIIII hore in die, ergo in equinoctiali die unumquodque
5 signum aut oritur aut occidit aut movetur de loco in locum duabus horis; in aliis autem diebus aut plus aut minus ut ipse dicet Martianus in Astrologia.

294, 2 TRIONES GEMINOS id est Septemtriones duos.   NUNC CERNAT id est Italia, NUNC posuit pro hic.   UT DEVEXA ut excelsiora signa.

10 **294, 4** ELICE Elice maior Arcturus, Cynosura minor vocatur.

294, 3 AUSPICIO initio.

294, 6 CIRCA ORTUM ARCTURI id est circa ortum Bootis qui ortus est in XII Kalendarum Septembrium.

294, 11 SPERAE id est terrae.

15 **294, 13** DELIQUIA id est defectiones.

295, 4 OROSCOPA Oroscopus dicitur orarum visio vel intentio; orologium vero orarum ratio.

295, 5 IMMUTATA id est valde demutata, spatia umbrarum mutantur ultra quingenta stadia, vel inmutata, id est non mutata.   Quamvis enim vari-
20 antur spatia umbrarum, non mutantur vascula, unde scierunt philosophi mutari umbras ultra D stadia hac ratione invenerunt.   Verbi gratia, in Alexandria in solsticiali die aestivo nulla umbra fit per D stadia.   Iterum crastina die quia sol mutavit partem, mutatur et umbra et tunc ab illo loco ubi umbra iacitur usque ad illum locum in quo non iacitur D stadia
25 inventa sunt; hac ratione dixerunt quod unaquaeque pars signiferi D stadia tenet in terra, et signifer, id est circulus per quem currunt omnes planetae, CCCLX partes habet.   [*fol. 93ʳ*] Duodecim enim signa sunt in signifero et unumquodque signum XXX partes habet.   Nam nihil aliud est pars nisi dies; illi enim quinque dies qui sunt in anno ultra CCCLX
30 non sunt naturaliter, sed artificialiter.   Nam non potest sol unumquod- que signum in XXX diebus transcurrere sed paulo plus et ex eo quod plus est effitiuntur quinque dies.   Hac etiam ratione dixerunt XXIIII horas in

6 Cf. Martianus Capella, 444, 1–445, 13.
10 Cf. Servius, *Georg.*, I, 138.

1 interstii | dia | hora   10 cenosura   12 Botis *corr.*   16 orararum   22 sticiali *corr.* | stivo
24 ibi   25 unaque   27 dudecim *corr.*   29 no   30 post   31 transcurre | pus (*primum*) *corr.*

circuitu totius terrae. Nam clepsydra dicitur orologium cum aqua factum. Clepsydra enim dicitur defectio aquae. Fecerunt ergo orologium ita: prius cuvam posuerunt et super cuvam posuerunt concam magnam cum foramine parvo, quod foramen claudebatur ne aqua curreret, et impleverunt illam concam aqua, postea notantes stellam claram 5 surgentem ab oriente in medio mundi, dum ipsa stella appareret, aperiebatur foramen ut curreret aqua et dimittebant aquam currere usque dum initio alterius noctis eadem stella appareret, illa vero oriente, claudebatur foramen et postea mensuraverunt aquam in xxiiii partes et appellaverunt partes illas horas. Ergo in una hora vicesima quarta pars arum vel 10 duorum milium stadiorum, id est totius ambitus terrae, curritur, et si multiplicaveris spatium unius partis in terra, id est D stadia, per partes signiferi, id est per ccclx, tot enim partes sunt in ambitum terrae, invenies ambitum totius terrae.

295, 6 UMBRIS CELSIS id est umbris longis. PRO ELATIONIBUS id est pro 15 altitudinibus locorum ac si dixisset: In humili terra humilis umbra, in excelsa terra excelsa umbra; nam in quantum descenditur in austrum, in tantum est humilior terra et umbra; in quantum autem ascenditur ad septemtrionalem partem, altior terra et umbra. Ut ait poeta:

> Mundus, ut ad Scithiam Ripheasque arduus arces 20
> Consurgit, praemitur Libiae devexus in austros.

295, 9 BISSEM ab eo quodcumque est bis dicitur, bis autem dicitur quasi dis; dis autem dicitur dempta triade. Quicquid enim dividitur in tres partes ablata tertia parte, duae tertiae partes que remanent bisse vocantur; illa autem quae tollo ter triens. SECAT munerat. 25

295, 12 LEVORSUM dicitur aquilonalis pars propterea quicumque aspexerit orientalem solem in leva parte habebit aquilonalem partem.

295, 14 SEMIANNUAM Isti enim, id est abitatores [*fol. 93ᵛ*] aquilonis et australis, vel non habent nisi unum diem et unam noctem in singulis annis, non semel oritur eis sol in anno vel occidit in aequinoctiali circulo; 30 nam ibi habent ortum vel occasum et unus dies illorum sex menses habet sicuti nox et versa vice habent; nam quando his est nox, illis est dies et e contrario.

296, 5 VIGIES QUATER ac si dixisset: In aequinoctiali die umbra dimidiam

---

21 Cf. Virgilius, *Georg.*, I, 240, 241.
28 sqq. Cf. Plinius, *Hist. nat.*, II, 186.

1 pclypsidera   2 pclypsidera   7 dimitebant | curre   8 innitio   10 vigesima   20 artes   21 cum | devextus   22 quodque | bes *bis*   23 des *bis* | triante | quid *corr.*   26 citur *post* dicitur *delevi* 29 australes   30 a *post* annis *delevi*

partem stili tenet, ideoque dixit ESTIMATIONE CENTRI SUI. Centrum enim dicitur dimidium, igitur circulus qui ducitur a summitate umbrae, id est a medio stilo per gyrum usque ad illum locum <quo> coeperit, mensuratur longitudine umbrae sexies, circulus vero qui fit a summitate
5 stili in gyro mensuratur eadem longitudine duodeties; XII ad VI duplus est. Tertium circulum mensurat decies octies, quartum circulum, id est extremum vigies quater, XX ergo IIII, id est extremus circulus ad circulum stili qui duodeties mensuratur duplus est. XX enim IIII ad XII in dupla proportione consistunt atque ideo dixit CIRCULI DUPLICIS MODUM RED-
10 DIDIT quia non dixit nisi de duobus circulis, id est de extremo et de circulo stili; ideo autem umbra sexies metitur primum circulum, quia brevissimus dies sex horas habet, ideo secundum duodeties quia aequinoctialis dies XII horas habet, ideo tertium decies octies quia longissimus dies, id est solstitialis dies, XVIII horas habet, ideo quartum vigies quater aut quia
15 XXIIII hore sunt in ambitu totius terrae aut quia dies in Tyle XXIIII horas habet, quia nulla nox ibi est in solstitiali die.

296, 2 SCAPHIA quasi σκοπιά, id est speculativa.

296, 1 GNOMEN a verbo γιγνώσκω, id est nosco, vel ideo dixit circuli duplicis quia dividitur circulus in duas aequas partes. Circulus enim
20 duplex est cuius diametrus circulum in aequales partes dividit. In toto itaque anno sol meridiano tempore in aequinoctio talem diametrum orologii intrat ut totum circulum aequaliter dividat, et quod facit umbra in orologio, hoc est ad medietatem totius circuli intrat et totum circulum in duas partes dividit, sic sol in medio mundi umbilicum intrans terrae
25 in duas aequas partes totum orbem terrarum, in australem videlicet et aquilonalem, dividit. Umbra enim stili in aequinoctio vernali meridiano tempore tantae prolixitatis est ut medietatem quam centrum vocant attingat, [*fol. 94ʳ*] ita ut et stilum in duas aequas partes dividat et circu- lum duplicem, hoc est in aequales duas partes divisum, faciat per conpli-
30 cationem suam.

296, 5 VIGIES QUATER Tot enim horis volvitur sol vel tota spera caelestis circa terram, et ipse signifer qui duodecim signis continetur quorum singulum quodque signum duabus oris oritur vel occidit vel movetur de loco. Uno igitur eodemque argumento est repertum orologii, quo
35 tempore in anno sol medium punctum signiferi intrat orbemque terrarum in duas aequas partes dividit.

1 stile *corr.*	3 quo *addidi*	5 deties	6 deties *corr.*
7 extremun	8 dupli	9 reddit *corr.*	17 scophia	18 ΓΝΩ	19 diui//ditur	29 facit *corr.*
31 horas *corr.*	35 ter//rarum		

296, 9 PRO PARTIUM RATIONE diximus hoc vel ita dicit hoc pro ratione mutationis umbrarum.

296, 11 QUOT MILIBUS STADIORUM DCC stadia sunt quae faciunt unam partem et ne mireris quod aliquando D stadia, aliquando DCC, unam partem adimplere geometrica tradit auctoritas. Non enim eadem est 5 mensura stadiorum; quaedam enim maiora, quedam strictiora fiunt, ita ut ex maioribus stadiis D in unam partem, <ex> minoribus autem non minus quam DCC complendam sufficiunt et hoc factum est magnitudine mensurantium. Quidam enim maiores gressus, quidam minores habebant, pro partium ratione, id est si D stadia per spatium unius partis 10 multiplicentur per rationem partium quae fiunt duodecim signis signiferi. Partes autem signiferi sunt CCCLX, si ergo spatium unius partis, id est D, trecenties sexagies multiplicetur, circulus terre efficitur.

296, 13 IN MEDIO IMOQUE ideo medium dicitur terra quia circa eam volvuntur IIII elementa, ideo autem ima dicitur quia in numero elemen- 15 torum ultima est de quacumque enim parte caeli descendatur ad terram pervenitur.

296, 17 DEVULSIS ELEMENTIS id est separatis a se invicem quattuor elementis.

296, 20 TERES id est rotundus aer. 20

296, 22 DUM PARIBUS Sic enim lineae ducuntur ab extremitatibus, id est a trecentis sexaginta partibus signiferi, in terram ut paris longitudinis sint, quamvis ampliores sint longius a terra, strictioraes vero adpropinquantes terre; sic enim fiunt sicut radii in rota.

297, 3 IN EIUS PENITA Tribus enim modis marae non crescit: quia sursum 25 a sole trahitur et remanet in aere et penita, id est penetrabilia terrae, penetrat, sic enim terra suos poros, id est venas, habet sicuti animalia, et quia salsum est. Salsitudo enim dulcedinem nutritur.

297, 8 INTERSTITIA id est spatia vel intervalla. NAM PARES Nam in aliis diebus non invenitur aequalitas [*fol. 94ᵛ*] umbrarum nisi in aequinoctio, 30 aut enim maior erit in aliis aut minor.

297, 15 REPRAESENTAT hoc dicit quia dimidia pars mundi oritur in die et dimidia pars occidit. Verbi gratia, VI signiferi oriuntur in die et VI occidunt, igitur longitudo istius diei erit longitudo noctis post VI menses

27 Cf. Plinius, *Hist. nat.*, II, 166.

1 vel *m. sec.*   4 aliquado (*primum*)   5 geometria *corr.* |
auttoritas   7 ex *addidi*   23 amplioris   28 saltitudo   30 quinoctio

et signa sex que hodie in die oriuntur post VI menses in nocte surgent et videbuntur.

297, 22 MELIUS id est apertius quia illud Grecum est, id est zona, aliud vero Latinum, id est fascia.

5 **297, 23** PRO RERUM id est ratione elementorum vel ideo dicit pro rerum diversitate, quia necesse est ut Plinius Secundus dicit, ut ubicumque ignis sit foris in frigidissima nocte ut quinque locos faciat, id est tres inhabitabiles et duos habitabiles. Verbi gratia, locus ubi ignis est inhabitabilis est propter nimium calorem et duo loci extremi inhabitabiles sunt propter 10 nimium frigus. Ille autem circulus qui est positus inter frigidum et calidum habitabilis necesse est ut sit ex utraque parte.

298, 1 RELEGAVIT segregavit.

298, 5 AMBURIT id est ab ambabus partibus urit.

298, 8 TELLURIS INCURVAE id est terrae non mobilis. SUPERNUM Per 15 supernum emisperium intellige spatium ab aequinoctiali circulo ad polum aquilonalem, seu super terram, seu sub terra. Per INFERIUS EMISPERIUM spatium similiter ab aequinoctiali circulo ad austrinum polum.

298, 11 DESPICIT valde aspicit. SUPERNATEM Supernatem dicit partem ab oriente ad occasum quam AMBIT OCEANUS, ut Plinius ostendit.

20 **298, 12** INFERNATEM Per infernatem spatium ab occasu sub terra ad ortum.

298, 14 OPIZONTA id est limitantem; ὅρος enim dicitur limes, ὁρίζων naturalis qui incipit a puncto aequinoctiali, id est a quarta parte Arietis, et ambit totam terram usque dum iterum perveniat ad quartam partem 25 Arietis ipsius, et dividit speram caelestem in duas partes aequales et per illum oriuntur et occidunt omnia signa. Ὁρίζων vero communis est quem habet unusquisque homo quando ulterius nihil potest videre et videtur illi caelum quasi sit iuxta terram.

298, 16 CIRCULO SUO quia unaqueque zona duos circulos facit nam et 30 septemtrionalis qui nobis semper supra terram est his qui in meridiana plaga habitant mundi duos facit emiciclios, illis enim partim sub terra, partim supra terram est. Similiter de antarctico circulo sentiendum est

---

6 Cf. Plinius, *Hist. nat.*, II, 172.

quoniam et ipse his qui sub aequinoctio sunt ex dimidia parte appareret
ex dimidia non, ac per hoc conficitur ut nulla zona sit que in duas partes
non possit dividi, quamvis non omnibus possidentibus terram appareat,
nam nos non habemus nisi sex regiones ex his x, id est solsticialem supernatem et infernatem et aequinoctialem supra et subter et brumalem 5
simili modo. [*fol. 95ʳ*] Nam septemtrionalis nihil nobis concludit quia
supra est, australis vero a nobis penitus non videtur.

298, 17 E QUIBUS ideo hoc dicit quia illa pars quae ultra aequinoctialem
circa austrum versus est <inferius> emisperium vel infernatis vocatur.
Ea vero pars quae ab aequinoctiali circulo septemtrionem versus porri- 10
gitur superius emisperium sive supernatis vocatur.

298, 21 ANTOIKOI id est contrarii habitatores; οἶκος id est habitatio.
Ἀντοῖκοι dicuntur qui contra nos habitant in meridiana plaga super
terram, ANTIPODES vero qui contra nos sub terra.

298, 23 ANTIXΘΟΝΕΣ dicuntur qui contrariam terre partem possident. 15
Χθονός enim terrae. Ergo IIII sunt, id est nos et nostri antipodes et
ἀντοῖκοι et ἀντίχθονες.

SED NOS CUM ILLIS id est nos et ἀντοῖκοι. AUTUMNASCIT Sicut enim
sol cum in augmentum diei venit ad nos, ver nobis facit, sic illis descendentem augmentum diei ver facit, ergo autumnus noster illorum ver est, 20
et autumnus illorum ver nostrum est.

299, 6 ANTIPODES AUTEM NOSTRI ac si dixisset: Illi qui contra nos sunt
in oriente uno eodemque tempore nos et nostri antipodes aestivum et
brumale tempus sustinemus. Quidam ita intelligunt hunc locum: Uno
eodem tempore nos et nostri antipodes estivum et brumale tempus 25
sustinemus sed non eadem prolixitas dierum et noctium nobis et illis
est. Ideo dicit de estate grandiores dies illi habent, non tamen sicut
nos grandiores enim habemus, similiter in bruma grandes noctes habent
sed non sicut nos. Prolixissima enim nox illorum est quantum ab hora
tertia usque ad nonam aestivus dies apud nos obtinet, et prolixissima dies 30
illorum est quantum nobis est a tertia hora noctis in bruma usque ad
nonam horam, et si sic intelligatur, duos antipodes habemus, id est orien-
tales et brumales.

299, 12 QUATTUOR ANNI TEMPORA COMMUNIA ἀντοῖκοι noverunt et
ἀντίχθονες. Similiter etiam antipodes nostri, quamvis non dixit 35

2 zona sona *m. sec.* 6 septemtrioonalis | concudit *corr.* 9
inferius *addidi* 12 ANTIKOI | habitato////res 13 ANTIKOEC 15 ANTIKZONEC 16
IKTONOC | terra 17 anticoes et antictones 18 anticoes | auttumnascit 19 argumentum
20 augmen 22 anpodes 23 u//no 27 habeant 28 noctis *corr.* 30 nonan *corr.* 34 an |
anticoi 35 anticones

antipodes illorum sunt qui hanc partem mundi ultra aequinoctialem circulum aquilonem versus sub terris habitant. Nostri vero antipodes sunt qui infra aequinoctialem lineam meridiam versus sub terris habitant.

299, 15 IN MEDIA FASCIA eos dicit qui inter duos polos habitant, nam qui
5 sub polis sunt ortus occasusque non mutant semper. Verbi gratia, qui sub polo aquilonali degunt aut per VI menses diem aut per VI menses noctem habent; similiter de [*fol. 95ᵛ*] his qui sub antarctico sunt intellige.

300, 3 QUIN BIS HIEMEM ET SECUNDO PATIUNTUR AESTATEM Verbi gratia, cum sol incipit ab aequinoctiali circulo, id est a quarta parte Arietis, ad
10 nos venire in augmentum diei, per XC dies pervenit Alexandriam, ultra quam ad nos non potest venire; illi qui sub sole sunt in illis diebus, eis est aestas. Quando vero in augmentum diei illis sol descendens per eos transit, et iterum habent aestatem, duas ergo habent aestates et duas hiemes, id est quando in aequinoctiali circulo sol est, illis est hiems, et
15 quando sub Alexandriam, et illi dicuntur amfiscii vel ascii. Amfiscii dicuntur circumumbrati quia umbram ex omni parte habent. Quando enim oritur sol, mittunt in occasum umbram, sicuti nos quando occidit in orientem; quando in austro est, in septemtrionem; quando in septemtrione est, in austrum. Quod nos non facimus, illi autem faciunt quia
20 septemtrionali parte solem habent in meridiano tempore cum sol est super Alexandriam. Ascii autem dicuntur cum nullam umbram habent quando sol est super illorum caput; σκιά enim dicitur umbra, a sensum negandi habet.

300, 7 CONTRAHITUR id est coangustatur, DESERTIONE propter deser-
25 tionem, quia deserunt homines magnam partem propter halitum austri, id est propter frigus.

300, 10 ABSQUE PLANETIS ac si dixisset: Cum planete sunt ultra aequinoctialem circulum, isti qui sub hoc polo habitant non possunt eas videre usque dum transierint aequinoctialem in has partes venientes, at-
30 que ideo ortus est eis in aequinoctiali circulo et occasus; similiter de illis intelligendum est.

300, 11 DE MEDIO LATERIS id est ab australi parte.

300, 18 CAETERA NON NOVERUNT id est omnia fixa signa que sunt ultra aequinoctium nesciunt illi qui sub hoc polo sunt et contrario similiter.
35   HABITUS terra dicitur quia intra diffinitum numerum habetur.

15, 21 Cf. Beda, *De rerum natura*, XXXI (Migne, *P.L.*, XC, 431).

   5 mutat *corr.*   7 antartico   8 hiemen   10 aumentum *corr.*   15 amfisci vel asci | amfisci   18 sptemtrionem *corr.*   21 asci   22 scia   29 transierit

Romani per passus, Greci per stadia, conputant.

302, 5 PROMONTORIUM est terra longe intrans in mare.

303, 5 SINUS est mare intrans in terra.

301, 3 IN GEOGRAFICO id est in descriptione terrae.

303, 4 EGEUM mare dicitur quia in forma hyrci figuratur; αἰγός enim 5
dicitur caper.

303, 6 ACROCERAUNIAM κεραυνός culmen, ἄκρος summum quia in
summitates illius [*fol. 96ʳ*] montis cadent sepe fulmina.

304, 4 MEOTIDAE paludes sunt sinus maris ab equinoctiali parte porrecti
in quos Tanais fluvius intrat qui dividit inter Asiam et Europam et 10
Scythiam.

305, 5 LEVI LATERIS id est partis australis. Sic enim pingitur mundus
sicuti homo supinus verso capite ad orientem, pedibus ad occasum,
dextro latere ad aquilonem, levo ad meridiem.

305, 7 ARABICUM SINUM Mare Rubrum dicit. 15

305, 13 ANNO rex Africae fuit.

306, 12 SUBSIDENTES id est planas. DEHINC id est ex Gaditano freto.

307, 4 DEVEXIS id est planis.

314, 15 NEAPOLIS nova civitas vel Nicopolis civitas victoriae.

318, 14 Αἰολίς Grece, Latine litus, ideo vocatus ΑΙΟΛΙΣ quia per 20
ordinem civitates in litore sunt positae.

326, 14 MACARONESOS insula beata. Μακάριος enim dicitur beatus vel
beata. His adicitur insula.

327, 3 ULTRA SECUNDUM MILIARIUM CONTRAHITUR ac si dixisset: Latitudo contrahitur, id est coangustatur, intra quadragesimum usque dum 25
perveniet ultra secundum miliarium, hoc est ergo quod dicit nec distendi-
tur usque ad quadragesimum miliarium. Coangustatur autem ultra
secundum miliarium ut non perveniat ad quadragesimum.

327, 14 CERUCRUSION cornu aureum, χρυσίον enim dicitur aurum,

5 Cf. Isidorus, *Etym.*, XIII, 16, 5.
7 Cf. Isidorus, *Etym.*, XIV, 8, 6.

4 discriptione
5 egos   7 ceraunos | acros | summun   8 summitatis *corr.* | flumina   10 uropam et Siciliam
16 Annio   19 Necapolis   20 Fiolos | Eiolos   22 Marcharonissos | macharios   25 conhitur |
quadragesimun   29 crusum

κέρας cornu.

328, 6 Bosforos bovis forma.

329, 15 SEMENSTRI DIE dies sex mensium.

330, 8 ASYLUM tutum id est locus in quem si reus intraverit, illuc nocere
5 illi non potest.

330, 18 ORCADES insulae a rotunditate ita vocatae.

331, 9 AESTUARIUM nomen serpentis quem occidit Hercules.

333, 12 FENERATUR redditur.

333, 14 SYRTES σύρω dicitur traho, inde Syrtes trahentes quia trahunt
10 naves ad se. Sunt autem latentes cumuli harenae in mari, inde etiam
dicuntur Syrenaei eo quod trahunt ad se animalia.
PROPTER quantum.

333, 18 RECESSUS dicitur sinus qui a mari longe recedit. RECIPROCO quia
undat et redundat et accessus et recessus habet.

15 **334, 1** PSILLI incantatores serpentium.

334, 11 CATABATHMON descensus Nili. Nam de altissimis montibus
descendit in valle rediens ab ortu ad occasum.

335, 4 LEUCAETHIOPES et albi Ethiopes.

337, 17 MESOPOTAMIA media inter flumina interpraetatur.

20 **340, 16** AULOCRENE fons fistularum, αὐλός fistula, κρήνη fons.

345, 3 VEGETATUR roboratur.

345, 4 Omnis flatus lenis et levis ETHESIUS vocatur.

345, 17 FUSCIORES nigriores.

346, 1 CRYSOS autem ARGINOS argentum.

25 **346, 3** FUCO tinctura.

346, 4 FENERATIONIS id est usuras nolunt, velut in quibusdam [*fol. 96ᵛ*]
habetur FUNERATIONES, id est nesciunt plorare mortuos suos vel funera
facere, id est obsequia.

346, 9 PRAETENTA anteposita.

9 Cf. Isidorus, *Etym.*, XIII, 18, 6.

1 cerus   9 syro   11 Syrenae   12 *l. deest Dick*   15 spilli
16 catabathmon catabathnon *m. sec.*   18 Leocathiopes   20 aulocrine | aulos | crine   22 ethesies
27 funerationis *corr.*

347, 14 Ictyofagi pisces comedentes.

350, 13 dixerat Eroicum senarium primum, iambicum sequitur. Paphie Venus a Papho insula. contractior tristior.

350, 14 mora intricante id est inextricabili mora vel insolubili. leditur Venus a Geometria.   5

351, 1 nixa suffulta.

351, 2 pulchrior Mos est enim feminarum pulchriores esse quando lassae sunt.

351, 7 competa id est vias.

351, 8 tedia laetitias.   10

351, 10 vellere deponere.

351, 14 Cytheree Veneri.

351, 15 Arcas Mercurius.

351, 17 Pronuba Iuno. propter iuxta.

351, 18 comi pulchro.   15

351, 24 in infinitum ideo hoc dicit quia sicut numeri in infinitum vadunt in arithmetica, ita etiam figure in geometria.

351, 25 numeris Arithmetice. lineis Geometriae.

352, 5 apodictica considerativa.

352, 17 cunctis spetiebus id est sensibilibus. gregatis id est multis   20
speciebus diversis simul iunctis. singulatimque hoc est uni speciei
solum modo, aliud est enim congregare numeros in unum et aliud re-
solvere in unum. Omnis ergo numerus per se ipsum in animo con-
sideratus et nulli materiae accidens incorporeus est. Sin autem accesserit
ad aliquam spetiem seu materiem confestim corporeus efficitur, et dicitur   25
geometria sicut incorporeus arithmetica.

352, 21 ΕΠΙΠΕΔΟΝ superpedale.

352, 22 ΣΤΕΡΕΟΝ firmum.

352, 25 Φαίνω appareo, inde ΕΠΙΦΑΝΕΙΑ superapparitio.

353, 4 ΚΥΚΛΙΚΑΣ circulares.   30

1 ictofai   3 pamphile   4 inextrigibili   27 epipedon   28 sterion
29 fano | epihania epiphania *m. sec.*   30 cycdicas

353, 5 ΕΛΙΚΟΕΙΔΕΙΣ obliquas.   ΚΑΜΠΥΛΑΣ curvas.

353, 11 SINUOSA solida.

353, 13 IN PLANITIA in plana figura.

353, 17 ΕΥΘΥΓΡΑΜΜΟΣ rectilineus.

5 **353, 21** ΚΑΘΕΤΟΣ deorsum stans.

354, 17 NIXTON μικτόν.

354, 18 ΠΛΕΥΡΟΝ latus.

355, 3 ΣΚΑΛΗΝΟΝ id est gradatim ascendens sicut enim minor linea ad mediam lineam ita media ad primam.

10 **355, 9** ΕΤΕΡΟΜΗΚΗΣ id est consentiens in angulis, dissentiens in lateribus.

355, 10 ΡΟΜΒΟΣ e contrario.

355, 14 ΤΡΑΠΕΖΙΟΝ ponderalis figura que in planitia non intelligitur. NULLA PARTE IN SE INCIDUNT ac si dixisset: Nullum terminum habent 15 in quem desinant sed in infinitum vadunt.

356, 1 ΚΑΜΠΥΛΟΓΡΑΜΜΟΝ id est curvis lineis.

356, 12 ΕΡΓΑΣΤΙΚΑ operativa quae habent praecepta faciendae cuiuslibet forme.   ΑΠΟΔΕΙΚΤΙΚΑ vero quia conprobat illam formam.

357, 16 CUM DIALECTICA ac si dixisset: Ἀποδεικτικά tropi sunt termini 20 communes cum dialectica.   Verbi gratia, sicut dico, 'Si retorica est [*fol. 97ᵛ*] bene dicendi scientia, utilis est; est autem retorica bene dicendi scientia, utilis est igitur,' sic dico, 'Si pentagonus est, quinque angulos habet.   Est autem pentagonus; quinque igitur angulos habet,' sic et reliqua.

25 **358, 3** PROPOSITUM id est questio.   DETERMINATIO diffinitio disputatio argumentatio.

358, 4 COMPROBATIO rectus syllogismus.

358, 5 CONFINIS dum aliud ex alio colligitur.

358, 18 UNI MEDIE id est media linea interposita inter duas pares lineas

---

1 elicoides | campales   4 ΕΥΥΤΓΡΑΜΟC |
rectelineus   5 catecas   6 mixton   7 pleoros   8 CΚΑΛΕΝΟΝ   9 liea *corr.*   10
ΕΤΕΡΟΜΕΚΕC   12 rumbos   13 ΤΡΑΠΕΚΙΟΝ   15 quen   16 ΚΑΜΠΙΛΟΟΓΡΑΜΜΟΝ   17
faciendi   18 ΑΠΟΔΙΚΤΙCΑ   19 alectica | ΑΠΟΔΙΚΤΙΚΝ   21 bedicendi *bis*   23 quinqe

aut par erit extremitatibus aut duplo superabitur.

358, 16 Inter ΟΜΟΛΟΓΟΝ et ΠΡΟΣΕΤΡΕΤΙΚΟΝ hoc interest, quod in προσευρετικῷ omnes proportiones intelliguntur inter lineas, in ὁμολόγῳ autem sola duplicitas intelligitur.

359, 2 ΡΗΤΗ recta. ΑΛΟΓΟΣ non recta sed illegalis. 5

359, 10 ΣΥΜΜΕΤΡΟΥΣ commensurabiles.

359, 11 ΑΣΥΜΜΕΤΡΟΥΣ inmensurabiles vel illegales.

359, 12 ΔΥΝΑΜΕΙ ΣΥΜΜΕΤΡΟΙ id est potentia commensurabilis.

359, 13 ΜΕΣΑΙ ΣΥΜΜΕΤΡΟΙ id est media commensurabilis ac si dixisset: Una linea si alteri lineae coniungatur cum aliqua mensura μέση σύμμετρος 10 dicitur, cum autem sola consideratur et sibi ipsi concordat δυνάμει σύμμετρος dicitur.

359, 17 PRIMA ΜΕΣΗ ΑΛΟΓΟΣ id est media illegalis quia non est recta linea per totum sed media pars curva est. SECUNDA ΕΚ ΔΥΟ ΟΝΟΜΑΤΩΝ ΑΛΟΓΟΣ ex dimidia potentia ἄλογος. HUIUS SPETIES SUNT VI id est linea 15 quae dicitur ἄλογος. Aliud est enim considerare ἄλογον ante et retro, aliud dextrorsum sinistrorsum, aliud sursum et deorsum, et hoc in omnibus sequentibus ἀλόγοις intelligendum est.

360, 3 TERTIA ΕΚ ΔΥΟ ΜΕΣΩΝ ΠΡΩΤΗ ΑΛΟΓΟΣ ex mensura primae partis ἄλογος. 20

360, 4 QUARTA ΕΚ ΔΥΟ ΜΕΣΩΝ ΔΕΥΤΕΡΑ ΑΛΟΓΟΣ ex mensura secundae partis ἄλογος.

360, 5 QUINTA ΜΙΚΤΗ ΑΛΟΓΟΣ id est prima pars ἄλογος secunda ῥητή tertia ἄλογος quarta ῥητή.

SEXTA ΡΗΤΟΝ ΕΚ ΔΥΟ ΜΕΣΩΝ ΔΥΝΑΜΕΝΗ ΑΛΟΓΟΣ id est recta ex 25 dimidia potentia ἄλογος.

360, 6 SEPTIMA ΔΥΟ ΜΕΣΑ ΔΥΝΑΜΕΝΗ ΑΛΟΓΟΣ de media virtute ἄλογος.

OCTAVA ΑΠΟΤΟΜΗ ΑΛΟΓΟΣ id est sectione ἄλογος. In his enim quattuor sequentibus ἀλόγοις sola potentia consideratur non curvatura linearum. Huius speties sunt VI ut supradiximus. 30

2 ΟΜΟΛΟΓΟΜ | ΠΡΟΣΕΤΡΕΤΙΚΟΜ   3 ΠΡΟΣΕΥΡΕΤΙΚΟ | ΟΜΟΛΟΓΟ   5 PETE   6 CΥΜΕΤΡΑC |
commensurales   7 ΑΜΕΤΡΑC | inmensurales   8 ΔΙΝΟΜΙCΙΜΕΤΡΟΙ | commensuralis *corr.*   9
ΜΕCΕCΙΜΕΤΡΟΙ   10 liea *corr.* | ΜΕCΕCΙΜΕΤΡΟΙ   11 ΔΙΜΜΙCΙΜΕΤΡΟΙ   13 ΜΕCΕΑΛΟΓΟC
14 ΕΚ ΔΙΝΑΜΑΤΟΝΑΛΟΤΟC   15 alogis   19 ΔΙΟΜΕCΟΝΠΡΟΤΕ   21 ΔΙΟΜΕCΟΝΔΕΤΤΕΡΑ
23 ΜΙΚΤΟΝ | secundae | pete   24 pete   25 ΡΕΤΟΝΕΚΔΙΑΜΕCΟΙΔΙΝΑΜΕΝΕ   27 ΔΙΑΜΕCΑ-
ΔΙΝΟΜΕΝΕ   28 ΑΠΟΤΟΜΕ | ΑΛΟΓΙC

360, 8 NONA ΜΕΣΗ ΑΠΟΤΟΜΗ ΠΡΩΤΗ ΑΛΟΓΟΣ media sectione primae partis ἄλογος.

360, 9 DECIMA ΑΠΟΤΟΜΗ ΔΕΥΤΕΡΑ ΑΛΟΓΟΣ id est sectione secundae partis ἄλογος.

5 **360, 10** UNDECIMA ΕΚ ΜΕΣΩΝ [*fol.* 97ᵛ] ΑΛΟΓΟΣ id est media ἄλογος.
DUODECIMA ΜΕΤΑ ΡΗΤΟΥ ΜΕΣΟΝ ΤΟ ΟΛΟΝ ΠΟΙΟΥΣΑ ΑΛΟΓΟΣ ultra mediam rectam totum factura prima ἄλογος.

360, 11 TERTIA DECIMA ΜΕΤΑ ΜΕΣΟΥ ΜΕΣΟΝ ΤΟ ΟΛΟΝ ΠΟΙΟΥΣΑ ΑΛΟ-
ΓΟΣ id est ultra mediam quidem totam factura prima ἄλογος et est e
10 contrario duodecima.

361, 6 PYRAMIS figura est quae in fundamento lata, in summitate acuta,
sicuti πῦρ, id est flamma ignis; quamvis enim ignis latus sit, flamma autem
acuitur in summitate.
CONUS circulus super circulum positus nihil habens in medio.

15 **361, 7** CYLINDRUS vero solida figura rotunda super circulum et modum
rotundi ligni quo pavimentum coaequatur.
CUBUS super quadratum ponitur. Habet enim omnis cubus sex
superficies, VIII angulos, XII latera.

361, 8 CAPAX ac si dixisset: Spera, id est circulus, potest in se habere
20 omnis figuras.

361, 10 PRISMA figura est que antequam perveniat ad soliditatem perfectam preciditur et dicitur a poeta curta.

361, 13 ΟΚΤΑΕΔΡΟΣ id est octo angulos.   Sic ΔΩΔΕΚΑΕΔΡΟΣ XII angulos, ΕΙΚΟΣΑΕΔΡΟΣ xx.

25 **362, 3** QUAE IDEM AEQUALIA SUNT id est si numerus alio numero aequalis
sit, necesse est ut invicem sint aequales.   Verbi gratia, VIII ad VIII
equales sunt et invicem equales, id est quot partes habet octonarius tot
partes habet alter octonarius.   Habet autem octonarius dimidiam partem in qua ternario, et quartam in duobus et octavam in uno, sic et
30 aliter octonarius etsi equalibus.   Verbi gratia, si de pari numero parem
numerum auferas, pares remanent; verbi gratia, tolle de VIII duo, rema-

11 Cf. Isidorus, *Etym.*, III, 12, 6.

1 ΜΕΣΕΑΠΟΤΟΜΕΠΡΟΤΕ   3 ΑΠΟΤΟΜΕ   5
EMECON   6 ΡΕΤΟΙΜΕΣΟΝΤΟΟΛΟΝΠΟΙΟΣΑ   8 ΜΕΣΟΜΕΝΟΛΟΝΠΟΙΟΣΑ   12 Pyr | flama
(*alterum*)   15 celindus celindrus *m. sec.*   18 XII decima   22 poecio   23 octedros | duodecedros
24 eticosedros   27 quod   30 partem *corr.*

nent VI, tolle VI, duo remanent; IIII, tolle de quatuor duo, remanent II, et sic in caeteris. Sic etiam si addas parem ad parem necesse est ut pares sint.

362, 11 ΘΕΩΡΗΜΑ speculatio.

FINIT DE GEOMETRIA

INCIPIT DE ARITHMETICA

Arithmetica vel erithmetica dicitur numeralis ars. 'Ρυθμός enim Grece, Latine numerus interpretatur, atque ideo suum nomen non est translatum sicut caeterarum artium quia quamvis Latialiter loquantur,
5 tamen ad indicium originis Grece sunt appellatae quia in Gretia invente sunt artes.

363, 3 CONTICUIT id est tacuit. PRUDENS docta. PERMENSIO id est geometrica.

[*fol. 98ʳ*] **363, 4** INNUBA dicitur Pallas quasi non nupta quia semper virgo
10 est. INSTIGAT provocat.

363, 5 ABACUM id est tabulam cum suis figuris. PERSTARE id est cessare. TEGMINE pulvere. GLAUCO viridi.

363, 6 PANDERE aperire. DUCTIBUS linea mentis. AEQUOR planitiam abaci. Omnis enim planities aequor dicitur ab aequitate.

15 **363, 7** ALTERA id est Pedia que cum Geometria tabulam abaci portavit inter deos. ACCIRE vocare.

363, 8 GERMANAM id est Arithmeticam. QUAE id est Geometria.

363, 10 IMMURMURAT susurrat.

363, 12 ADPROBAT id est laudat. ARMIPOTENS id est Iovis propter
20 fulmina. LENTUS securus.

363, 13 LONGA id est nuptias in longum ducis.

363, 14 SERIA id est longa. MARCENTEM id est vacillantem vel tepescentem. STUPIDANT stupefactum reddunt. COMMENTA asserta.

363, 15 FASTIGIA honores. VIRGO Philologia.

25 **363, 16** AMBIT circumvenit. HERILIS id est Cupido.

363, 17 NEC MEA MELLA id est dulcia. QUAE HAEC ac si dixisset: Lex ista in qua Pallas consistit non est Imeneia, id est non pertinet ad deum nuptiarum, nam non convenit ut Pallas habeat partem in agro Veneris, id est in opere nuptiarum quod pertinet ad Venerem.

30 **363, 19** PETULANTIA id est lascivia. FERVET id est ardet.

2 erithmetica
sic! | rithmus 7 continuit 9 inba *corr.* 15 portaut 16 duos *corr.* 17 goometria *corr.* 22 macillentem

363, 20 REPRIMIT recondit. TRITONIA id est Pallas. MENTEM Cyllenii.

363, 21 NUPTAE id est Philologiae. NON EQUA id est iniusta; non vult enim nuptias. DIONE matrem Veneris dicit.

363, 22 POTIUS id esset tibi melius. PRIAPUM deum nuptiarum quem nuptae colunt. 5

364, 1 ATHLANTIADES id est Mercurius filius Maiae filiae Athlantis.

364, 2 INFACETUS id est tardiloquus. LEPIDULIS id est feminis loquacibus.

364, 4 LICET URGES Iambicum dimetrum catalecticum, id est syllaba manens post dictionem. Recipit anapestum et spondeum et se ipsum in 10 capite.

364, 5 INIRE accelerare.

364, 6 EXERAT ostendet.

364, 7 AMBITUS assertio.

364, 9 CESSATUR demoratur. INTRICATUS insolubilis amore artium; 15 τρέχω curro, inde intrico demoror.

364, 10 FULCHRA id est sustentacula.

364, 11 NOSTRAE propter nuptias.

364, 14 FURIIS id est deabus malis. ALLUBESCAT placeat vel placeatur. Furiae dicuntur Cloto Lacesis Atropos. 20

364, 16 PAPILLAE id est mamille.

364, 18 FERALIS bestialis. CURA id est Furiarum discordia.

364, 19 VULSA id est soluta. FELLIS macule. ATRO id est veneno.

364, 20 TRAHAT id est auferat. CAPILLOS id est nuptae.

364, 21 RENIDENS resplendens. 25

365, 1 PRODIDIT manifestavit diis. MARCIDULIS blandis.

365, 2 LUMINIBUS id est lascivis.

365, 1 PETA lasciva.

365, 3 PROMITTENTIS id est se ipsam. ILLEXIT provocavit.

---

1 Cyllinii   2 id est (*primum*) *m. sec.*   7 infacetur | tardiloqus *corr.*   16 trexo
17 fulcra *corr.* | sustacula   19 fugis   20 Lacessis   24 traat *corr.*   29 promitentis

365, 4 DEPRAEHENDENTIS redarguentis. OBTUTIBUS id est nubibus.

365, 11 ALTER id est dies.

365, 12 DECURIATUS id est denarius a decem derivatur.

365, 13 HONORUM venerabilem.

5 **365, 14** DUPLIS TRIPLISQUE Duplus est quando maior numerus minorem habet bis, ut duo ad unum. Triplus est quando maior numerus habet minorem ter, ut ternarius habet unum ter. Ubicumque autem fuerint dupli vel tripli, necesse est ut sesqualteri vel sesquitertii sint. Verbi gratia, IIII ad II duplus est. Inter duo autem et quattuor est ternarius 10 qui sesqualter est binarii; quattuor vero ad III sesquitertia [*fol. 98ᵛ*] est, et sic in ceteris.

365, 15 IN UNUM id est ad unum.

365, 16 TENUATIS resolutis. CONTRAHEBAT resoluebat.

365, 17 VESTEM id est corporalem numerum. Numerus enim quamdiu 15 in animo fuerit incorporalis est et ideo vestem non habet. Quando autem foris egreditur habet vestem, id est corporalem habitum.

365, 18 VELAMEN intelligibilis numerus quia omnia terminantur ibi et ab ipso extremitates procedunt. ABDIDERAT absconderat.

365, 19 RECURSANTES id est numerando currentes.

20 **365, 20** VERMICULATI cometi similes vermium. SCATURRIGINE materia multiplici.

365, 21 DCCXVII NUMEROS Per numerum significavit proprium nomen Iovis, ZIPTC, id est Z VII, I X, P C, Υ CCC, C CC. Macrobius autem dicit proprium nomen Iovis est H APXH, id est principium, H VIII, A I, P C, 25 X DC, H VIII.

365, 22 SUBREXIT erexit vel salutavit vel levavit vel ostendit.
CONPLICATIS id est compositis.

366, 3 EMERSERAT id est ex fronte eius. CLINATE extentae vel conradiatae.

30 **366, 4** PORRECTO id est extento. MIRACULIS id est ex primo denario.

366, 7 CONSPICATI ut veniret in adiutorium. IDRIO germanae, idram habentem C capita Ercules interfecit. Putabant ergo terrestres dii et

---

3 dirivatur   20 scaturigine   23 ZIPTC *sic!* | Macrovius   27 conplicitis   28 climate   30 porrecte *corr.*   31 conspicate *corr.*

silvani quia haec femina filia Idrae fuerat.

366, 8 ABORTO id est subito orto.   PUER ILLE id est Cupido.

366, 10 USQUE ABACUM id est unaqueque ars suum abacum habebat.

366, 12 PRAEFEREBAT preportabat.

366, 16 SUPER VESTRUM pro superum.

366, 17 RECENSEAM recognoscam.

366, 18 RAMALIBUS id est radiis.

366, 20 NATURAE ipsa est monas.

366, 21 MERCURIALE FAXIT id est facit me venire et depromere artem.

367, 1 STUDEAM id est ut studeam.

367, 2 QUI pro quae.

367, 4 AFFATA id est laudata vel dicta.

365, 5 VIBRANTEM id est apparentem.

367, 8 PRINCIPIA id est omnes forme numerorum principia dicuntur.

367, 7 EXTANTIUM id est que stant in forma materiae quae eterna creditur esse.

367, 8 ANTE IPSUM id est mundum qui putabatur Iovis vel ANTE IPSUM id est binarium.   Nam sunt tria principia: principium a quo monas, principium per quod, id est principium multiplicationis, duo, principium numerorum, ternarius.

367, 9 NEC DISSIMULABO id est non negabo.   EX EO id est de eo.

367, 10 RETRACTANTIBUS id est philosophis disputantibus.

367, 12 MENSURA id est omnes numeros metitur.

367, 13 DETRIMENTORUM id est resolutionum.   QUAE dixisset quando resolvuntur numeri ad monadem pervenitur quae non potest resolvi.

367, 15 ABSUMPTA id est postquam omnes numeri consumuntur, monas remanet.   NON ASCENDITUR id est non transitur quia supra [*fol. 99*ʳ] eam nihil est, quia finis omnium in ea constat.

367, 17 IDEALIS formativa.

367, 18 INTELLECTUALIS id est monadis.

5

10

15

20

25

30

---

15 forme   23 mensuret *corr.*   24 qua   27 abscenditur   30 inteltualis | monac//is

367, 21 EXSTANT id est sol et luna vel EXSTANT, id est elementa quando per se considerantur singula sunt.

367, 24 CUPIAT Omnia enim elementa cupiunt ut unum sint vel CUPIAT inveniri ab omnibus.

5 **368, 1** ELATIONIS corporalitatis vel corpulentia.   PROPRIUM id est unum. DETORQUET attrahit.

368, 2 ARDORIS id est amoris quia appetunt virtutem.

368, 6 DEFLUXERIT ut aliquid appareat sive sensibiliter sive intellectualiter.

10 **368, 7** INSECABILIS quia non habet latitudinem.

368, 8 FACIT id est unum, causa numerorum.   DIAS causa procreationis. QUOD id est quia.

368, 11 IUNO id est dias.   CONIUNX id est monadis sicut Iuno Iovis.

368, 12 PRECEDENTIS id est unitatis.

15 **368, 13** ADVERSA dicuntur quae ab unitate vel divinitate recedunt quia avertuntur a veritate.

368, 14 AB ADHAERENTE id est ab unitate.

368, 17 MEDIA utraeque partes quae sunt dimidiae.

368, 18 AUSPICATUR incipit.   OPINABILIS id est cogitativa quia corporatio 20 opinabilis dicitur.   Quidam enim putant se videre corpus, quorum opinio falsa est.

368, 19 MOTUS id est unitatis.

368, 21 NUMERUS id est bis duo.

368, 23 PRIOR id est primus numerus est omnium numerorum.

25 **368, 24** CENTRUM id est unum medium.

369, 1 DENIQUE FATA id est Cloto Lacesis Atropos.

369, 2 GERMANITAS tres Gratiae filiae Iunonis et Iovis.   CELOQUE mediam terram dimisit quia nullus potest ab initio ad finem pervenire nisi per medium, ergo Lucina dicitur in caelo, Diana in terris, Proserpina 30 in inferno.

---

11 dies   13 dies *corr.* | conuinx   18 dimediae   19 *post* opinabilis
dicitur   26 Lacessis   27 grates   29 celo *corr.*

369, 4 SENARIUM quia senarius suis partibus implectitur ideo perfectus est. NOVENARIUMQUE quia primus quadratus est imparium, et quia ibi finitur tota musica, id est in epogdoo.

369, 5 AUSPICIO id est augurio.

369, 6 ARMONIA dicitur adunatio vocum. DIAPASON ex omnibus dicitur   5 quia ex diatessaron et diapente componitur.

369, 7 EMIOLION id est sesqualtera. DIATESSARON id est sesquitertia.

369, 8 ALTERNAT id est movet. TRIBUS temporibus: praeteritis praesentibus et futuris. DIVINATIO id est prophetia.

369, 9 IDEM id est ternarius.   10

369, 10 DIADEM MATERIAE quia materia creatrix et coaeterna deo credebatur sed formata a deo et diadi propter divisionem tribuitur. IDEALIBUS perfectis formis quia initium et medium et finem habet.

369, 11 CONSEQUENTER convenienter.

369, 12 TRICARIO id est ternario vel triformiter.   15

369, 13 SOLIDITATIS quia sic nascitur quasi cubus semel duo bis. PERFECTIO quia primus quadratus est.

369, 14 EX LONGITUDINE id est extremitatibus collectis medium dimisit, id est latitudinem. Nam omne corpus solidum IIII habet, id est longitudinem latitudinem altitudinem et se ipsum, quia aliud est cogitare   20 tria illa incorporalia, et aliud est corpus considerare.

369, 15 IMPLICITIS id est complicatis.

369, 16 INTEGRATUR perficitur.

369, 17 ECATONTAS id est c.

369, 22 FRONTESQUE CAELI id est oriens occidens aquilo meridies.   25 PRINCIPIA id est elementa que sunt principia omnium corporum.

369, 23 QUATTUOR AETATES id est infantia pueritia adulescentia iuventus. Hic status est incrementi ultra enim non crescit homo nec ingenio nec statura corporis.

QUATUOR VITIA id est quae sunt contraria IIII virtutibus.   30

369, 24 IPSI CYLLENIO id est pro fortitudine datur; [*fol. 99ᵛ*] ipse enim semper luctatur cum sole.

---

1 implectur   3 epiodo epigodo *m. sec.*
5 diapasson   6 diateseron   7 diateseron   22 complicitis   25 celi *corr.*   31 ipse | cellenio

370, 2 QUINTUS id est IIII elementa cum quinta forma.

370, 5 APOCATASTATICUS singularis vel reversibilis sive cum suo genere, id est cum quinario.

370, 10 ZONAE Sicut enim in celo sunt quinque circuli, sic etiam sunt in
5 terra illis qui habitant in aequinoctiali circulo quia a caelo omne eodem modo oritur eis et ideo decem regiones habent.

370, 15 ANALOGICUM id est rationabilem.

370, 19 MAGNITUDO id est quantitas. COLOR superficies quae tantum videtur.

10 **370, 20** FIGURA quam formam habeat. INTERVALLUM spacium corporis.
STATUS ET MOTUS Omnis creatura in his duobus constat, aut enim in statu sunt aut in motu.

370, 21 PRIORSUM id est ante circuli sive circuli mundi sive etiam imus cuiusque ambitus his sex movetur.

15 **371, 6** QUADRATI Nam omnis cubus quadratus est et sex superficies habet et VIII angulos et XII latera.
TOTIUS ARMONIAE id est diapason, nam sex toni sunt integri in armonia caelesti, id est unus a terra ad lunam, alter a luna ad Venerem, tertius a Venere ad solem. Item supra solem unus a sole ad Martem, alius a
20 Marte ad Saturnum, tertius a Saturno ad speram caelestam. Nam quod hic dicit quinque toni et duo emitonia secundum aliorum sensum dicitur, nam re vera septem toni sunt sed non sunt nisi sex integri, nam a Venere usque ad solem tria emitonia sunt, similiter a Saturno ad speram caelestem tria emitonia.

25 **371, 8** COLLATUS multiplicatus.

371, 11 ARTHMETICUS dicitur novenarius quia arithmeticam medietatem habet ut dicit EODEM ENIM NUMERO et reliqua.

371, 14 OCTO MUSICA RATIONE quia musicam medietatem habet.

372, 2 MEDIA sicut enim LXXII nascuntur ex multiplicatione extremorum
30 sic etiam ex multiplicatione mediorum nascuntur et hoc eodem modo sit in maioribus per multiplicationem LXX duorum ut sequitur.

372, 17 PERVIRGO id est valde virgo.

373, 5 MHNOEIΔHN id est primam.

---

1 elimenta   2 apocatasticus   5 qui   7 analoicum   17 diapasson   22 ni *corr.*   33
MINOIΔEM

373, 6 ΔΙΑΤΟΜΟΝ id est dimidia sectio, id est octavam.

373, 7 ΑΜΦΙΚΥΡΤΟΣ maior dimidio.

373, 8 ΠΑΝΣΕΛΗΝΟΣ id est plenilunium. Σελήνη dicitur luna a lapide qui sic vocatur in quo forma semper lune crescit et decrescit. Quidam dicunt paschalem lunam tantum ibi crescere et decrescere lumine, id est 5 circulus solis, nam circulus solis in xxviii annis constat sicut circulus lunae in xviiii. Verbi gratia, ut talis feria et talis dies mensis et talis annus bis Sextilis sit, ut hodie est, simul revertatur xxviii annorum spatium expectandum est, et iterum si bis Sextilis hoc anno fuerit in die dominica, non erit iterum in die dominica usque dum xxviii anni sint 10 peracti.

374, 9 LIENEM splenem.

374, 11 CAPUT TENUS IMUM COLLUM pro uno accipe membro.

374, 12 TOTIDEM STELLAE de Septemtrione dicit qui et Arcturus maior dicitur. 15

374, 14 VULCANO DICATUS quia ignis primus est in ordine elementorum.

375, 8 CYBEBE vel CYBELE quasi †sidos bivos† id est gloriae firmitas.

375, 12 MARS a morte dictus, quae mors finis est omnium.

375, 16 SONUS id est tonus.

376, 2 AUXILIUM quia sic est finis primi versus in decade ut a decade 20 incipiant alii versus.

[*fol. 100*] **376, 4** DATURQUE IANO quia sicut Ianus bifrons est, sic etiam decas dicitur bifrons quia initium est secundi versus dum sit finis primi.

375, 5 APOCATASTATICUS id est singularis ut sicut quinque apocatastaticus dicitur ita decas, sed non est ita. 25

376, 18 UNO ORDINE Nullum enim membrum habent quia non dividuntur in membra sed in singulares unitates atque ideo primi vocantur quia non habent nisi unam divisionem monadis et non dicitur inter eos quota pars, id est ut quot partes habeat iste numerus, tot alius.

3 Cf. Isidorus, *Etym.*, xvi, 10, 7.
18 Cf. Isidorus, *Etym.*, xi, 2, 31.

1 ΔΙΑΤΕΜΟΝ   2 ΑΜΦΙΚΙΡΤΟΟ   3 ΠΑΝΚΙΛΕΝΟΟ | ΚΕΛΙΝΕΟ   5 pascalem *corr.*   8 hodce *corr.*   9 sextus   13 inum   17 cubive vel cubile   23 secund   24 apocatasticus | apocatasticcis   26 nul   27 singularis singularas *m. sec.*

377, 5 PENTAS PRIMUS quia nullam divisionem habet praeter monadem. EXAS id est senarius bis nascitur, id est aut ex tribus bis aut ex binis ter, et ideo dicitur a paribus impar et ab imparibus par.

377, 6 PERFECTUS non solum quia bis nascitur sed etiam suis partibus
5 impletur.

378, 12 PRIMAM IPSAM MONADEM ac si dixisset: Ternarius qui impar progressus est additus ad monadem facit IIII, primum quadratum, cui si assoties quinque, fecisti novem, secundum quadratum, cui si assoties septem, fecisti XVI, tertium quadratum, cui si addas novem, fecisti XXV,
10 quartum quadratum, et eodem modo in ceteris.

379, 8 ΠΕΡΙΣΣΑΚΙΣ ΠΕΡΙΣΣΟΤΣ id est impares ex imparibus et dici possunt ceteri, id est non solum ipse numerus par est sed etiam sua membra paria sunt vel sue partes pares sunt, ut octonarius non solum par est sed etiam partes eius pares sunt, uti VI par est et duo par est.

15 **379, 12** ΑΡΤΙΑΚΙΣ ΑΡΤΙΟΤΣ id est pares ex paribus.

379, 13 ΠΕΡΙΣΣΑΚΙΣ ΑΡΤΙΟΤΣ pares ex imparibus. ΑΡΤΙΑΚΙΣ ΠΕΡΙΣ-ΣΟΤΣ impares ex paribus.

380, 3 ΠΕΡΙΣΣΑΚΙΣ ΑΡΤΙΟΝ id est pares ex imparibus.

380, 6 ΑΡΤΙΑΚΙΣ ΠΕΡΙΣΣΟΝ ex paribus et impares.

20 **380, 7** INCRESCENDI id est crescendi. Aliud est enim utrum ex bis ternis an ex ter binis nascantur VI, ideo diversas rationes habent.

380, 10 CITRA ac si dixisset: Infra singularitatem, id est cadunt in imparem numerum antequam perveniant ad singularitatem, ut duodenarius in VI et VI pares; VI autem statim cadunt in impares ut III et III.

25 **380, 16** SCAVET ascendet.

381, 3 EXCIPIUNT id est accipiunt numeros.

381, 9 QUIA NULLUS NUMERUS NON POTEST sed potest.

382, 13 ESTIMATIO EST id est indicatio quia de singulis numeris dixit huc usque; nunc autem incipit de duobus dicere.

30 **382, 22** IN ALIQUOS SOLIDOS Solidos numeros appellat membra quae excedunt singularitatem. Nam illi numeri in quibus sola singularitas

4 d *corr.*   7 progessus *corr.* | additur   8 no// // uem   9 nonos
11 ΠΕΡΙCOΚΕΙCΠΕΡICOIC   13 menbra   15 ΑΡΠΑΚΕΙC | ΑΡΠΟΤC | paribbus   16 ΠΕΡICΑΚΕΙ//C
ΑΡΠOIC | ΑΡΠΚΕΙC ΠΕΡICOT   18 ΠΕΡICΑΚΕΙCΑΡΠΟΤΝ   19 ΑΡΤΙΟΚΕΙCΠΕΡICON   20
increnscendi | crenscendi   22 singularitemtem *corr.*   26 excipiuntur *corr.*

pars est non dividuntur in solidos sed in partes.

383, 8 ΤΕΛΕΙΟΤΣ perfectus.

383, 9 ΥΠΕΡΤΕΛΕΙΟΤΣ superperfectus. ΥΠΟΤΕΛΕΙΟΤΣ subperfectus.

383, 18 IN VITIO quia quicquid plus est aut minus vitium est.

384, 3 PERFECTIO id est perfectione. 5

384, 7 QUAM MINUS sed minus. QUO id est eo.

384, 13 IN RATIONE mensurarum, id est Geometria. TANTUM DE NORMA
EXISTIMANT ac si dixisset: Planum numerum dicunt Greci esse ex duobus
numeris qui efficiunt quadrangulum et prout fuerint latera illius quad-
ranguli, sic erunt duo numeri ex quibus nascitur quadrangulus. Verbi 10
gratia, duodenarius in lateribus habet tria et quatuor ac per hoc haec
plana figura nascitur ex quater ternis vel ter quaternis sic in caeteris.

384, 16 RECTUM ANGULUM id est vel cum due linee, iunctis ex una parte
capitibus, angulum fatiunt rectum et tamen figuram non faciunt quia
non concludunt aliquid sed similitudinem norme. 15

385, 3 SUPRA DEINDE IIII id est ter, nam si superficies in duodenario
numero est et duodenarius nascitur ex ter quaternis [*fol. 100ᵛ*] vel quater
ternis, sic altitudo nascitur et habebit XXIIII.

385, 14 ΕΤΕΡΟΜΗΚΕΙΣ parte altera longiores.

386, 4 TESSERA quadratura quae est perfectior ceteris quadrangulis, 20
longa latera habentibus.

386, 5 SIMPLICEM ORDINEM id est lineam.

387, 5 MANIFESTUM ERIT ac si dixisset: Apparebit in sequentibus quia
ratio est inter II et III et CC et CCC, et manifestum erit quae est ratio
inter III et quatuor et VI et octo. 25

387, 7 MAIOR NUMERUS aut multiplicatione procedit sic distinguendum
est.

387, 16 ΠΟΛΛΑΠΛΑΣΙΟΤΣ multiplicatos.

387, 17 ΥΠΟΠΟΛΛΑΠΛΑΣΙΟΤΣ replicatos.

387, 18 ΕΠΙΜΟΡΙΟΤΣ membrum membrisve antecedentes. 30

2 ΤΕΛΕΤΟΤϹ
3 ΥΠΕΡΤΕΛΕΤΟΤϹ | superfectus | ΥΠΟΤΕΛΕΤΟΤϹ   12 ter *m. sec.*   13 vel cum due *m. sec.*   14
rectam   19 ΕΤΕΡΟΜΕΚΕΙϹ   20 ΤΕϹΕΡΑ | profectiora   26 distingendum *corr.*   28 ΠΑΛΛΑ-
ΤΙΛΑϹΚΙΟΤϹ   29 ΥΠΑΛΛΑΠΜϹΚΙΟΤ   30 ΕΠΟΜΟΡΙΟΤϹ

388, 1 ΥΠΕΠΙΜΕΡΕΙΣ membrum membrisve inferioris.

388, 4 ΙΣΟΤΗΤΑ equalitas.

389, 6 ET HORUM III id est quartas partes.

391, 18 SIMILEM PUTAT ac si dixisset: Si aliquis numerus minorem
5 numerum superat in toto et dimidio, non putat ibi esse rationem partium
sed rationem membrorum.

391, 20 PAR EST id est si numerus habet duas dimidias partes alterius
numeri et nec plus nec minus habet, necesse est ut par sit inter duos
fines, id est inter duos numeros.

10 **394, 10** VEL SUB DUPLO quam duo ad unum, ac si dixisset: Minus est
quando dico I ad II quam quando dico II ad I, et sic in ceteris.

394, 13 EAS id est rationes.

394, 15 UT VAS SUPER SUUM FUNDUM ac si dixisset: Sic numeri crescunt a
minimis quasi omnes vasculi alicuius surgentis a fundo, in quantum enim
15 vasculum elevatur a fundo, in tantum latius aliquando fit, sic numeri a
minimis crescentes ad ampliora et ad ampliora surgunt.

394, 16 IDEMQUE ETIAM ac si dixisset: Eadem similitudo est in ratione
membrorum a minimis enim finibus incipiunt.

395, 4 NULLA ALIA CONDITIO EST Ordo verborum: Nulla est alia condicio
20 sicuti ipsa ratio de emiolia quae incipit a tertia parte ac si dixisset:
Nulla conditio, id est nulla natura in ratione membrorum, est sicuti
natura emiolii, id est sesqualteri qui incipit a ternario numero. Nam
ipse est tertia pars numerorum ab uno et ibi est prima sesqualteritas.
Inter tria enim et duo primus sesqualter est.   Nullum alium sesqualterum
25 huic invenies similem, nam hic solus sesqualter in sola unitate invenitur.
Alii autem sesqualteri non in unitate sed in pluribus fiunt, ergo binarius
concordat cum inparibus quia nullam aliam mensuram habet nisi singularitatem.   In hoc autem discordat a paribus, concordat iterum paribus
qui in duo membra aequalia dividitur et in hoc discordat ab imparibus.

30 **395, 16** UT IGITUR DUOBUS DUO In hoc loco ostendit quomodo sesqualteritas nascitur ex multiplicitate, nam ex duplo nascitur sesqualter, sicut
ille numerus qui bis in duplo habetur eidem duplo adiciatur et sic sesqualter nascetur. Verbi gratia, quattuor bis habet duo, qui duo si
addantur quaternario fiunt VI, qui senarius ad IIII sesqualter est; item

4 simililem   11 quado (*alterum*)   13 in *post* sic *delevi*   17 idestque   23 sesquateritas *corr.*
29 impabus

senarius bis habet ternarium, qui ternarius si addatur senario fit VIIII, qui sesqualter est senarii et sic in caeteris, id est in triplis et quadruplis et in reliquis, si ille numerus qui ter habet in maiori vel quater addatur maiori efficitur sesquitertia vel sesquiquarta. Verbi gratia, duo ter sunt in senario, qui duo si addantur senario fiunt VIII, qui sesquitertius 5 est senario.

395, 21 SINE IUDICIS id est sine ratione iudicii ac si dixisset: Si sunt numeri qui nec ratione multiplicationis habent nec rationem membrorum partium, quesitum est ab arithmeticis [*fol. 101*] quomodo fiunt inter se.

396, 2 ULTIMAM ac si dixisset: Prima est ratio multiplicationis, secunda 10 est ratio membrorum, ultima ratio partium.

396, 3 GEMINA RATIONE id est prima ratio in multiplicatione, secunda in ratione membrorum et partium.

396, 6 ANIMADVERSIONES differentie.

396, 11 INTERIT perit parium numerorum multitudo, ac si dixisset: 15 Si pares numeri paria loca teneant, quod ex illis nascitur par est, si imparia loca habeant pares, quod inde fit similiter par est.

397, 3 IMPARIUM MULTITUDO id est si impares imparia loca tenuerint, impares inde nascuntur.

397, 5 EADEM DE CAUSA ac si dixisset: Si imparia sunt loca, sic etiam 20 impares fiunt numeri.

398, 3 SUPERSIT ac si dixisset: Ille numerus qui demitur a pari, si par sit, supersit, id est restat alius par, si impar demitur, impar restat ex contrario in impari numero. Nam si par tollatur, impar restat, si impar, par.

398, 16 RECIDERE resolui. 25

399, 18 PRAETER HOS id est pares ac si dixisset: Non solum pares fiunt per se conpositi sed etiam impares qui fiunt ex multiplicatione imparium per impares, sive enim impares per alios impares multiplicentur sive se ipsos multiplicent per se conpositi fiunt illi numeri qui inde nascuntur.

400, 8 QUIA NON NULLI ac si dixisset: Multi impares sunt qui abent 30 aliam mensuram praeter singularitatem ut praediximus. Sunt autem alii impares qui non solum non habent aliam mensuram supra praeter singularitatem sed nec communem nec propriam mensuram habent ut III, V, VII, et reliqua.

4 verb 7 sive (*primum*) 10 multiplicatis 12 multiciplitate *corr.* 14 animaduers// // //
ones 31 praedisimis

COMMUNEM MENSURAM id est singularitatem.

400, 17 IN EADEM SORTE id est in ipsa ratione est binarius, sicut enim impares solam singularitatem habent in mensura, sic binarius et sicut illi nec per se compositi sunt nec inter se, sic binarius in nulla mensura
5 concordat cum imparibus qui per se incompositi sunt.   Par tamen dicitur ut praediximus.

401, 16 DIVERSA id est iura.

402, 20 ALIQUA SOTIETAS SUPEREST ac si dixisset: Quamvis duodenarius a paritate recedit et dicitur par in aliqua tamen ratione iungitur impari
10 quia ab eo originem duxit, ut novenarius ternio enim eos dividit.

406, 17 SUB EADEM RATIONE id est sub ratione sesquitertia ut VIIII, XII, XVI; hi inter se sesquitertii sunt.

407, 1 NEC ULLI TRES MINORES ac si dixisset: Duos sesquitertios minores non invenies quam III et IIII.

15 **407, 2** CONFUNDANTUR iungantur.   Duo et IIII inter se incompositi sunt quia IIII in membra dividitur, duo autem in singularitatem, sic II et VI inter se incompositi sunt; inter se vero compositi sunt IIII et VIII quia in membra dividuntur, id est in bis II et bis IIII.

408, 2 DUCENTI ET C CC sic sunt quasi duo monades et c et quasi monas,
20 ideo non habent rationem membrorum.   Habent autem rationem partium quia superant ducenti c uno dimidio et XCVIIII partibus, ergo unitas intelligitur in uno medio et alia unitas intelligitur in centesima quae superatur XCVIIII partibus.

408, 11 IN ALIQUO PER SE INCOMPOSITO ac si dixisset: Omnes pares numeri
25 qui ex paribus fiunt per se compositi sunt et numquam in inparem numerum resolvuntur sicut octonarius in IIII et IIII, et IIII in duo et duo. Omnes vero impares qui per se compositi sunt resolvuntur in numeros per se incompositos ut novenarius in tria ter et quindenarius in quinque ter.   Sic pares qui ex imparibus fiunt ut senarius in tria et tria resolvitur
30 atque ideo dixit in maioribus numeris et reliqua.

5 com   14 inve// // es   16 membrum   20 menbrorum *corr.*   22 unctas   29 tri//a (*alterum*)

[*fol. 101ᵛ*] INCIPIUNT HAEC PAUCA IN ASTROLOGIA MARTIANI

Haec ars vocatur Astrologia sive Astronomia. Astrologia dicitur ratio astrorum, quae ratio naturaliter est, id est que signa oriuntur vel occidunt. Astronomia vero dicitur astrorum lex, id est quando cogitantur que signa recte oriuntur vel quae oblique, et haec non est 5
secundum naturam; obliquitas enim signiferi non secundum naturam est sed secundum positionem terrae. Illi enim qui in medio mundo sunt illis non est signifer obliquus, nobis qui extra signiferum habitamus obliquus est quia a latere eum videmus in austro.

422, 4 CONCINENTIUM id est parium. REPUGNANTIUM id est imparium 10
sed melius concinentium compositorum inter se numerorum; repugnantium vero inter se incompositorum.

422, 5 ANFRACTUS id est obliquos ductus.

422, 6 NON CASU id est non eventu sed re vera, vel NON CASSUM id est non
inutiliter vel superflue recognoscunt dii parentem, id est matrem, illorum 15
esse Arithmeticam.

422, 9 TIMEI SUI Timeus dicitur quidam homo cui scripsit Plato librum
qui vocatur *Timeus.*

422, 10 DISCRIMINANS depingens.

422, 11 CONSPICABUNDA similis conspicanti. 20

422, 12 SUPER id est de.

422, 13 EX IPSA id est eruditione, vel talis est sensus, ASSOCIANS NUTUM id
est consensum ADMIRANTIS id est Iovis, EX IPSA, id est de tali causa, ac si
dixisset: Assotiavit consensum Iovis, id est quid Iovis consentiret de
tali eruditione. 25

423, 1 ALUMNAE nutriciae.

423, 2 GRANDITATE id est amplitudine.

423, 3 PROFERAE id est Arithmeticae proferentis suam artem.

423, 5 SILENUS ideo describitur ebrius quia poetae amentes vocantur
propter fabulas. UT id est quia. EUAN id est Bacchum ab eo quod est 30
euhans.

---

4 Cf. Isidorus, *Etym.*, III, 24.

2 orars | astroligia *bis*   14 casu (*alterum*)   29 idesteo

30 Bachum   31 euua

423, 6 VIETUS decrepitus, id est quasi vie iectus.

423, 7 DOCTAE vocis, id est Arithmeticae.

423, 8 INTENTIONE ac si dixisset: Nolunt poetae veritatem sicut Silenus compressus fuit.

5　**423, 9** PROLECTATUS id est provocatus.

423, 10 PROLUERAT madefecerat.

423, 11 GLANDUM id est magnum. STERTENURANIAE quia in ἐν οὐρανῷ, id est caelo, id est palato oris, sternutacio fit, ideo Stertenurania dicitur.

423, 12 RAPIDULI veloces.

10　**423, 16** EXCUSSUS id est suscitatus.

423, 17 BERNACULAE Berna ut Cassiodorus dicit nomen est compositum trium generum: b ab eo quod est bonus, er ab eo quod est hereditarius, na ab eo quod est natus. Berna ergo dicitur quis vir vel quae mulier vel quod mancipium in bonis hereditariis nascitur.

15　**424, 1** CONISOS id est conantes.

424, 3 LIBENTIAM voluptatem.

424, 4 PROCAX id est loquax.

424, 5 ASSULTIBUS derisionibus.

424, 7 AFFIXERAT id est levaverat cum baculo.

20　**424, 6** DEPILE calvitium.

424, 9 PERMISSUM id est dimissum vel concessum.

424, 10 TUNC VIX SENEX RECLUSIS Trimetrum iambicum catalecticum, id est syllabam habens in fine.

424, 19 DUM pro tum.

25　**424, 20** VOCANTE id est provocante uxore sua Lide.

425, 1 SILICERNIUM id est senectutem. Silicernium enim dicitur quasi silicem cernens, id est sepulturam. In nullo enim lapide tam cito caro consumitur sicut in silice atque ideo ut multi putant eadem vocantur

---

11 Cf. Cassiodorus, *De orthographia*, v (Keil, *Grammatici Latini*, VII, 176).

1 uies　2 arihtmeticae　7 OTPANO　8 strtenurania *corr.*　11 Casiodorus　12 est
(*alterum*) *m. sec.*　16 libentium　19 afflixerat | lexerat

sarcofagus. Σάρξ enim dicitur caro, φαγεῖν comedere.
NUTANS id est movens.

425, 2 CELERE id est celeriter.

425, 18 TAREN ac si dixisset: Sic fuit Silenus portatus sicut fuerat Tares
quem [En]tellus in Sicilia superaverat. HIATIMEMBRIS enim portatus 5
est, id est discoopertus membris et supinus et complicatus [*fol. 102ʳ*]
manibus satyri. Per utres ideo dicit UTRIBUS TAREN REPORTAT vel sic
portatus est sicuti utres portantur in dorso.

425, 23 ADIECTIONE id est te ipsum addens.

426, 1 NON DISPENSAS id est non cogitas. 10

426, 2 CENSURA sub numero. ASSIMULARE id est alludere.

426, 3 CERRITULUM vel adverbium est et turpiter significat, vel CERRI-
TULUM GARRIENTEM id est inhonestum et stultum. AD QUO subaudis
venisti, ac si dixisset: Quo tempore desiliunt Cupido et Satyrus, illo
tempore venisti. 15

426, 5 DESILIUNT exsultant. NEMPE subaudis venisti, ac si dixisset:
Nonne venisti? CUM VIRGO SIDEREAE id est Astrologiae.

426, 7 ΑΠΑΓΕ quiesce. SIS id est vivas pro eo quod est sies.

426, 8 LEGES dicas, λέγω Grecum verbum est et interpretatur dico.
Talis est ergo sensus: Quiesce Martiane si iuvas haec dicere nec dicas 20
umquam post, id est tempus.
    NUGALIS AUSUS id est viles et leves audacitates.
    ME NEGA   NEGA imperativus est ac si dixisset: Negate me vidisse
ut te monerem.

426, 9 ET OBNUBERIS id est defenderis. 25

426, 8 VELAMINE LICENTIS CULPAE id est quia licet iocari in nuptiis.

426, 9 PRINEIAE dativus Grecus est. Est enim silvestris nimpha a
prino, id est ilice, dicta. NIHILUM id est non. GRAVATE ac si dixisset:
Ausculta non gravate sententiae, id est non sententia gravans te.

426, 10 ET NI subaudi ausculta. Ni pro nisi. ΟΝΟΣ id est asinus. 30
ΛΤΡΑΣ ludis ac si dixisset: Ne turpiter more asini ludas. ΚΑΙ ΚΑΙΡΟΝ
ludentem te. ΓΝΩΘΙ id est cognosce ludentem te nisi ludas ut asinus.

---

1 Cf. Isidorus, *Etym.*, xv, 11, 2.

<table>
<tr><td></td><td></td><td></td><td>1 sargofagus | sarx | fage</td><td>7 u // // tres</td></tr>
<tr><td>11 censra *corr.*</td><td>12 cerriculum *bis*</td><td>16 exultant</td><td>18 ΠΑΓΕ *corr.*</td><td>19 LEΓO   29 auscul |</td></tr>
<tr><td>sententiam</td><td>30 sub</td><td>31 ΛΙΡΑΣ</td><td>32 ΓΝΩΘΤ</td><td></td></tr>
</table>

426, 12 PROCACIS id est loquacis culpae.

426, 13 INVOLUTUS id est tardatus et contractus et accusatus Martianus tam tristibus verberibus et reliqua.

426, 14 ILLA id est Satyra. STOMACHO id est ira. SENESCENTE id est
5 quiescente.

426, 15 INVEHEBATUR irruebat.

426, 16 SEDIS ITER id est signifer per quem omnes planetae currunt.
CURSUMQUE POLORUM de fixis signis dicit quae currunt inter duos polos, nam poli non mutantur.

10 **426, 17** SACRA SIDERA de planetis dicit, nam dii sunt et ille solae ali
quando elevantur, aliquando inclinantur, sed unum dixit, id est tollunt, aliud tacuit; nam nulla elevatio potest fieri nisi inclinatio sit.

426, 18 UBI VIDEO id est quando video. PULSU id est motu.

427, 1 LAQUEARIA id est cameras caeli.

15 **427, 2** BIS SEPTEM id est Septemtriones duos, nam in septemtrionali
circulo circa polum tria sidera notissima volvuntur iuxta, id est Septemtrio maior qui dicitur Elice, Septemtrio minor qui dicitur Cynosura, et Anguis qui inter eos vadit et ambit, nam collo cingit minorem Septemtrionem, cauda vero maiorem.

20 **427, 3** PASTOR Ideo dicitur Bootes pastor quia Ἀρκτοφύλαξ vocatur a
Grecis, id est custos aquilonis. Aquilonalis enim circulus in illo finitur et solstitialis incipit.

427, 6 PHOEBEOS CURSUS id est solares cursus, id est quantum currit
et quomodo currit et quot circulos facit. Nam unam partem currit in
25 XXIIII horis, id est quingenta vel D octo stadia in terra. Currit vero
contra firmamentum cotidie, nam re vera ortus illius est ubi nobis occidit et occasus illius est ubi nobis oritur, quia contra mundum naturali cursu currit. C vero LXXX [*fol. 102ᵛ*] circulos habet, id est dimidia pars trecentarum LX partium. Nam due partes signiferi unum circulum
30 faciunt. Verbi gratia, quarta pars Arietis in aequinoctio vernali oritur
in eodem loco ubi quarta pars Librae oritur in aequinoctio autumnali post sex menses.

17 Cf. Servius, *Georg.*, I, 138.

RAPIDOS quia celerius currit sol quam Saturnus. Saturnus enim in XXX annis peragit suum cursum quem sol in uno anno facit. Celerius autem dixit propter spatium quia in minori spatio currit sol quam Saturnus, atque ideo celerius videtur currere.

427, 7 VARIAE lunae quia in unaquaque die variatur forma lunae sive crescendo sive decrescendo. 5

427, 8 NECTUNT de absidibus planetarum dicat, id est ubi iungitur circulus unius planete alteri circulo alterius planetae.

427, 9 ORBITA de signifero dicit qui nobis videtur obliquus esse.

427, 10 PRAESTES id est praefers. 10

427, 15 NE id est nonne. SITYRE id est me fecisti ut sitiam poemata quae in Meseoco gurgite componuntur; Mesius enim dicitur fons poetarum qui etiam et Pegasus vocatur.
FULGORES id est radios astrologicos.

427, 16 DEORUM id est siderum. 15

427, 18 DERIDEBAS id est valde deridebas. VATUM id est legendo superba carmina deridebas. DICABULIS Dico, inde dicax, inde dicabulum, parva dictio.
CAVILLANTIBUS fallentibus. SALEQUE facundia parva.

428, 1 INTER LIMPHATICA inter fluctuantia carmina ac si dixisset: Non minus irasceris nunc quam fuisti primo irata contra versutiam poetarum. 20
FERVEBAS id est paulo ante.

428, 2 CEREBROSA id est irata vel furibunda. CENSORIO id est numeroso.

428, 3 SUPERCILIOSIOR id est asperior. DEMOVEAM id est promoveam.

428, 6 RESIPISCE cognoscite. TRAGICUM id est tragice. CORRUGARIS exasperaris. 25

428, 7 RIDE, SI SAPIS Versus iste Peligni est, id est cuiusdam Greci iuvenis.

428, 6 NISI aspera es sicuti TRAGICI id est hirci qui semper asperi sunt, ride. 30

---

1 Cf. Plinius, *Hist. nat.*, II, 44; Isidorus, *Etym.*, III, 66, 2; Beda, *De rerum natura*, XIII (Migne, *P.L.*, XC, 211).

1 qui *corr.* | currire 5 valeriae | quiam 6 decresdo *corr.* 15 de *post* est *delevi* 17 crmina *corr.* | dicas *corr.* 25 cognoscete | tradicum 29 traici

428, 8 ALTERNANA id est alterna.

428, 12 AGGESTIO collectio.

428, 13 SENSIM tractim.   ILLABITUR descendit.

428, 15 FEXTALIS id est dii quia matematici ficta quedam ex sideribus
5 cognoscunt.   QUORUM id est fatalium.

428, 17 EXTIMI extremi.

428, 19 ET SI QUOS de infernalibus dicit.

428, 20 OPERIUNT id est occultant.   ASTRAEAN TEMINQUE URANIEM id
est celestem Musam.   LIBISSA id est in Africa nata, quia inventores
10 astrologiae fuerunt ibi.

428, 23 OCULEA oculosa.

429, 1 VIBRANTES id est radio lucentes.   IALINIS id est vitreis.

429, 2 CRISPANTUR densantur frequenti motu.

429, 3 CUBITALEM radium unde indicat sidera.

15 **429, 4** DIVUM planetarum.

429, 6 DIVERSIS COLORIBUS diversis stellis.

429, 7 ARRIDENTIBUS letantibus.

429, 11 CONTUITA id est dum contemplor meam rationem.

429, 13 PROBITATIS id est laudis verecundie.   IPSIS id est diis celestibus.

20 **429, 16** VULGARER per matematicos qui multa fingunt et per quos
accusor.

429, 19 CONSTERNATIONIS id est stragis.   EXCURSUM transitum.

429, 20 INTERCAPEDINE id est spatio.

429, 21 TERRESTRES ILLECEBRE propter matematicos dicit.   IACTANTES
25 id est superba quod iactant se.

CRINITORUM id est philosophorum.   SCOPAS id est speculationes
philosophicas, inde dicitur oroscopus, speculator horarum aut eciam
sicut Scopas, sic iactabant crines.

429, 22 PALLIOLOS subauditur per non tegenda.

30 **430, 7** ALUMNANTIS nutrientis me.

4 fxtalis fextalis *m. sec.*   8 astrian | temque

11 oculosa *sic!*   25 iectant   29 palliosslos

430, 9 DISCLUDERE occultare. SOLLERTIA studium.

430, 10 RECENSEBITIS [*fol. 103ʳ*] numerabitis. MEACULA id est que mea sunt propria.

430, 13 GLOBATUS id est circumscriptus ex tribus elementis. Nam a terra non conglobatur quia non movetur, caetera autem moventur, sed 5 universitas sine motu non potest esse. Ergo terra causa est circuitus, nam nullus circuitus, id est motus, potest esse sine statu et etiam superficies ipsius terrae que est pars universitatis conglobata est, non solum quia rotunda sed etiam quia movetur pro qualitatibus temporum. In hoc ergo loco quartam sui partem determinat, id est terra, quia ipsa in 10 statu constituta est, caeteris partibus aeterno motu volubilibus.

430, 14 CIRCULARI RATIONE Secundum astrologos hoc dico, non secundum fisicos; φύω nascor, inde φύσις natura.

430, 17 TENERITUDINEM lenitatem. COACTIBUS conglobationibus.

430, 18 INTERCAPEDINES dicit circulorum distantias; non dicit autem 15 circulorum quasi ambitum trium elementorum, sed ipsorum elementorum distantias et diversitates in semet ipsis negat esse. In omnibus enim suis partibus nulla diversitas est quantum ad unumquodque elementum pertinet. Aqua sibi ubique similis est et non discernuntur partes eius ab aliis suis partibus sed ubique volubilis est et liquida; similiter aer 20 liquidae nature est et simillimae et nulla diversitas in eo invenitur. Nam quod nubes et ventorum spiritus in eo videntur ex terrenis humoribus et vaporibus nascuntur, ipse autem in quantum in sua proprietate naturae liquidus ubique est et nullis diversitatibus discernitur. Quid dicam de superioribus mundi partibus quae tantae similitudinis sibimet 25 sunt ut nulla pars possit discerni ab altera? In hoc ergo discernuntur astrologi et fisici; fisici dicunt tria elementa quae ambiunt et liquidae naturae esse sine ullis circulorum diversitatibus et sine diversitate partium. Astrologi autem circulos conantur astruere et partes liquidae naturae a semet ipsis discernere et differentias quas intercapedines 30 vocant et vias ductas diversitates qualitatum circulos fingunt, ideo dicunt circulos in caelo esse. Dicunt enim mediam partem mundi inhabitabilem prae nimio calore; dicunt extremas caeli partes frigidas et inhabitabiles prae nimio frigore. Fingunt etiam duos circulos inter frigiditatem et caliditatem habitabiles. Hec omnia negant fisici quoniam 35 diversitatem qualitatum, caloris frigoris temperantiae, circa terram esse dicunt. In superioribus autem partibus nec calor nec frigus nec tem-

1 occltare *corr.*   7 si *corr.*   9 qui (*alterum*) *corr.*
13 φόω   15 intercapidines   18 nula   24 aliquidus   26 hoc *m. sec.*   27 dicitur   31 vies
36 frigioris

perantia sed similis per omnia natura, nam et ipse sol in ea parte in qua
est nihil urit et expers totius caloris est; radii autem ipsius quando
descendunt ad inferas mundi partes ubi corpulentiam naturae invenire
possunt, ibi incendunt et operantur et calorem et flammas gignunt.
5 Nam ideo nubes elongantur a terra quia repercussio radiorum non
permittit eas descendere, ex hoc ergo apparet quia calidior est inferior
quam superior.

430, 19 ADHAERENTES hoc est ut unumquodque elementum in se ipso
adhaeret sibimet sine [*fol. 103ᵛ*] discretione partium.

10 **430, 20** ORBIBUS id est speris.

431, 2 QUINTO QUODAM LOCO Quattuor sunt mundi loca secundum
numerum elementorum, sed quinque describuntur propter divisionem
aeris in duo spatia, hoc est in illud quod adpropinquat aque et telluri et
in superiorem partem que etheri appropinquat quae pars vocatur ignis.
15 Ergo sic est ordo: terra aqua aer, qui dividitur in duas partes, ut diximus,
et in quinto loco est ignis.

431, 8 ANASTROS sursum stellatus, vel super sidera interpraetatur.

431, 10 AETHERIUM TRACTUM quod subtilius fuit describit.

431, 11 LICET id est intelligatur aerius et aquaticus.

20 **431, 14** IN FERINE id est in spera.   Ferenia enim dicitur caelestis spera.

431, 15 ET CIRCOTE propter rotunditatem, id est circulus.

431, 16 ROBORI spissitudine.   MUNDANAE caelestis nature.   APPONAM
distribuam.

431, 17 SUSTINERE ac si dixisset: Quidam a circulis mundi contineri
25 terram putabant.

432, 2 CAVERNIS foraminibus.

432, 6 IDEALI intellectuali specie.

432, 4 EDISSERTANDI docendi.

432, 5 PERHIBEBO nominabo.

30 **432, 10** PRO CONDICIONE pro origine vel pro natura.

432, 12 ROMANORUM de Cicerone dicit qui de signis disputavit.

432, 13 CONSIDENDO Ideo hoc dicit quia quicumque aspexerit sidera circa illum considunt, id est quedam supra caput quaedam aut ante et retro detrorsum sinistrorsum videntur usque dum propinquus visus noster appropinquat terris.

AB ASTREO id est inventore, sive ἄστρον Grece, Latine stella.

432, 14 COMMENTIS figmentis.

432, 16 PARALLELI aequistantes vel sibi invicem similes.

432, 19 A CENTRO id est a polo. IN CIRCUMFERENTIAS id est in extremitates circuli undique.

432, 22 Ὁρίζω finio, inde ὁρίζων FINITOR.

433, 12 ALTIORE ac si dixisset: Septemtrionalis circulus nobis super terram est et in superiore sua parte contigit orizontem naturalem. Naturalis autem orizon est quem vident qui in aequinoctio habitant. Similiter australis circulus nobis sub terra est et in superiori sui parte contigit orizontem in australi parte.

433, 16 COLUROS coluri inperfecti eo quod in australi parte per que sidera currunt nescimus.

433, 23 UNDE ORTUS ac si dixisset: Unde ortus fuit secundum illos qui inchoaverunt a cardine.

433, 24 DECURSANTES deducentes inter se, ac si dixisset: Coluri bis invicem iunguntur et aequales angulos faciunt, id est in septemtrionali polo et in australi; quater enim parallelos tangunt et angulos aequales faciunt.

434, 4 SECUNDO bis. Signifer dicitur eo quod fert signa XII, vel signifer dicitur eo quod planetas fert, quod est melius.

434, 13 AUT FINDIT aut finditur, ac si dixisset: In subtilissima natura non potest esse differentia utrum circulus findit alium circulum an finditur ab alio.

434, 14 QUI SOLI LUNAEQUE Notandum est in hoc loco cur dixit soli, nam sol latitudinem signiferi non mensurat sed luna. Duas enim medias partes solum modo latitudinis signiferi sol lustrat nec eas aequaliter sed more draconis currit inter illas duas medias, id est flexuoso cursu. Luna autem duodecim eius partes lustrat; Venus autem [*fol. 104ʳ*] excedit in

3 sinistrosum   5 astron   7 parabelli   10 ορίζο | ορίζοη   12 terramē   14 circulos   16 colluri   20 colluri   22 paralelos | aequ// les *corr.*   31 lustrat lustarat *m. sec.*

duabus partibus; igitur mensura signiferi lunae tribuitur quae est in XII partibus more geometrico.   Geometres si circulum fecerit primo punctum in medio ponit inde aliunde lineam ducit.

435, 9 PERIFERIAN id est circumferentiam et est una pars.

5 **435, 12** LINEAM DUXI Quando ducitur axis vel linea a polo ad polum, pars mundi vocatur, quando vero ab hisdem polis linea ducitur quae singulos circulos mensurat, circulorum pars vocatur. Prima linea ducitur a polo usque ad extremitatem septemtrionalis circuli, secunda ducitur ab eodem polo usque ad terminos solstitialis circuli, tertia ducitur 10 ab eodem polo usque ad terminos aequinoctialis circuli. Similiter ab alia parte, id est a polo austrino, ducitur linea usque ad terminos australis circuli, secunda usque ad terminos brumalis circuli, tertia iterum usque ad aequinoctialem finem.

435, 16 ΕΝΓΟΝΑΣΙ ipse est Ercules qui in genubus; γόνυ Grece, Latine 15 genu.

435, 19 LINEARI id est spatium inter circulos quod Grece διάστημα dicitur, interstitium a Latinis vocatur.

435, 22 POTIORE septemtrionalis.

436, 1 AD OFIUCHI id est serpentarii qui tenet ὄφιν, id est serpentem; 20 φωνέω loquor, inde ὄφις serpens dicitur eo quod locutus fuit cum Eva; secundum vero paganos cum Ope, uxore Saturni.

436, 2 EQUI Pegasi.   ANDROMEDAE reginae Persei, regis Asiae.

436, 4 ENIOCHI id est aurigae, ἡνίοχος Grece, Latine currus dicitur.

436, 7 BIS EMENSUS propter duo aequinoctia. Nam aequinoctialis 25 circulus bis potest metiri, id est a polo austrino ad unum aequinoctium et a polo septemtrionali ad aliud aequinoctium, vel ideo BIS dixit quia septemtrionali polo bis metiri potest, id est linea ducta a polo ad octavam partem Arietis, item alia ducta ad octavam partem Librae; similiter ab australi polo intelligendum est.

30 **436, 9** CLUIT vel CLUDIT perficit.

436, 10 AD REDUCTUM id est flexum.

436, 12 EDITAS id est altas.   IDRI id est serpentis quem Ercules interfecit.   CRATERAM id est urnam, nam urna et Corvus in dorso Idrae sunt.

436, 13 LUCIDAS stellas que sunt in Cratera.

436, 21 ARGO navis dicitur a factore.

436, 22 CENTAURI dicuntur homines mixti cum forma tauri.

437, 1 POTERAT inpersonale est.

437, 12 DELTOTOS genitivus est. Deltoton enim dicitur triangulus et 5 Egyptus.

437, 16 ARCTOFILACOS genitivus est. Arctofilax dicitur custos aquilonis. BOOTIS STELLAM id est clarissimam.

437, 19 PANTERAM bestiam.

437, 24 TROPICUS id est conversibilis. Ibi sunt duo solstitia in quibus 10 convertitur sol in auctum diei vel noctis.

438, 22 OCULIS quia colore discernitur.

438, 23 ULTRA REGULAM id est certam, ac si dixisset: Nullam certam regulam habet lacteus circulus in latitudine; per vices enim stringitur, per vices dilatatur, ideo dixit deficiens, id est stringens. 15

439, 2 COMPENSATUR extenditur vel mensuratur.

439, 3 SURGENTIS id est orientis. DEMEANTIS id est occidentis.

439, 8 QUEM SPATIA OCTO RESECAVI ac si dixisset: A polo usque ad extremitatem septemtrionalis circuli lineam duxi quam mente resecavi.

439, 10 INTER VIII ET VI sesquitertia proportio est et ideo inter septem- 20 trionalem et solstitialem sesquitertia proportio est quia in tertia parte [*fol. 104ᵛ*] septemtrionalis circuli superat solstitialis circulus, sicut aequi- noctialis superat solstitialem in dimidia parte sui, et sicut ab aequinoctiali usque ad polum septemtrionalem, sic ab aequinoctiali ad polum austrinum. 25

439, 14 MINOR EST ac si dixisset: Maior est sesquitertia proportio in denominatione quam sesqualtera, nam ternarius maior est quam binarius; in quantitate vero discrepant, nam minor quantitas est in sesquitertia et maior in sesqualtera.

439, 22 INERRANTIA id est fixa. 30

440, 2 SOTIARE id est iungere numero signorum.

---

1 ststellas   7 artofilacos | artofilax   12 discrnitur *corr.*   20 sesquitia *corr.*   29 maior minor *m. sec.*   31 iugere

440, 7 POTIORUM magnorum.

440, 8 INTERIACTENTIS id est signiferi.

440, 14 ARIADNES genitivus Grecus est. NIXOS flexos. LIRA Orphei.

440, 18 IDRUS per longitudinem aequinoctii tenditur capite Cancro,
5 medietate Leoni, cauda Virgini.
PROCHION antecanis, κύων canis.

440, 20 CAELULUM turibulum.

441, 3 INTEGRAT perficit.
SED UNDECIM quia Scorpius locum Librae occupat cum suis bra-
10 chiis.

441, 4 ΧΕΛΤΣ si per e longam scribitur, brachium significat, si per brevem, labium.

441, 18 TORACE id est pectore.

443, 20 SIGNO TAURI ORIENTE Geminos intermisit aut quia praeoccu-
15 pantur ab aliis signis ut nihil sit quod oriatur vel occidat cum ipsis, sed
in quibusdam libris invenitur GEMINIS ORIENTIBUS OCCIDIT SERPENTARIUS
USQUE AD GENICULA ORIUNTUR VERO FLUVIUS ERIDANUS CETUS ORION.

444, 6 LICET HOC IN CAPRICORNO ac si dixisset: Ideo dixi signum Cancri
recte oriri quia ab octava parte sua recte oritur et cetera signa quae
20 sequuntur recte oriuntur usque ad octavam partem Capricorni. Ergo
pars prima Cancri concordat cum ultima parte Capricorni et ideo dixit
CURVETUR, et pars prima Capricorni concordat cum ultima parte Cancri.

444, 9 DEUNCE id est dempta una untia de Libra, ergo deunx XI partes
significat horae. MINIMA id est duodecima pars horae, id est una uncia.

25 **444, 12** SEXTA PARTE id est duas uncias.

444, 13 SIMILITER LIBRA ac si dixisset: Similiter oritur et occidit Libra,
duabus enim oritur et duabus occidit.

444, 14 TERTIA PARTE id est IIII uncias.

444, 13 DIMINUIT ORTUM quia non tantum habet in ortu sicut supradicta
30 sidera, ideo dixit DIMINUIT et in his omnibus considerandum est inter
ortum et occasum uniuscuiusque signiferi ut IIII hore sint.

445, 22 PERCENSENTUR id est conputantur.

2 iniacentis   3 ariathnes│genitiuus ē   6 anticanis│chion   11 ΧΕΛΙC
14 signa   16 orientis *corr.*   20 sequutur *corr.*   27 in *post* et *delevi*

446, 4 ET SEXTANTEM id est duas uncias.

446, 11 REFRAGATUR resistit.

447, 8 SED ECCENTRON id est non centrum. PROPINQUANTES id est terras.

447, 10 SUMMITTIT id est humiliat.

447, 13 IMPRIMIT id est in imum.

447, 14 ūū Haec nota verbi gratia significat.

447, 15 PERERRATIS id est lustratis a sole.

448, 5 NAM ISDEM id est sicut sol currit, ita planetae.

448, 8 OBFUNDIT id est efficit. NON PLANETAS SED PLANUNTAS Duobus modis intelligitur iste locus; NON PLANETAS id est errantes ab erroribus SED PLANUNTAS id est errantes a lustratione, vel etiam NON PLANETAS id est non signa errant cum semper naturali cursu currunt sed errorem hominibus efficiunt et ideo non planete sed planuntae dicuntur.

448, 9 EOS id est planuntas masculini generis.

448, 10 FENONAM id est apparentem, φαίνω appareo, φαέθω venio, inde φαέθων veniens.

448, 11 PIROIN id est ignitum.

448, 12 FOSFOROS lucem ferens. STILBONTA id est splendentem.

448, 14 SOCIAVIT id est iunxit. Sicut enim sunt diverse [*fol. 105ʳ*] linguae, sic sunt diversa nomina solis et lunae, non ita in aliis planetis.

448, 15 QUOD ILLA id est fixa.

448, 17 HI id est planunte AUFERUNTUR id est tolluntur cum mundo.

448, 18 RETULIT retrahit, id est quantum cum mundo feruntur per diem et noctem, tantum laborat agere unusquisque planunta in suo anno. Verbi gratia, cotidie luna cum mundo oritur et occidit, propterea laborat ut illum cursum perficiat in XXVII diebus et VIII horis.

449, 5 RIGIDO id est recto.

449, 6 DEFIXA id est signa. Ideo signifer obliquus est quia planuntae oblique feruntur per illum.

449, 7 EX CONTRARIO ac si dixisset: Una res sibi ipsi non potest esse

3 ecentron   16 fenio | feto   17 feton   19 fossoros

contraria; una res est mundus et ideo planete non e contrario currunt
recto motu sed oblique ne contrarietas in una re sit.

449, 8 Peripatheticorum id est deambulantium philosophorum. Peri-
pathetici enim maxime disputant in deambulando; dicunt planetas non
5 currere contra mundum sed cum mundo currunt tardius tamen firma-
mento atque ideo videntur retro esse. Verbi gratia, luna in quarta parte
Arietis oritur in initio noctis post xxiiii horas quarta pars Arietis veniet
in eundem locum; luna autem non veniat propter tarditatem sui ter-
tiadecima enim parte retro est, sic de ceteris vicibus ac si dixisset:
10 Sicut terra aufert lumen solis a luna ut defitiat, ita luna aufert lucem
solis a terra ut non appareat sol in quibus partibus terre in die eclypsis
solis fit quando luna est in coitu, non quia deficit sol sed quia radii eius
propter lunam interpositam non veniunt in quasdam partes terrae.
Lunae vero eclypsis fit quando plena est, et illa deficit quia radii solis
15 ad illam non possunt venire propter terram. Luna enim a sole
illuminatur.

450, 11 clxxxiii circulos Tres ideo dixit propter quadrantem quem
accepit pro integro die.

450, 15 Mars duplos quia in duobus annis peragit signiferum; Iovis
20 duodecies; Saturnus vigies occies.

450, 17 paralleli Omnes circuli per quos planetae ascendunt vel
descendunt paralleli dicuntur quoniam aequali ductu in ortum et occasum
lineantur.

450, 22 laxiore id est maiore, vel ideo dicit quia sol maior est quam
25 terra, vel laxiore dicit liberaliore. Liberius enim currunt hae duae
planetae quia et subter solem et supra solem et ante solem et post solem
currunt.

451, 1 parte dimidia id est signo et dimidio. Nam xlvi partes signum
et dimidium significant quia sunt quoque signa in quibus moratur sol xxx
30 duabus partibus.

451, 4 orbe castiore diffusioreque Ideo dixit castiore, id est strictiore
circulo, nam strictior est circulus Veneris sub sole, supra vero diffusior,
id est amplior; versa vice circulus Mercurii castior est supra solem,

---

10 Cf. Plinius, *Hist. nat.*, ii, 47.
14 Cf. Beda, *De rerum natura*, xxii (Migne, *P.L.*, xc, 240); Plinius, *Hist. nat.*, ii, 56.

5 firmamentum   7 nitio *corr.*   8 eundum | trditatem *corr.*
10 aufrtur aufertur *m. sec.*   12 quado *corr.*   17 qua//drantem   21 paraleli   22 paraleli
23 liniantur   26 subtus   30 duobus *corr.* | partibus *in. mg.*

diffusior vero sub sole.

451, 17 LUNA SUBIECTA id est soli.

451, 18 COLLATIONE id est comparatione.

452, 2 EIUSDEM id est Meroes sed est melius eiusdem, id est solis, nam proveniens defectus in Meroe obumbrat totum orbem eiusdem solis. 5
SED PROPINQUO CLIMATE id est non propinquo climate Diameroes sed in propinquo climati, id est ubi prius portio obscurationis apparuit, id est in quarto climate quod est DIARODU.

452, 6 DUODEVICESIMAM PARTEM id est duo minus de XX, id est octavam decimam partem terrae. 10

452, 9 METALITER id est et conus unum ubi deorsum versus acuitur umbra. Nam in umbra facienda [*fol. 105ᵛ*] necesse est ut tria sint, id est lux corpus locus, et ideo tria genera sunt umbrarum, id est cylindrium turbonidum pyramidum. Cylindris umbra dicitur ubi lux et corpus aequalia sunt, tunc umbra aequaliter mittitur, sicut cylindris, id est 15
lignum rotundum quo terra aequatur. Pyramidis umbra est quando lux maior est quam corpus, acuitur enim tunc umbra in summitate. Turbonidis est quando lux minor est quam corpus, tunc enim crescit umbra ultra corpus sicut turbo quo ludunt pueri.

452, 11 TRIPLO sic est corpus lunare ad summitatem umbrae suae sicut 20
XVIII ad VI, et ex hoc colligitur quia luna sextam partem circuli terre tenet, C̅C̅C̅C̅VI et X STADIA, cuius numeri trecentesima sexagesima pars est I̅CXXVII tres semis stadia et XXXVIII pedes, unciae tres ·et triens; decima vero et octava pars est X̅X̅I̅I̅DLVI stadia et sex passus.

452, 12 ORBE SUO id est circulo. 25

453, 8 VIDES LUNAM ac si dixisset: Si maior est sexies terra quam luna et circulus lunae maior est sexcenties quam luna, necesse est ut circulus lunae maior sit quam terra cencies quia terra centesimam partem circuli lunae tenet. Sicut ergo luna sextam partem terre tenet, sic terra sextam partem circuli lunae tenet, id est centesimam. In sequentibus sic 30
inveniet circulos maiores si numeraveris quot sint menses in anno uniuscuiusque planetae.

12 sqq. Cf. Plinius, *Hist. nat.*, II, 51.

6 sed// | demeroes   8 dearodu
9 duovigesimam   13 cilindrium | cylindrium *sic!*   14 turbonidum *sic!* | cylindridis   15 celindris |
cylindris *sic!*   17 quan   18 turbonidis *sic!* | quan | cescit *corr.*   22 uius   23 ICXXX | XXVI
24 sex vel VII *m. sec.*   25 *ex verbis a Dick excisis*   29 sexta (*alterum*)

454, 5 INTENTIONIS id est mentis.

454, 10 TRICESIES <TER> MILIES ET SEXCENTIES ac si dixisset: Si multiplicaveris c, quod est terra in circulo lunae, per cccxxxvi, invenies $\overline{\text{XXXIII}}$ et DC; $\overline{\text{XXXIII}}$ et DC terrae possunt esse in circulo Saturni.

454, 11 PROPINQUIOR quia luna inferior est omnibus planetis.

454, 13 FISICORUM ideo hoc dicit quia fuerunt quidam qui dixerunt lunam proprium habere lumen et quamvis videatur obscurari quando eclypsis eius est, dicunt quia aer tingit eum rubeum colorem, tamen non perdit suum lumen quamvis non appareat sed resistit eis, quia si luna haberet lumen, semper appareret plena quando in aere non curreret. Illi dicunt quia dimidia pars eius plena est et non semper contra nos illa pars convertitur atque ideo per partes lux eius apparet nobis. Huic etiam resistit, nam si una pars eius plena fuisset falsum est et quia lux eius in uno mense corpus eius totum circuit, cum hoc non potest esse. Fisici vero, id est naturalis veritatis inquisitores, φύσις dicitur natura, verius dicunt lunam habere lumen a sole, ideo sine nomine sunt illi priores, isti autem vocantur fisici.

454, 15 OMNI EMISPERIO Ideo hoc dicit quia dimidia pars lunae semper plena est, namque ea pars qua aspicit solem illuminatur atque inde efficitur ut luna non crescat nec decrescat quantum ad solem pertinet, sed quantum ad nos. Nam si sub sole sit, a nobis non videtur usque dum recedat a sole, tunc paulatim lux eius incipit apparere hominibus, ideo praedixit MENSTRUUM LUMEN. Nihil est enim mensis lune nisi lunaria luminis circuitus; verbi gratia, quando prima est, tunc videtur a nobis corniculata, non videbitur iterum figura usque dum mensis integer lunaris sit; quando vero plena est luna, nobis contra solem faciem suam habet et contra nos; quando autem penitus a nobis non videtur, [*fol. 106ʳ*] simili modo plena est et contra solem dum sit in coitu.

455, 5 LUCUBRANDIORES id est blandiores lucentes. Nam radii solis repercutiuntur a lunari corpore et non veniunt per noctem ad terram <et> flexibiliores <sunt> quam radii solis qui repercutiuntur a terra. Longius enim a nobis est luna quam <sol> et ideo quia in terra sumus, plus ardemus in aestivo tempore.

CONTIGERIT ac si dixisset: Potest esse ut luna sit in coitu in oriente et post videtur in occasum post solem. Plinius enim dicit novissimam

---

35 Cf. Plinius, *Hist. nat.*, II, 78.

2 trigies | ter *addidi*   3 cccxxvii
4 DCte | // //esse   5 qui *corr.*   17 autem *m. sec.*   21 sed *conieci* non   30 repercutientur
corr.   31 et *addidi* | flebiliores | sunt *addidi* | //quam   32 sol *conieci* terra   34 *l. deest* Dick

lunam primamve in nullo alio signo conspici nisi in Ariete, id est ut videatur mane ante solem et vespere in eadem die post solem. Tribus ergo causis variatur luna; nam si contigerit ut in coitu sit mane et appareat vespere prima minor videatur. Prima si vero contigerit ut in media nocte accendatur et postea currit per mediam noctem et totam 5 diem usque ad occasum et tunc apparet maior, si vero vespere contigerit et in alia vespere apparet prima maxima.

455, 10 MHNOEIΔHΣ id est singularis forma vel uniforma, id est prima luna.

455, 12 ΔIXOTOMOΣ id est dimidia sectio quae est octava. 10

455, 14 'Aμφί circa, <AMΦIKTPTOΣ> id est plus dimidia secta, id est plus quam VIII, minor quam plena.

455, 17 ΠANΣEΛHNOΣ id est plenilunium. Πᾶν enim dicitur omne et σελήνη luna a lapide qui vocatur σεληνίτης quasi σέλας νυκτός, id est lux noctis. 15

455, 19 ORBIS SUI id est signiferi.

455, 20 EODEM INTERSTITIO id est in die et nocte.

455, 21 MARS DIMIDIAM quia annus eius duos annos habet et sic in caeteris prout fuerint anni illorum sic currunt.

456, 1 Z id est bisse diei; aequinoctialis enim dies habet XII horas bisse 20 illius VIII horae. Nam bis dicitur quasi des; d ab eo quod dempta, es ab eo quod est triens, bis ergo dicitur dempta triente. Verbi gratia, si tollas tertiam partem a duodenario, id est IIII, remanet bisse, id est duae tertiae partes quae fiunt VIII. Quidam volunt ut nota trientis sit hic, nam triens, id est tertia pars diei et noctis, VIII horae fiunt, VIII enim ter 25 fiunt XXIIII horae.

456, 11 XXVIIII DIEBUS ET DIMIDIO id est XII horae, nam XII horae dimidia pars diei noctisque. Maior est ergo mensis lune quam solis annus duobus diebus et IIII horis. Quantum enim currit sol in XVIII diebus et VIII horis, tantum currit luna in duobus diebus et IIII horis ut 30 persequatur solem.

456, 5 IN SIGNO PROXIMO id est in secundo. AUT ETIAM ALTERO id est tertio.

                                                      1 aete *corr.*   3

cotu *corr.*   4 prima (*alterum*) *m. sec.*   7 spere *corr.*   8 monoides   10 diathomos   11 amphi | AMΦIKTPTOΣ *addidi* | dimia   13 pancelenos panselenos *m. sec.* | plenalunium | pan   14 cilenos silenos *m. sec.* | silenes | silos | nictos   20 *l. deest Dick*   21 bes | des *sic!*   22 bes | triante   27 xxxviiii   28 sivis

456, 9 BIS INVENIT Verbi <gratia>, si in prima parte Geminorum coitus sit, potest iterum alius coitus esse quia ibi moratur sol XXXII partibus, non sic in Libra. Verbi <gratia>, si fuerit in prima parte Librae coitus et Libra habet XXX partes, si tollas de XXX, XXVIIII dies et
5 XII horas, nulla pars remanet integra atque ideo bis ibi non coit.

456, 10 IN GEMINIS XXXII Unumquodque signum XXX dies habet unde assumuntur isti duo dies et quinque assumuntur, nam in Geminis XXXII manet, in Cancro similiter, in Leone XXXI dies manet.

456, 20 COMPENSATUR componatur. Plinius dicit πασέληνος tribus
10 lunis efficitur XIIII XV XVI, ideo hoc fit quia varie transcurrit sol signa. Tamen necesse est ut XXVIIII dies sint et duodecim horae in mense lunae.

456, 17 CCCLIIII Nam [*fol. 106ᵛ*] si multiplices XXVIIII dies et XII horas duodeties, iste numerus efficitur.

456, 20 INTERCALATIONUM Istos enim XI dies antiqui intercalabant inter
15 finem anni et initium et faciebant aequalem annum solis et lunae.

457, 1 NAM ALIA PER III id est Mars; ALIA PER IIII id est Iovis; ALIA PER VIII ut Mercurius; QUEDAM PER OMNES ut Venus et luna, quamvis Plinius dicit excedit eum binis partibus Venus.

457, 5 FERE MOMENTUM Momentum appellat partem momentis partibus.

20 **457, 10** FERE ELICOIDES obliqua a sole; ἥλιος enim dicitur sol.

457, 12 AUT ACUTIS AUT SPATIOSIS Nam ubicumque linea ducitur per circulos oblique, necesse est ut duos acutos angulos faciat et duos spatiosos.

457, 16 ANNO NONO DECIMO Circulus lunae, id est reversio eiusdem ad
25 eandem etatem quam nunc habet, post XVIIII annos fit sicut reversio solis post XXVIII. Verbi gratia, si hodie XX est, XII Kalendarum Septembrium non veniet usque dum XVIIII anni sint finiti; iterum si XII Kalendarum Septembrium in secunda feria sunt, iterum post XXVIII annos in eadem feria erunt, ut autem reversio sit et aetatis lunae et dies
30 mensis et feriae post DXXXII annos fit quos appellat Magnum Annum.

457, 17 SIDERUM INERRANTIUM id est fixorum ac si dixisset: Sicuti planetae sunt modo in signis signiferi, post LV annos iterum erunt.

9 Cf. Plinius, *Hist. nat.*, XVIII, 324.
17 Cf. Plinius, *Hist. nat.*, II, 66.

                      1 verb   3 verb   4 labra   7 ex | xxxiib;   8 die   9
pancilenos pansilenos *m. sec.*   10 sol. *m. sec.*   12 ccccliiii   20 elios

457, 19 VERUM pro autem posuit.

457, 20 SPECIE positione.

458, 1 ΤΨΟΤΜΕΝΗ id est excelsa luna.

458, 2 ΤΨΟΣ ΤΑΠΕΙΝΟΤΜΕΝΗ id est ab excelsa humilis luna.

458, 3 ΤΑΠΕΙΝΩΣ ΤΑΠΕΙΝΟΤΜΕΝΗ id est humiliter humilis luna. 5

458, 5 ΤΑΠΕΙΝΩΣ ΤΨΟΤΜΕΝΗ humiliter excelsa luna.

458, 10 OBSCURAT aufert.

458, 12 IN EADEM LINEA id est longitudinis signiferi.

459, 2 FERVESCIT rubescit.

459, 8 NON OBSISTIT id est soli. 10

459, 9 ΠΑΡΑΛΛΑΞΑΜΕΝΗΝ ΣΤΝΟΔΟΝ id est praetereuntem coitum.

459, 11 ΚΑΤΑΒΙΒΑΣΙΝ id est descendens. Βορείῳ id est a βορείῳ ab aquilone. Σύνοδος coitus.

459, 12 ΠΑΡΑΛΛΑΞΑΜΕΝΗΝ ΣΤΝΟΔΟΝ ΝΟΤΟΤ id est praetereuntem coitum a νότου, id est ab austro. 15

459, 15 ΑΝΑΒΙΒΑΖΟΝΤΑ ΣΤΝΔΕΣΜΟΝ id est ascendentem coniunctionem.

459, 16 CONFUNDUNT id est ut versus ipsius ad purum dinosci non possit.

459, 17 GEMINO MEATU id est cum mundo et contra mundum.

459, 18 CORRIPITUR id est rapitur. 20

460, 3 DUCTUS tractus.

460, 8 SECUNDO id est bis. CONTRARIUS id est oppositis.

461, 19 UTRIQUE PARTIQUE id est nobis et illis aequinoctia faciunt temperatum tempus.

461, 27 DELATERATIS prolongatis. 25

462, 1 QUI ABET HORAS VIIII Hic non numerat partiunculas, id est untias horarum, sicut nec quando dicit XIIII.

462, 5 Diaalexandrias xiiii praetermittit sextantem.

463, 3 minimus viiii dimidiam et tertiam partem non numerat, sic in sequentibus intelligendum est ubi deest una hora ut pars eius subintelligatur in tribus climatibus, nam in tertio climate integratur.

5 **463, 8** longior dies ac si dixisset: Sic dies incipit crescere quando revertitur sol ab austro ut longior et longior sit quam nox usque dum penitus nox deficiat et dies semiannuus sit. Nam quamdiu sol fuerit de ipsa parte aequinoctialis circuli, dies semper est habitantibus in confinio solstitialis et septemtrionalis, sicut nox semper est quamdiu sol fuerit 10 ultra aequinoctium et e contrario de abitatoribus in australi parte intelligendum est.

463, 10 bis climatibus Ordo verborum ac si dixisset: Quibusque [*fol. 107ʳ*] climatibus crescunt luces semel et decrescunt semel et hoc est bis. In quibusdam libris invenitur his climatibus.

15 **463, 12** duodecima id est hora. xii horae ad brevissimum diem qui abet sex horas adduntur ut longissimus dies habeat xviii horas; duodecima ergo pars est illius additamenti hora. Primo ergo mense duodecima, id est hora, secundo sexta, id est duae horae, tertio quarta, id est iii horae, et quinto alia quarta, et sic in ceteris et sicut crescunt, sic 20 et decrescunt et reddunt causam cur hoc flexior est signifer, id est curvior, in extremis partibus quam in mediis.

464, 3 alterna diversitate id est supra infra ante retro. incitus acceleratus.

464, 5 epiciclos id est circulos superpendentes.

25 **464, 6** de latere id est latus vel hora circulorum Veneris et Mercurii contra terram est et non eam ambiunt.

464, 10 ultra xxxii partes istum numerum sub sole intellige non ante solem vel post solem in longitudine signiferi, nam ibi non elongatus plus quam viginti partibus et secundum alios viginti duabus.

30 **464, 18** acronico Acronicus ortus dicitur qui fit in eregione solis in septimo signo, ille est temporalis. Cronus enim dicitur tempus.

465, 14 offendit invenit.

465, 16 rationibus cursibus anni solaris.

1 Dialexandrias   14 in//   17 adimenti   18 sextae
20 redde | quia *ante* flexior *delevi*   30 eregione *sic!*

465, 18 IN ALIQUOD Ideo non diffinit de Venere quia non semper aequalem cursum tenet propter radios solis.

466, 2 L MOMENTIS hoc dicit sub sole ante vel retro, nam tunc elongatur XLVI partibus.

467, 5 ET ALTITUDINEM Altitudo est quando circulus alicuius planetae 5 altius elevatur a terra.

467, 8 STATIO est quando aliqua planeta sursum elevatur.

467, 12 ABSCIDO est circulus super alium circulum elevatus.

467, 8 STATIO PRIMA Statio prima dicitur quando sol fuerit in ortu et aliqua planeta in quarto vel tertio signo sit a sole sive retro sive ante. 10 Statio vero secunda si hoc evenerit quando sol est in occasu.

468, 1 MODICO MINUS paulo minus tot partibus, id est XII.

FINIT DE ASTROLOGIA

7 planete *corr.*   8 aluam

IN MUSICA MARTIANI HAEC PAUCA

Musica dicitur ab aqua eo quod in limphis, id est in undis, reperta est prius ab hominibus.

469, 9 IAM FACIBUS LASSOS id est deficientes. IGNES id est lucernas. MARCENTIBUS id est deficientibus.

469, 10 IUBET id est sollertia.

470, 2 DIRIGUIT obstipuit.

470, 3 CONTRAHIT id est constringit. PUER id est Cupido.

470, 4 FULCRIS id est toris. NECTERE id est iungere.

470, 5 FLORA id est dea florum. TRINA CARITE id est tres Gratiae.

470, 6 RETICENS id est tacens.

470, 7 MELPOMENE una Musarum est et dicitur quasi Μελπὸς μενομένη, id est cantus manens.

479, 8 FERVESCERE id est fervescebant.

470, 9 IN CUMULUM in unum collectum. DOCTAE VOCIS id est vocis artium liberalium, ac si dixisset: Omnia lasciva tacent et nuptialia propter vocem artium.

470, 10 SUADA dicitur Iuno eo quod suadet nuptias. MULCET mellificat.

470, 11 STIMULA id est dea. INCENSA irrata. ALLICIT provocat. ACULEO acumen amoris.

470, 12 INTERULOS NEXUS id est vincula virginalia.

470, 13 FACE id est dea.

470, 14 MACTANTES vigilantes. VAPORE id est odore artium. Alii libri habent PAVORE.

470, 15 GORGONOS TRUCIS duo genitivi sunt.

470, 16 DIVI id est Mercurii.

470, 17 CALLIOPE una Musarum est et interpretatur bona vox vel pulchrifica vel formifica.

470, 19 TONIS id est sonis. AUFERAT id est subtraat.

10 grates   12 ΜΕΛΠΟC MONOMENE *sic!*   19 irita   27 caliope   28 plchrifica *corr.*

470, 22 Pronuba Iuno, [*fol. 107ᵛ*] eo quod praeest nuptiis. volupe id est voluptas.

471, 3 tristes tristem me facientes. Cecropidas Grecas artes.

471, 4 pone iuxta.

471, 5 amplexibus manibus. 5

471, 7 astriluci dii caelestes.

471, 8 Lemnius Vulcanus, a Lemno insula. Mulcifer mulcens ferrum tantum, vel solum modo significat vel valde.

471, 10 quod pro quia.

471, 11 decuerat honestaverat. tenere adverbium est, id est cupide. 10

471, 12 fractior id est lassior vel tristior quia non ille habuit Venerem sed Lemnius faber.

471, 13 Bromius edax.

471, 15 tam cura id est sollicitus. concussit id est turbavit.

471, 16 centum ornatiora finitum pro infinito posuit, ac si dixisset: 15 Voluit ut etiam Musica non veniret.

471, 17 disposuit id est praeparavit.

471, 21 delitiosa cupida, convelleret detraheret.

471, 23 cui id est fratri. suggerit id est suadet. architectonicam Architector dicitur princeps edificiorum. 20

472, 2 ipsa id est Pallade.

472, 3 deinceps postremo. explorande vindicandae. discussius subtilius.

472, 4 potissima maxima.

472, 5 disquiritur inquiritur. 25

472, 6 viduari privari.

472, 8 reciproco mutua intentione vel reciproca examinatione.

472, 10 explorare iudicare vel provocare vel aequiperare. non dispares id est dissimiles.

472, 11 disgregae id est segregate. 30

3 cicropidas   17 preparavt *corr.*

472, 12 CONFERENDAE id est comparande, PAUCIS ac si dixisset: Non paucis diis demonstrandae sunt iste virgines, sed multis.
IN PENETRALIBUS id est Philologia.

472, 13 ALUMNATAE nutritae.

5   **472, 14** ENERVI infirma.

472, 15 CURIAE caelestis sinodi.

472, 16 PERCENSE numerate. ATQUIN id est certe.

472, 17 PHRONESIS prudentia.

473, 1 INTERPRETAMENTA interpretationes.

10   **473, 2** ANTISTICIAM principatum. PROFESSAE id est confessae.

473, 4 LITARE sacrificare. TRANSACTE VIRGINES id est liberales disciplinae.

473, 5 PRAESTITERE praebuere. ERUDITIONIS CASTAE id est quia nihil repraehensionis habent, ideo dixit CASTAE ERUDITIONIS. In quibusdam
15   libris invenitur ERUDITIONIS CAUSA, nam liberales artes erudiunt.

473, 7 IUNXERE copulavere.

473, 8 COLLOQUIA id est amicitias.

473, 10 GENETLIACE id est genitura vel constellatrix.

473, 11 ASTABIT id est intrabit. PENSA id est fila.

20   **473, 12** LACESIS id est Sortis.

473, 13 DENUNTIAT manifestat. DEINDE subaudis astabit. SIMBOLICAE consiliatrix. OMINATIS id est auguratis.

473, 14 AUSPITIORUM id est auguriorum. PENSAT id est numerat.

473, 15 OENISTICE id est auguratrix. TRIPOS altare Apollinis vocatur
25   habens III pedes de lauro factum, ideo etiam laurus tripos vocatur quia non habet nisi tres radices propter tria tempora et ideo laurus deputatur Apollini.

473, 16 DENUNTIAT id est divinet. ATQUE id est postquam cortina a corio phitonis, serpentis quem interfecit Apollo dicta, dicitur quasi
30   certina quia certa responsa ibi dabantur.

10 pricipatum   14 eruditions erudionis *m. sec.*   20 lacessis   25 lau// rus
29 inficit interficit *m. sec.*   30 certina *sic!*

474, 2 ALLUDIT arridet.

474, 4 TESTETUR manifestat.

474, 5 POLLICETUR promittit. EXSTANTIS id est praesentis. INSTANTIS id est futuri. RAPTI id est preteriti.

474, 6 TRIGARIUM id est trina germanitas. 5

474, 8 OPIS SUPERAE divini auxilii. PRORITAVIT provocavit.

474, 9 INDIGAM id est egenam.

474, 12 INEXAMINATAS non receptas. TEMPTET conabitur. [*fol. 108ʳ*] EXPLODERE evacuare vel spernere.

474, 13 DEMEARE descendere. 10

474, 14 DECENS honesta. SIDEREIS caelestibus. LUMINIBUS id est oculis.

474, 16 TRISULCE id est trisulcum fulmen dicitur propter celeritatem.

474, 19 EDICTORUM decretorum.

474, 21 REMORARIS detines. 15

474, 23 SUGGESTUM id est suasum Iovi.

475, 1 ALIAS id est mechanicas. CONTINUARI coniungi.

475, 2 GEMINA id est gemina proportio est totius temporis diei naturalis quorum sol potestatem diei habet, luna noctis.
EMENSI id est demensi. PORTIONE id est divisione. 20
EXPLORARE id est manifestare, ac si dixisset: Non potero plus lucere adveniente sole.

475, 4 CONSEQUENTIBUS id est VI mechanicis.

475, 5 IMPERTIRI id est tribuere.

475, 6 TAURUS ideo dicit specialiter Taurum quia ibi est absis lunae. 25 DECURSIONIS revolutionis.

475, 7 COMMENTIS doctrinis.

475, 8 META terminus. STELLIGERI In aliis libris invenitur STELLIGENAE, hic et haec stelligena.

475, 10 PRAECLUIS valde nobilis. 30

3 extantis   6 divim   17 mechannicas   23 mechannicis   30 procuis

475, 11 PERENDINATIO brevitas, id est breviatio artium.

475, 12 COGNOSCENTIS sapientis. FASTIDIA id est fastidiosos homines facientia.

475, 14 EXPETENDAE id est postulande. COGNITIONIS sapientiae.
5   APPROBANDAE iudicandae.

475, 16 AEQUUS id est rectus. AMPLIANDAM id est amplas probationes artium.

475, 17 DISCUSSIONEM iudicationem.

475, 19 REPENSATRIX id est dies, vel REPENSATRIX id est Phronesis
10 quae voluit repensare, id est dotem dare pro filia sua Philologia.

476, 1 PROROGARI provocari. ADQUIRITUR id est a diis.

476, 2 PRISCI id est antiqui. ASSERTOR id est Saturnus.

476, 3 CONSULITUR interrogatur.

476, 4 MATRIMONIO COPULATO id est post matrimonium coniunctum.

15 **476, 6** PATRIS Saturni. HABEO id est debeo.

476, 7 FAS licitum. QUICQUID VOS id est a me queritis.

476, 8 FASTUOSA superba. RIGIDUS id est durus.

476, 9 AUT VESTRUM id est neque diffugiam aut neque piguerit.

476, 10 DESIDIS pigrae.

20 **476, 11** DISSIMULATIONE notatione. PIGUERIT non pigebit.

476, 13 NUNC id est priusquam aliae veniant.

476, 15 PERMULCERE mollificare.

476, 17 CELEBRARE accusare.

476, 18 STOLIDITATIS id est stultitie. MELIORUM ac si dixisset: Mor-
25 talitas semper indocilis est meliorum, id est docilis est in malis, INDOCILIS
in bonis. In aliis libris invenitur MELICORUM id est indocilis est.

476, 19 MORTALITAS modulatione.

476, 20 DAMNAVIT id est sprevit.

476, 21 CILLENIDAE id est Mercurii. INDAGANTIS inquirentis.

1 perindinatio   2 fastidiosas   10 Philiologia   12 prisei   14 coniun-
tum   20 pigebat *corr.*   23 caelebrare

COMPENSA In aliis libris invenitur COMPRAEHENSA.

477, 4 VOLUPE voluptas. CONDUCIT subaudis artem Mercurius, ac si dixisset: Tam voluptas est audire artem quam conducit Mercurius.

477, 7 ORSIS dictis.

477, 8 ADMISSURUS indocturus.

477, 10 PAPHIE Venus a Papho insula quia ibi colebatur.

477, 13 TRITONIDE a Tritone palude Africae ubi templum in honore eius constructum est.

477, 14 AUREA polosa vel pulchra. SUBEGERIT illuminaverit.

477, 15 ROSIS Dimetrum iambicum. IUGABO iungam.

477, 17 FULCRIS lectis. CINNAMA aromata.

477, 21 NEXUS id est matrimonii.

478, 3 SOLLERTIA industria.

478, 5 ROSEIS id est pulchris.
SPECTABIT id est videbit. OCELLIS id est radiis.

478, 7 EGO id est Hymeneus.

478, 8 OCCULENTEM id est occultantem.

478, 11 CONCHIS calathis.

478, 12 COMETIS ornabitis.

478, 13 DEPROME defer.

478, 15 OBNUBERE defendere.

478, 17 CONSCIA id est prae caeteris.

478, 21 MANDO id est praecipio. DILECTA id est delectabilis.

[*fol. 108ᵛ*]**479, 1** CHELIS id est bracchiis. LACERTIS id est nodosis.

479, 3 FESCENNINA id est nuptiali carmine.

479, 5 DIONE mater Veneris, quasi διάνοια, id est sensus. Delectatio ideoque mater Veneris fingitur quia omnis libido delectatione carnalium

---

7 Cf. Isidorus, *Etym.*, VIII, 11, 74.

9 pluchra *corr.*   11 cinnoma   14 rosis   16 emineus
21 defenre *corr.*   24 brahus   26 diane | dianoia

sensuum nascitur.

479, 7 PROPERANTER celeranter.

479, 8 DEAS id est Tritonidem et Dionoen.   PRIME id est iuxta.

479, 9 PROPERABAT accelerabat.

5   **479, 11** MEMORIAM armoniam.

479, 12 AULIDE id est aulis fistula.

479, 17 CUNCTICINAE id est cuncta genera canentis.

479, 18 MULCENTE lenificante.

479, 21 NON CASSAE id est non superfluae.

10   **480, 1** ERATIME amabilis, ab eo quod est ἐράω amo.   IMEROS id est serena ab eo quod est imera, id est serenitas.

480, 2 TERPSIS delectabilis ab eo quod est τέρπω delector.

480, 4 PHITO proprium.

480, 3 PUER Cupido.   MONAULITER vel monoliter debet esse.   Aulis id
15   est fistula, inde componitur monauliter, cum una fistula sonabat.

480, 5 DESULTANTES id est cantantes.

480, 6 DEXTRA LEVAQUE id est virginis.

480, 12 SEMIDEI Semideos dicit a terra ad lunam.

480, 13 ENODIS id est de nodis harundinis facta fistula sibilatrix.
20   RURESTRES agrestes.

480, 14 PRAECLUE aut adverbium est aut PRECLUE admiratione.

480, 16 TESTUDINE id est lira.

480, 17 FLEXANIMUM id est flectens illa lyra animum deo pro dulcedine.

480, 18 NAM TRAX id est edidit.   Elegiacum carmen simplex, nullo
25   eroico interposito.   Trax Orpheus qui in Tracia floruit musicus et poeta.
RUMPERE pro rumpebat, id est aperiebat.

480, 19 INMEMOR id est obliviosus.   EURYDICEM id est suam uxorem.
Eurydice dicitur profunda intentio.   Ipsa ars musica in suis profundis-

---

28 Cf. Fulgentius, *Mit.*, III, 10 (Helm, 77, 16).

1 sensu   2 celanter   3 dianoen | prime l.

deest Dick   7 cunticinae | cunta   10 eratime sic! | ero | imeres   11 imera sic!   12 terpsice | trepso
terpso <i>m. sec.</i>   23 flexanimium   27 erydicem   28 eudice eurudice <i>m. sec.</i>

simis rationibus Eurydice dicitur, cuius quasi maritus Orpheus dicitur,
hoc est ὥριος φωνή, id est pulcra vox; qui maritus si aliqua neglegentia
artis virtutem perdiderit veluti in quendam infernum profundae discipline descendit, de qua iterum artis regulas iuxta qua si musicae voces
disponuntur reducit, sed dum voces corporeas et transitorias profundae 5
artis intentioni comparat, fugit iterum in profunditatem disciplinae
ipsa inventio quoniam in vocibus apparere non potest ac per hoc tristis
remanet Orpheus, vocem musicam absque ratione retinens.

480, 20 STUPIDAE id est terribilis.

481, 1 QUO id est ante. RAPIDAS id est veloces. PERDOMUISSE id est 10
mitigasse.

481, 2 RIGIDAS id est erectas. CLADIBUS id est ramis. Κλάδος Grece,
Latine ramus. IRE id est crescere. COMAS id est folia.

481, 3 ISMARUS id est mons et fluvius. MONTE id est in se ipso, id est
in suo monte. 15

481, 4 STRIMON id est palus Traciae. CONTINUIT stetit.

481, 5 TANAIS id est fluvius Tracie.

481, 6 QUO id est carmine. ACCUBUIT id est iacuit. RICTIBUS id est
dentibus. AGNA id est ovis.

481, 7 ORA id est oscula. 20

481, 8 PERMULSIT id est lenivit. MELO id est Musa.

481, 9 ACCUMULANS id est addens. CARMINA id est laudes Iovi cantabat.

481, 10 QUO AMPHION id est edidit. Amphion Grece, Latine circularis.
RIGIDO id est mortuo.

481, 11 MONTES id est vivificavit silvas et montes. 25

481, 13 RUPES id est petras.

481, 14 MUROS id est munimina. THEBIS est civitas una in Grecia, altera
in Aegypto. FIDIBUS id est cordis.

481, 16 ARIONA Arion interpraetatur fortis, pro fortitudine carminis.

481, 17 TEMPSERE id est contempsere. EXTREMAM OPEM id est extre- 30
mum concilium.

1 orpheum   2 OPIOC

ΦΟΤ   4 s *corr.*   7 appare   12 cadibus *corr.* | clates   15 su *corr.*   25 vivficavit   31
consilium *corr.*

481, 18 DIRA PROCELLA id est ventus validus. NOTHI id est austri.

481, 19 VERRERET id est traheret. IMA id est propter tempestatem.

481, 20 SOLLICITAVIT id est vocavit.

482, 1 BELUA delphinum dicit qui Arionem liberavit in mari. TULIT id
5 est accepit.

482, 2 ANTISTANS id est antistans armonia.

482, 5 TONIS id est Musis.

[*fol. 109ʳ*] **482, 6** FONTIGENARUM in fontibus habitantium. VIRGINUM
id est Musarum. PEGASEAE id est Pegasus aequus Neptuni in significa-
10 tione fluminum ponitur. Flumina enim ex fontibus nascuntur; πηγή
autem fons dicitur, inde Pegasus fontalis, Pegasus equus cornutus alas
habens ut Plinius ait.

482, 7 NECTARE dulcedine.

482, 8 CICUTIS id est fistulis. PUBIDAE id est adulti, Phitagoram dicit.
15 GEMINATIS id est repetitis. INTERSTINCTUS id est interpositus.

482, 10 SUBLIMES id est alta.

482, 11 SONORUM hoc est musicum soniferum. BRATTEIS lamminis.

482, 12 COMMEATUR id est ornatur. CESSO id est incesso. TENUATO
id est gracili in filo ducto. RIGENS id est dura vestis.

20 **482, 14** BLANDIS id est dulcibus. CREPITACULIS hoc est sonitibus.

482, 15 INCESSUM hoc est ingressum.

482, 16 ROSEA id est pulchra. NUMERIS id est gressuum.

482, 17 IMITARI id est persequi. QUODDAM GYRIS aliquid circulis.

482, 18 CIRCULATUM id est rotundum. MIRIS id est mirabilibus ductibus.
25 INTERTEXTUM interius textum.

482, 19 QUOD id est clypeum ab illo loco ubi dixit DEXTRA AUTEM et
reliqua. Musicam celestem describit veluti rotundam quandam speram
propter sperae rotunditatem ac veluti rotundos in ea nervos quibus orbes
planetarum significantur, quarum motu et varietate caelestis armonia

12 Cf. Plinius, *Hist. nat.*, VIII, 72.
26 Cf. 482, 17.

6 antestans (*alterum*)   8 fongerarum   10 pege   11 fon   17 brateis
19 ducito   21 insessum   24 rotun// // dum

perficitur. Per clypeum quidem speram per ductus et gyros circulos planetarum per intextum clypei commissuras absidum significans.

482, 20 COMPLEXIONIBUS id est iuncturis. MODULATUM id est pulsum.

483, 1 MODORUM id est troporum. LEVA AUTEM musicam terrenam ac teathralem tangit. 5

483, 2 ASSIMULATAE id est similes inter se effigies. FORMULAS PARVAS ASSIMULATASQUE EFFIGIES dicit diversa mortalis musicae instrumenta, sibi tamen invicem consonantia. Nam musica caelestis uniformis est.

483, 4 ILLE ORBIS id est illud clypeum. CHELIS id est lira, a brachiis dicta. BARBITA id est cithara. 10

483, 5 TETRACHORDON fistula.

483, 6 TRANSCENDERAT superaverat dulcedine, illa est organa.

483, 10 SUPERIORIS id est musicae. QUAE id est granditas.

483, 11 ARCHANI id est secreti. IGNIS ARCHANI ignis invisibilis atque omnibus sensibus remoti a quo totius musicae caelestis oritur armonia. 15 INSOPIBILIS id est inextinguibilis.

483, 12 REVERITI honorati. INTIMUM id est ab omni sensu remotum. PATRIMUM id est paternum.

483, 13 IN VENERATIONEM id est in reverentiam.

483, 14 EGERSIMON dicitur caelestis musica quia super omnem corporeum 20 sensum surgit. Ἐγείρω enim surgo, egersimon surgens in altum modulamen.

483, 15 ALIIS MODULIS id est tonis.

483, 17 TE NUNC Asclepiadeum metrum est quod constat ex spondeo primo loco, coriambo in secundo et tertio, in quarto pyrrichio. Recipit 25 etiam in primo loco sepe dactilum, raro anapestum. ASTRISONUM duobus modis dicit aut quia astra eum sonant aut quia astra ipse facit sonare.

483, 19 LEGE RATA id est rationabili. SACRA id est sacra recursio, id est revolutio siderum vel mundi. 30

483, 20 VENEROR id est honorifico. POTISSIMUS id est potentissimus.

6 formulae 9 orbes | // // illud 11
teracordon *corr.* | fidula 12 transscenderat 18 patrinum 21 egero 24 asclepiacum 27
at (*primum*) *corr.*

483, 21 NECTIS id est iungis. SCEPTRIFERO sub diademate, id est sub siderea corona.

483, 22 OMNIGENUM id est omnium gentium. MOVENS id est dum moves.

483, 23 PERPETUO id est aeterno. ROTAT rotatur, id est voluitur.

5   **484, 1** QUAM id est mentem. SIDEREO id est caelesti. SUBICIS administras. [*fol. 109ᵛ*] IMPETE impetu.

484, 2 FLAMMIGERI id est flammam gerentis. FOMITIS id est ignis.

484, 3 REFERUNT laudant. MICANTIA id est fulgentia.

484, 4 MUNERE id est tuo. FLUMINA id est maris.

10   **484, 5** PURPUREUM id est roseum solis vel aurorae ether rore. IUBAR id est aurora.

484, 6 TESTATA id est peribentia. AMBROSIUM id est pulchrum.

484, 7 HONOS id est luna. AURATIS Fabulam hic tangit: Iovis adamavit Dianam et concubuit cum ea praemiumque dedit ei potestatem noctis
15   lumenque eius auratis crescere cornibus et decrescere.

484, 9 SUB TE id est sub tua potestate. PLAUSTRILUCA id est in plaustro lucescentes. LUMINET insplendet. IGNIBUS id est stellis.

484, 10 PARNASIAS dicit eo quod ursi abundant in Parnasio monte. DISSIDENS id est segregans.

20   **484, 11** SOLIDI id est spissi.

484, 12 AXIBUS id est duobus polis inseritur.

484, 13 REGIT id est quia terra in medio est et regitur a duobus polis.

484, 14 NEREA sunt animalia marina. NOSCERE id est noscebant.

484, 15 SICQUE IGNEM id est noscebant. SUPERUM id est caelestem.
25   LAMBERE id est sumere. PABULA id est ab aquis nutriuntur sidera.

484, 16 SCATEANT id est dehiscant. DISSONA id est discordantia. His verbis concordia maris et lunae ceterorumque caelestium corporum laudat, nam mare sequitur lunam, luna solem, motumque siderum et quod ex mari caelestibus flammis nutrimenta et alimenta praebentur.

30   **484, 17** PERPES id est aeternum. DISSITA id est distantia.

---

1 diademata *corr.*   10 porpureum | ethor   13 honas *corr.* | uratis *corr.*
18 prnasias *corr.*   22 medi   23 nrea   24 sique   25 aqus *corr.*

484, 18 FOEDIFRAGUM id est frangens fidem. CHAUS id est informis materia et mors et infernus et hiatus, id est distantia et omnino nihil.

484, 19 TU RECTOR id est es.

484, 20 SIDERA id est caelestes deos. COLLIGENS id est iungens.

484, 21 NATOS id est quibus debetur vita ne semper in corporibus 5 detinentur.

485, 1 SOLVE id est disliga. CHELIS Musa, lyra.

485, 2 BIS PLENUM id est bis diapason. MELA id est toni.

485, 3 IAM VOS Nunc movit metrum. Sequens enim iambicum senarium sonat. VERENDA id est veneranda. QUAESO interrogo. GERMINA 10 lumina.

485, 4 QUAE id est interrogo vos. SCITIS id est noscitis. CIERE id est sonare. BARBITON id est citharam.

485, 5 AFFATA id est consona consentientia.

485, 6 MISCILLA diversa consilia. CURIAE id est sinodi. 15

485, 7 MULCERE id est lenire, MISCILLUM id est diversum consilium deorum, siquidem alii nuptias, alii artes volebant.

485, 8 VICISSIM id est nunc hunc, nunc illum. LEGE id est dignitate.

485, 9 POSTHAC id est post laudem Iovis. SONABO id est laudabo. PLASMATE id est carmine. 20

485, 10 CUNCTOS id est vos. ALLUBESCENTES libentes. TONIS id est Musis.

485, 11 DEDUCET attrahet. URGET coget. DEBEBIT id est adunabit.

485, 12 STIMULOS id est amoris vel tedii. MULCET id est placebit.

485, 13 NUNC IGITUR subaudis sonabo vel adferte corda. 25

485, 14 VERENDO id est venerabili. CULMINATIS id est exaltatis ornatis.

485,15 BIS SENA XII deos selectos dicit quos solum modo colunt Etrusci.

485, 16 FREQUENTANT id est celebrant. OPIMENT id est honorent quia non sacrificant aliis diis.

485, 17 GEMELLIS cursibus, id est deorum et hominum, nam et de omini- 30

1 fedifragum | franges
corr. 7 disliga *sic!* 12 cire 15 curia 21 conctos *corr.* 27 sena *m. sec.* | eutrusci

bus fiunt dii.

485, 18 HONORO id est venerabili. FASTIGIO cultu.

485, 19 PHOEBEA id est lunaria. PRAEFERES [*fol. 110ʳ*] praepones.

486, 1 LATOIA id est Diana, filia Latonae.

5 **486, 2** LUNARE id est cultus lunae. HAC VENIT id est huc in numerum deorum.

486, 3 PHOETONTOS id est φοιτῶντος, φοιτῶν id est veniens, inde φοι-τῶντος genitivus. Φοιτῶν autem dicitur sol quia cotidie venit in ortum et occasum. Delius vocatur, id est declarans, quia declarat futura, 10 Apollo renovans quia noctis damna renovat. SCANDET id est ascendet.

486, 4 PUDICI casti. FRATRES filii Iovis.

486, 5 IPSA id est ego ipsa Armonia. NE VERENDUS id est venerabilis. CONTRAHUNT id est vertunt.

486, 6 VULTUS id est vestros. IUGANDIS coniunctis. FERENDIS id est 15 nuntiandis.

486, 7 IMENQUE id est nuptialem carmen. INVEHAT inferat.

486, 8 PSALLENTE PLECTRO dum psallitur plectrum. CONCINENTUR simul canentur.

486, 9 LUXA copiosa. FESCENNINA id est nuptialia carmina. PRODIANT 20 provenient.

486, 10 IAM NUNC Hic mutat metrum et est pentametrum spondiacum catalecticum, in medio ubi una syllaba pro integro accipitur pede quoniam silentio suppletur. BLANDA id est delitiosa. CARPE id est scande.

25 **486, 11** RIGOR castitatis. CEDIT id est vincitur, dat locum.

486, 12 NOVIT NAM TENERUM Hic movit metrum et est trochaicum pentametrum acatalecticum. Dicitur autem trochaicum quia quarto loco semper recipit trocheum. TENERUM id est dulce. PROBARE id est laudare.

30 **486, 13** SALUM id est semen. Salum proprie liquor maris dicitur tamen semen animalis cuiuscumque salum esse et generaliter omnis liquor salum dicitur.

CYTHERIS id est Veneris, Cythere dicitur Venus a Cythera insula; dicitur autem SPUMIGENA quia de spuma nata est.

486, 14 NERINA CHELIS id est marina lyra.

486, 15 CONCHIS hostreis. GALATEA id est candida. PERSONANTE id est dum personat. 5

486, 16 NANTES id est natantes. FLUCTIGENAS id est Musas. FORCI dei maris.

486, 17 FLAGRANS inardens.
CURA id est amor. NIVALIBUS id est frigidis.

486, 18 INRESTINCTUS inextinguibilis. 10

486, 21 MENALIE id est Menali montis. Menalus mons Archadie ubi erat Pan pastor. TULERE suscitavere. PINUS id est arbores.

486, 22 MODIS id est Musis. LICEIS est mons Archadiae.

487, 1 SOLLERS sollicitum nemus. CICUTA fistula.

487, 2 PERNIX id est velox, PUELLA Menala aqua, Menalus mons. 15

487, 3 VERSA id est puella Menala, quidam dicunt Siringam. Tangit nympham deformitatem Panos fugientem in calamosque conversam quibus Pan Mercurii filius usus est unde a Grecis calamus vocatur syrinax. IN CALAMOS id est in fistulas. SONAT id est carmen.
LOQUACES id est sonantes. 20

487, 4 FORTE casu. LABELLIS suis labiis.

487, 5 SUSPIRAT sufflat.
CANOREM dulcedinem vocis musicae.

487, 8 PUER IPSE Cupido. Diametrum iambicum catalecticum est.
VERSIFORMIS fallax. 25

487, 9 FACIBUS id est amoris.

487, 10 ARCUS id est sagitte. DULCINERVES id est cordas.

487, 11 ROSEO pulchro. RAMALI ramo arcum Cupidinis dicit qui tendit et relaxat. Tendit amorem quando non audimus Musam, relaxat amorem dum mulcetur carminis lepore. 30

487, 12 FERIATO laxato. LIQUIT PARANTE MUSA id est dum parat Musa calamos.

14 ffistula   31 linqid | parente

487, 14 LEPOREM facundiam.

487, 15 CURAM NEGAT id est intermittit amorem.

487, 16 TENERUM id est negat.　ARUNDINETUM id est amores.

487, 19 VAPOR amoris.　[*fol. 110ᵛ*] CANOR dulcedines.　IUGATI iuncti.

5　**488, 1** PUELLA id est Leda Thesei filia.

488, 2 LACENAE id est Helenae.　Lacena dicitur quia in Lacedemonia nata est et nutrita et inde rapuit eam Paris pastor, filius Priami.

488, 3 ILLECTA seducta.

488, 4 DOLUM Iovis.

10　**488, 5** NIVOSIS id est albis.

488, 6 INVOLUTUS inductus.

488, 7 NITOREM id est decorem.

488, 8 VIDENS id est Iovis.

488, 10 OCELLIS id est puellae.

15　**488, 11** CIERE vocabat.

488, 12 PHOETONTIAS Apollinis.

488, 13 COEPIT inchoavit.　REPENTE subito.　FICTA id est fallax, fraudulenta.

488, 15 ADMOVETUR copulatur.　ORI id est puellae.

20　**488, 16** CIRCUMACTAE circumventae.

488, 19 PUDORIS virginitatis.

488, 22 LADMEDIUM id est nympha Ladmea, una dearum, secuta est Apollinem divinitate spoliatum.

488, 23 DIVA Ladmea.　SECUNDAE prosperae.

25　**488, 25** ANTRUM speluncam.
　　SECUTA id est Apollinem.

488, 27 PASTORALIBUS id est amoris.

488, 29 PULSO id est a parente.　AURO id est Aurora.

488, 30 PANDIT aperit.　SEPTA ovilia.　BALANTUM ovium.

4 iunti　　18 faudulenta *corr.*　　20 circuactae　　24 Ladmedia

488, 31 SORDENTI sordido. ADOPERTA vestita.

489, 1 PRATIS in pratis.

489, 2 NOCTU in nocte.

489, 4 SPECTANS aspiciens.

489, 5 MAGE magis. PERCREPAT sonat, movet flagello, id est agitabat 5
greges.

489, 6 CURARE curabat.

489, 7 PENSA fata vel fila. SUSURROS id est murmurationes.

489, 8 ILLEX delectatrix. AMPLI magni.

489, 9 COEGIT expulit. 10

489, 10 TEMNIT contemnit.

489, 11 PRAEFERT praeponit, subaudis celo.

489, 13 POST REGNA postquam deseruit regna Iovis.

489, 15 OBLECTATI id est delectati sunt.

489, 17 QUA INDUSTRIA quo studio. 15

489, 18 COMPARATUM inventum adeptum. OPIBUS facultatibus.

489, 19 VIGIL cura sollicitudo. EBLANDITAM valde blanditam.

489, 18 ASSEQUENDUM assequitur enim quia ad habitum perfectionem-
que artis pervenit. Ediscit vero qui adhuc in studio et disciplina est nec
summum adhuc perfectae artis attingit. 20

489, 20 LIQUESCIT fecundat. AFFECTIO amor.

489, 21 IOVE ADMIRANTE dum Iovis admiratur.

489, 22 EXPETI postulari. EXAMINANDAE iudicandae. ERUDITIONIS
artis. INTENTIONE appetitu.

489, 23 MELICIS carminibus. TEMPERANS parcens. EXHORTANTE dum 25
exhortatur Delius.

490, 1 IAM PRIDEM iam dudum. EXOSAE dum in odio me habebant
terrigenae.

490, 2 ORBES sidera STELLANTES splendentes. INCUTIO moveo. IN
QUIBUS orbibus stellantibus. 30

1 aoperra   14 oblecti   16 adaptum *corr.*

490, 3 EDISSERTARE astruere.

490, 4 PULSIBUS tonis motibus. MACHINE structurae mundi. OBEUN-
TES circulantes.

490, 5 RAPIDITAS id est velocitas.

5 **490, 6** EMERSA sublata. VIRGO Phylologia. INTERCAPEDINATAE spa-
tiose.

490, 7 SUPERO divino. VIGORE regimine. DISCUTERE dilucidare.

490, 8 IUSSA quae mihi iubentur a diis. PERCURRAM breviter dicam.

490, 9 COMMODA data. REPEDIATA repetita.

10 **490, 11** INCOGITABILIS que cogitari non potest. EFFIGIENTIA imagina-
tione. IMMENSITAS magnitudo. SIDEREAE caelestis, ac si dixisset:
Mater mea est immensitas sidereae revolutionis, pater vero volumen
totius molis. Aliud est enim totius celestis molis volumen, aliud singulorum siderum excursus celeritas.

15 **490, 10** GERMANAM GEMELLAMQUE CAELO ut intelligas concreatam caelo
esse Armoniam, aut GEMINAM GEMELLAMQUE dicit Arithmeticam et
Armoniam quoniam ex numeris et modis tota musica conficitur.

490, 13 COMITATA coeuntia. INCITOS veloces. MODIS tonis. ASSOCIANS
iungens.

20 **490, 14** MONAS id est omnium numerorum principium. INTELLECTUALIS
autem lux est tocius rationabilis creaturae.

490, 15 PRIMA condicio ex [*fol. 111ʳ*] quibus animarum numerositas in
terrena corpora diffluere physicorum doctrina astruit. Possumus etiam
monadem et intellectualem lucem pro uno accipere quoniam omnia ex
25 monade in infinitum multiplicantur.
     FORMATIO conditio. FONTIBUS EMANANTES id est in numeris suis
fluentes; FONTIBUS hoc est numeris. Plato siquidem in *Thymaeo* ex
multiplicibus et superparticularibus numeris generalem mundi animam
creari docet, quae una per singulas dividitur animas, sive rationales sive
30 irrationales.

490, 16 RIGARET perflueret. MODERATRIX temperatrix. EARUM id est
unam animarum. IUSSA id est a diis.

27 Cf. Chalcidius, *Comment. in Timaeum*, XXVI-XLIX.

2 abeuntes
17 confitentur *corr.*   18 insitos   20 numerororum   23 ddoctrina   29 creare   32 unum

490, 17 DEMEARE deorsum meare. COGITABILIUM intelligibilium quia omnis numerus intellectualis sola cogitatione intelligitur et in nulla substantia reperitur.

490, 18 DISPENSANS disponens.

490, 20 LABORAVIT studuit.

491, 1 DOCUERUNT tradiderunt. MOLLIENTES mitificantes.

490, 20 THEOFRASTUS dei expositio vel deum exponens; θεός deus, φράζω expono.

491, 3 NUMEROS venarum. NON CONTEMPSI non dispexi.

491, 4 PHYTAGORAS non indigens interrogatione. ARISTOXENUS aut virtus acuta aut virtus peregrina. "Αρης enim virtus interpretatur, ὄξενος autem a verbo quod ὀξύνω, id est acuo, aut ab eo quod est ὁ ξένος, id est peregrinus.

491, 5 SENSIM paulatim. IPSA ego.

491, 6 OBIECTIONIS opinio artis. APERUI monstravi. FIDES cordas. PER DELIACAM id est Apollinis cytharam.

491, 7 TRITONIDEM Palladem.

491, 8 MARSIAM rex Lybiae tibias invenit. Tibiae de ossibus fiunt, calami de herbis et de pennis. CALAMOS fistulas.

491, 9 MARIENDINI ET AONES duo populi sunt Greciae. INFLAVERE sonavere.

491, 10 PANDURA species est organi. PERMISSI concessi.

491, 13 PELTAS scuta. Pelta est scutum quadratum, ansas ferreas catenasque habens, sonitum magnum efficiens, unde corda pugnantium suscitantur. CORDACISTAS cordas pulsantes. YDRAULAS ὕδωρ aqua, αὐλός fistula, inde ydraula, id est organa de aqua.

491, 14 AD COMMODUM ad opportunitatem.

491, 15 ILLEXERE permulsere. SUCCURSUM adiutorium.

491, 16 PER NENIAS per epitaphya. SEDAVERE placavere. Neniae sunt carmina que in tumbis, id est sepulchris mortuorum, scribuntur et in citharis cantantur.

---

2 cogitati   6 tradideru//nt   8 ΦΡΑϹΤΟ   10 aristochenus   11 ares   12 achenos|ocho|chenos
18 marsidam   20 aonones   26 aula   27 oportunitatem   29 venias

491, 18 CONQUISITAE adquisitae. CRETES Cretenses. AD CITHARAM cum cithara.

491, 19 AD TIBIAS ad sonum tibiarum. FATA PROELIORUM eventus.

492, 1 AD CALAMOS cum calamis. TRACTABANT tenebant.

5 **492, 3** DONATA onerata tibicine ab Alexandro. GRATULATA contenta.

492, 4 SYBARITAS populi in Italia.

492, 6 CERTAMEN palestriam recitabant, id est legebant.

492, 11 INSONUI ego.

492, 12 FRENETICOS Φρήν dicitur membranula costarum et laterum quae
10 dividit toracem a ventre, inde frenetici vocantur. Dum enim aliqua
occasione illa membranula constringitur, homo in amentiam vertitur.
SYMPHONIA σύν con, φωνή vox.

492, 14 INCONDITE inordinate.

492, 15 INHIBUIT prohibuit. EBRIOS valde ebriatos.

15 **492, 16** IMPROBIUS turpius. PETULANTES luxuriantes.

492, 17 MODORUM tonorum. PERDOMUIT superavit. QUIPPE id est
merito.

492, 18 TEMULENTIA ebrietas.

492, 19 INFREGIT valde fregit.

20 **493, 2** ASCLEPIADES turba vel scola.

493, 3 AD EFFECTIONES ad motus. ADIBEBAT afferebat. THEOPHRAS-
TUS dei compositio vel deum componens, θεός deus, φράζω compono.

493, 4 SCIATAS [*fol. 111ᵛ*] passiones, id est umbras et caligines. Sciata
est passio subitanea caliginem oculis inferens. Σκιά enim umbra
25 dicitur, quae passio et emicranium dicitur. AULICA fistulari.

493, 5 LYMPHATICOS ydropicos morbos.

493, 7 AC PESTILENTIA morbi. In corpore nascitur pestilentia ex aeris
incongruentia.
EROPHYLUS ἥρως fortis, φίλος amor. Erophylus igitur fortis amor
30 vel fortis vir.

4 tractatabant   5 donanta
6 sabaritas   9 feneticos | fren   12 sin | phone   15 improbrius   21 aferebat   22 ΦΡΑϹΤΟ
23 calines   24 scia   25 emigranium   29 igitur *post* erophylus *deletum* | eros | phylos

493, 8 PENSABAT computabat.

493, 9 INCUNTANTER indubitanter.

493, 10 IN QUO id est citharista.

493, 11 UNDE ENIM CERVI nisi ex meis cantibus.

483, 12 CREPITU sonitu.   5

493, 13 ELEPHANTES PERMULSOS id est per vocem organi capiuntur.

493, 15 ALLICI attrahi.

493, 16 ABRUMPERE auferre. FIDES cordae. DELFINIS marinis piscibus.

493, 17 DISRUMPI occidi serpentes in Tracia, Orpheo canente.

493, 18 MANES id est infernales dii, eo quod manant ab hominibus vel eo 10
quod non sunt boni.

494, 1 RECENTIOR iunior. ASSERENTIUM historiographorum. QUAE
insule.

494, 2 A CONTINENTI continens terra dicitur que in modum insulae
excedit.   15

494, 4 IN ACTIACO ἄκτιον Grece, Latine amoenum, vel ab actu belli
dicitur.

494, 5 FIDICINAT fidibus canit.

494, 8 IGNAVIAM stultitiam. VIDERER a diis. IURE ratione.

494, 9 DESILIAM descendam. VIRGINI Phylologiae. PROMISSUM MUNUS 20
meam artem.

494, 10 IMPENDAM solvam.

494, 13 DISSERTABO disputabo.

494, 14 AUT EMITONIUM id est divisio toni aut in duas aut in III aut in
IIII.   25

494, 16 LEGITIMA cum epogdoo. QUI tonus.

494, 17 DIVERSIS id est gravi et acuto. EMITONIUM id est divisio toni
sequitur.

494, 18 MEDIUM id est mediam partem toni.

494, 16 LEGITIMAM QUANTITATEM octava parte. Nam tonus in musica 30

2 incunctant   16 action   26 epiogdoo

epogdous est in arithmetica et ita tonus est in musica sicut VIII ad VIIII, in arithmetica legitima quantitas est ratio epogdoi quae totam metitur musicam.

494, 18 DIESIS genitivus Grecus est. DISTANTIE differentiae.

5 **494, 19** TETARTEMORIAE quarta pars. τετάρτη quarta, μόρια pars.

494, 21 ENARMONIOS id est inadunatus quia maximis et minimis spatiis dividitur; maximis quia saepe in uno spatio duo toni inveniuntur, saepe sola quarta pars. Alii autem dicunt enarmonios valde adunatum quia in nullo alio genere invenitur quarta pars in differentia nisi in illa per
10 hanc, id est quartam partem ab illa, id est quarta.

494, 23 TRITEMORIA tertia pars toni.

494, 24 CHROMATICE colorabile. Sicut enim inter album et nigrum color aliquis invenitur, ita inter diatonicum et enarmonicum locum medietatis obtinet chromaticum. Χρῶμα Grece, Latine color.
15 TERTIAM PARTEM ac dimidiam tertiae, id est sextam. Sexta autem et < ter > tia dimidiam facit. Duodenarius enim numerus tertiam partem sui in quaternario ponit, sextam vero in binario. Sexta autem pars, id est binarius, adunata tertiae parti, id est quaternario, dimidium duodenarii numeri, id est senarium, facit.

20 **495, 3** EMIOLIUM id est ἡμι- et ὅλον, id est dimidium et totum quia maior numerus habet minorem totum et eius dimidium, ut ternarius ad [*fol. 112ʳ*] binarium. Ternarius habet binarium et eius dimidium quae proportio sesqualtera vocatur.

496, 15 MOLLESCAT dulcescat. ACUMEN altitudo.

25 **496, 16** IN ATIEM in acumen vocis. ERECTAE acute.

496, 18 SINGULIS Omnes tropi ex praedictis sonis componuntur et in singulis tropis inveniuntur.

497, 3 PRODUCTIONES tonos.

497, 5 DIESEON genitivus Grecus est.

30 **497, 16** DIAPASON ex omnibus dicitur quia veteres octo solum modo sonis utebantur vel certe quia <e> duabus simplicibus symphoniis constat, id est ex diatessaron et diapente. Verbi gratia, tonus tonus emitonium, ecce diatessaron. Tonus tonus emitonium tonus, ecce

---

1 epiogdous | eest (*alterum*)   2 epigdoi   5 tetartemoriae |
tetrarta | moria   6 maximus *corr.*   9 quar   12 colorabie *corr.*   14 croma   16 tia
20 emis | olon   22 lhabet   29 diession   31 e *addidi*   32 diatesseron   33 diatesseron

diapente, et hoc totum diapason dyplasia nam acutissimus eius sonus duplo gravissimum superat.

497, 20 SED PRINCIPALES v Notandum quod Greci secundum numerum divisionis linguarum apud eos, quibus utuntur, principalium troporum numerum constituerunt. 5

498, 1 BINI id est tropi.

498, 2 YPERLYDIUS id est superlydius, id est acutior Lydio. Ypolydius sublydius, id est gravior Lydio. Lydius dicitur quia Lydii eo utuntur. YASTIUS quia eo Eones utuntur. EOLIUS quia Eoles.

498, 4 FRIGIUS quia in Frigia inventus est. 10

498, 5 DORIUS quia Dori eo utuntur.

498, 10 DUPLICES COPULANTUR Acutior enim duplo superat graviorem. Tono quippe ad emitonium sonat. Est autem tonus duplum semitoni, id est tetracorda quina, ideo tetracorda fiunt quia elementum totius armoniae diatessaron est. 15

499, 2 AFFECTIO copulatio concordia.

499, 3 EXTREMI soni.

499, 4 INCHOAMENTORUM inventionum quo ordine inventa est armonia.

499, 6 ALTIUS profundius in memoria figerentur.

499, 7 LASUS proprium. EXURSE Surse civitas Armeniae. 20

499, 8 DIVULGARET subaudis cum me.

499, 10 ΕΙΔΙΚΟΝ formabile, εἶδος forma.

499, 9 ΑΠΕΡΓΑΣΤΙΚΟΝ activum vel operativum. ΕΞΑΓΓΕΛΤΙΚΟΝ et ΕΡΜΗΝΕΥΤΙΚΟΝ interpretativum interpretantur.

499, 10 EX PERSEVERANTIBUS de immutabilibus sonis. 25

499, 13 RITHMICA hoc est inter rithmum et metrum, quod rithmus est sola verborum consonantia sine ullo certo numero et fine et in infinitum funditur, nulla lege constructus, nullis certis legibus pedum compositus. Metrum vero pedibus propriis certisque finibus ordinatur, non transgreditur enim octo pedes. 30

500, 2 ΜΕΛΟΠΟΙΙΑ melodiae factura quod pertinet ad sonos. ΛΕΞΙΣ

---

4 divisiones *corr.*   15 diatesseron   21 sub   22 idicon|ides   23 apargarticon|exantelicon   24 ermenuticon   25 mutabilibus   28 construtus *corr.*   31 melopoeia|lexis

dictio ad rithmum pertinet. ΠΛΟΚΗ id est geminatio, quando unus pes multipliciter ponitur. ΕΞΑΓΓΕΛΤΙΚΟΝ id est ἑρμηνευτικόν, hoc est interpretativum, rationem enim de omnibus reddit.

500, 4 ΩΙΔΙΚΟΝ cantabile, ᾠδή cantus. ΥΠΟΚΡΙΤΙΚΟΝ simulativum.

5 **500, 5** DE PRIMA id est de voce que prima est.

500, 8 VELUT IUGE COLLOQUIUM frequens narratio ut est narratio quae neque per cola neque per commata periodosque distinguitur. Divisum est autem quod dividitur per cola et commata certosque pedes.

500, 11 PRECIDITUR inciditur.

10 **500, 12** RECITANTUR leguntur.

500, 13 DIASTEMATICA spatiosa certis spatiis dividuntur. Diastema enim spatium vel intervallum. Sistema est vox uniformiter stans.

501, 2 SINGULUM unitas.

501, 3 ΦΘΟΓΓΟΣ sic debet scribi, non ptongus.

15 **501, 5** QUA intentione.

501, 9 QUEMADMODUM id est quemadmodum unaqueque [*fol. 112ᵛ*] syllaba suum accentum habet, ita unusquisque sonus notam acuminis vel remissionis.

501, 10 EXERAMUS exaltemus; exero exalto.

20 **502, 1** ANESIS remissio.

502, 2 SERIUM tardum.

502, 5 xx <OCTO> ideo hoc dicit quia per singula tetracorda duo soni adduntur enarmonicos et cromaticos decem sonos efficiunt qui ad decem et octo additi XXVIII perficiunt.

25 **502, 12** PRINCIPALIS PRINCIPALIUM ὑπάτη <ὑπατῶν> dicitur. Est enim ὕπατος consul vel rector sequentis tetracordi.

502, 16 QUAM id est diatonos. Tertio loco per singula tetracorda mutantur.

503, 2 SIC FIRMATUR per additionem enarmonii et cromatici generis.

30 MEDIARUM quia cui subnectitur mediarum esse dicitur.

503, 4 RELIQUAE tres diatonos enarmonios cromaticos.

1 proce   2 exan-
telicon | eremeneuticon   4 odicon | ode | ypocriticon   11 diestimatica   14 ptoggos   17 unusque
20 anasis   22 septem   25 ypate | ὑπατῶν *addidi*   26 ypatos

503, 8 MEDIA ipsa est μέση erit tertia, id est coniunctarum a fine connumeratur.

503, 16 ILLE CORDAE QUAE et παρανήτη. Νήτη ultima, παρανήτη iuxta νήτη.

504, 2 IN HOC TETRACORDO id est coniunctarum.

504, 4 MEDIAE IPSI id est μέση. PERFECTAM SYNPHONIAM id est diapason.

504, 5 PRODUCENTE id est quia tonus inter μέση et παραμέση locatur.

504, 7 HUNC unum παραμέσην.

504, 8 OFFENDIT invenit.

504, 9 SISTEMA id est spatium coniunctarum. TERCIA a fine. GENERI tres enarmonios, videlicet, cromaticos diatonos.

504, 11 QUIA UNO intermesen et tertiam disiunctarum tonus et dimidius est. A MEDIAE FINE id est ab ipsa μέση quae finis dicitur quia graviores sonos terminat et incipit acutiores.

504, 15 FASTIGATUR acuitur.

504, 16 ΦΘΟΓΓΩΝ genitivus pluralis est.

504, 18 VAGI varii quia sepe acuuntur, sepe remittuntur.
ΒΑΡΥΠΤΚΝΟΙ id est graviter fixi; ΜΕΣΟΠΤΚΝΟΙ id est medii fixi.

505, 1 ΟΞΥΠΤΚΝΟΙ id est acute fixi; ὀξύς enim summitas sagittae dicitur.

505, 8 ΑΠΤΚΝΟΙ non fixi.

505, 13 ΠΑΡΥΠΑΤΟΕΙΔΕΙΣ id est iuxta principales.

505, 15 ΛΙΧΑΝΟΕΙΔΕΙΣ id est vigilantes.

505, 18 RESULTANT dissentiunt.

505, 19 ΟΜΟΦΩΝΟΙ id est aequisoni. ΑΦΩΝΟΙ dissoni.

506, 3 ALIAM SIGNIFICATIONEM id est virtutem. Unus enim idemque sonus multis comparatur in diversis virtutibus, verbi gratia, cum uno per tonum, cum alio per emitonium, cum tertio per diesin.

1 mese   3 paranete|nete|ltima *corr.*|paranete
4 nete   6 mese   8 mese|paramese   9 paramesen   11 generi *l. deest Dick*   14 mese
17 ptoggon   18 acuntur *corr.*   19 ΒΑΡΥΠΤΓΝΟΙ|ΜΕΣΟΠΤΓΝΟΙ   20 ΟΚΟΠΤΓΝΟΙ|ΟΚΟϹ
21 ΑΠΤΓΝΟΙ   22 ΠΑΡΙΠΑΤΟΙΔΕϹ   23 ΛΤΥΚΑΟΝΙΔΕϹ   25 omofoni|afoni   27 uni

506, 6 SECUNDA id est diversitas. PER SPATIORUM id est tonorum vel emitoniorum.

506, 7 CUM UNI id est spatio, id est uno tono aut plurimis quando colliguntur unus tonus ex duobus spatiis vel emitonium ex duobus spatiis.

5 **506, 8** PER CONIUNCTIONEM id est quantitatis vel magnitudinis vocum sed hoc interest diastema, id est spatium, et sistema, id est magnitudinem, quod spatium inter duos tonos vel III vel quattuor invenitur vel plus; sistema autem non minus quam in diapason.
PLURA id est VIII diapason.

10 **506, 10** KATA HΘOΣ id est secundum morem singularum nationum reperti sunt tropi; quibusdam enim sonus convenit gravis, quibusdam acutus, quibusdam medius.

506, 12 DE DIASTEMATIS id est de spatiis.

506, 15 BIS EX OMNIBUS id est bis diapason.

15 **506, 17** COMPOSITA id est composita sunt quae eodem ordine currunt, id est per aequalia spatia tonorum vel emitoniorum, INCOMPOSITO VERO, quae ex diversis spatiis copulantur.

506, 18 ASINTETA id est incomposita vel disiuncta.

507, 5 NON SUBEST id est nulla ratione iunguntur. CONIBENTIA id est 20 concordantia.

507, 15 SEX id est diastemata.

507, 17 CONSONET id est consonat.

508, 9 Multiplicat id est QUADRUPLICAT octo et ternarius. Habet enim octonarius ternarium bis et eius duas [*fol. 113ʳ*] tertias partes quas 25 diametrum appellat.

508, 14 ET DIAMETRI REGULA Nam ubicumque binarius fuerit, diametrum dicitur quia binarius omne diametrum, id est medium, dividit.

508, 17 TETRAPLANTUR id est quadruplicantur.

508, 18 QUOD DIAPASON id est bis diapason.

30 **508, 19** BIS SEPTEM id est XIIII.

509, 2 IN TETRAPLASIA id est in quadrupla.

5 quntitatis
corr. 6 diestema 7 quatuor *corr.* 10 KATA EΘOC 13 diestematis 18 esinteta 19 coniventia 21 diestemata 22 consonet (*alterum*) *corr.* 27 binarium | dividit dividitur *in mg.* 28 tetraplantatur 31 tetraplasii

509, 3 EPOGDOI id est in ratione sesquioctavae.

509, 4 IN QUARTA PARTICULATIONE unum nomen est.

509, 7 MODIS id est sonis.

510, 3 CUM CERTA id est certa partitione.

510, 5 ANGUSTIORIBUS id est diesis. 5

510, 10 AB IMMUTABILIBUS id est gravioribus. Sic enim surgit tonus tonus diesis diesis.

511, 1 DIATONOS id est per tonos, διά per incompositum, id est quia duo toni in una regione fiunt.

511, 6 PER ΑΓΩΓΗΝ id est per ascensionem in acumen. PER ΠΛΟΚΗΝ 10 id est per copulationem vel geminationem. Quicquid enim geminatur vel ex diversis locis colligitur πλοκή appellatur.

511, 10 ΠΕΡΙΦΕΡΗΣ id est rotunda vel circumvolutio.

511, 13 COMMODATUR sursum per ad acumen. SERUIT id est flectitur ad gravem. 15

511, 16 MOLLIS dicitur quia tria emitonia habet in una regione et a ceteris regionibus absoluta, id est ampla, quoniam vero tria emitonia unius spatii comparata duobus semitoniis emiola ratio efficitur.

511, 17 TONIA quia unus tonus in duo emitonia dividitur.

511, 18 ROBUSTA id est acuta propter emitonium. 20

512, 2 MOLLIUS id est chroma per tritemoria in chromatico genere quod molle vocatur; tonus dividitur in tres partes, ideo tritemoria appellatur. Emiolion, id est diatonum, ab EMIOLIA DIESII, id est ab emitonio ENAR-MONII quia duae quartae partes in armonio segregatae coniunguntur in unum in emiolio, hoc est in diatono, et faciunt emitonium a quo incipit 25 diatonicum genus, et emiolion dicitur diatonicum quia in ipso genere diapente abundat que in extremis suis sonis sesqualtera copulatur ratione.

512, 6 ANTE OMNES id est divisiones in νήτην ut a media in παραμέσην.

512, 14 VERUM HORUM id est tetrachordorum. Sesquitertia enim pro- 30 portione sibimet coniunguntur extremi soni omnium tetrachordorum.

	1 epigdoi	8 dia	10 agogen | plocen 11
geminatione | quicqid	12 ploce	13 periferes	17 ceteris// ///	19 emitonaa	21 chrom-
ma | chrommatico	27 sesqualte	29 netam | pamesen	30 proprtione *corr.*	31 coniuntur

513, 3 CONEXUM id est quia nihil interest quia coniungitur tetracordo mediarum.

513, 4 AB HIS id est praedictis tetracordis separatarum.

513, 6 IN NETEN SEPARATARUM id est qui omnino separatur a μέση cum
5 qua nullam habet consonantiam.

513, 7 EX DIVERSIS id est a separatis inchoat.

513, 18 PER DIVISIONEM interponit enim tetracordum coniunctarum.

514, 1 ASSERERE id est quae dixi non per sonos sed per tonos.

514, 5 IN HIS AUTEM hoc est tetracordis quibus προσλαμβανόμενος
10 non consonat, quoniam ab emitoniis incipiunt, omnibus autem pentacordis apponitur quoniam a tonis integris incipiunt.

514, 9 PER SONOS CONSTARE id est per duos tonos.

514, 10 IN HIS hoc est pentacordis.

514, 14 PER GENUS UT AB ENARMONIO genere in diatonum.

15 **515, 5** ΥΠΑΤΟΕΙΔΗΣ ex gravioribus.

515, 7 LIPARAN IAMBICA id est pinguia iambica quae non sunt graves
sicut ὑπατοειδής nec sunt acutae sicut νητοειδής.

515, 8 TONOS AEQUALES id est integros temperatos. MEDIOSQUE id est
aequales et medios temperatos et in medietate constitutos inter gravem
20 et acumen.

515, 9 ΝΟΜΙΚΟΣ id est legales.

515, 10 MELAE mela.

515, 11 COMIOLOGICA comediis convenientia.

516, 3 SISTEMA id est magnitudinem vocis.

25 **516, 4** MISCERE id est iungere.

[*fol. 113ᵛ*] **516, 6** PERSTRINGAMUS id est breviter dicamus.

516, 7 PORTIONEM id est partem.

516, 9 COLLATA coniuncta sensibilibus. Sunt enim numeri intelligibiles
et corporales qui nullo sensu corporeo discernuntur, sunt sensibiles qui

---

1 coniuntur *corr.*   4 saparatarum | mese   7 diuisioonem | coniuntarum   8 sonas *corr.*
9 proslambanomenos   14 narmonio   15 hypatoides   17 ipatoides | nitoides   21 nomicos
23 coemoelogica   28 coniunta

ad visum et auditum et tractum pertinent.

516, 11 PRO RATIONE id est secundum rationem.

516, 12 EFFERENDA id est in acumen sublevanda.

516, 13 PREMENDA in gravem. A LICENTIA id est inordinata sine regula.

516, 15 RITHMIZOMENON id est numerabile quod numerari et in artem 5
dirigi potest.

516, 16 NUMERUS id est ipsa materies.

516, 17 APPONITUR id est additur.

517, 3 NOBIS id est musicis.

517, 4 RETOZITE id est numeri inquisitio. 10

517, 5 PROPRIE CONVERSIONIS id est ad reditum. FLEXUSQUE LEGITIMOS
id est reditus rationabiles.

517, 9 HI QUOQUE id est numeri.

517, 11 MODIS id est modulationibus.

517, 18 CADERE non possunt quia excedunt legitimos pedes. RITH- 15
MOIDES id est forma, ENRITHMON numerabile quia formam numeri habet.
ARITHMON numero carens quia in nullum certum numerum cadit. RITH-
MOIDES quae partim numeros assumunt, partim vero dissentiunt.

518, 3 TERTIUM id est genus.

518, 4 AGOGEN ascendentem. 20

518, 6 RITHMOPOEIA numeri factura.

518, 7 EFFINGI id est in metrum vel versum.

518, 8 ATOMUM insecabilis.

518, 9 RECISIONIS hoc est divisionis.

518, 11 CONTENTA sufficiens. 25

518, 12 PER SONUM id est tonum.

518, 13 AUT SPATIUM id est per divisionem toni. SINGULARE indivisibile.

518, 18 DIATONUS id est numerum legitimorum pedum pro numero
temporum posuit. Legitimi autem pedes aut dupli sunt, id est duabus

5 rizomino   6 regidi   13 hii   16 es | qui *corr.*   24
retionis   25 fusficiens   28 diatenus

syllabis, aut tripli ex tribus aut quadrupli ex quattuor. Potest et alia ratione intelligi ut duo tempora unius longe syllabae pro uno tempore accipiet ac sic non solum numerus syllabarum verum etiam et temporum quaternarium non transgreditur numerum qui plene rationis est, id est
5 quia sicut ternarius numerus numerorum omnium primus est, ita et quaternarius numerorum omnium ultimus plenae rationis terminus. Ipsa autem ratio est quoniam ex quaternario et membris suis denarius conficitur numerus; unum quippe et duo et tria et quattuor decem fiunt.

518, 20 IN HOC id est iure.

10 **519, 7** ΣΤΡΟΓΓΥΛΑ *Στρογγύλος* versus dicitur in quo nulla pars orationis integra locum pedis obtinet ut, 'Inmortale nihil mundi compage tenetur.'

519, 10 EXPETITUR PRECIPITANTER velociter cantantur. ΠΕΡΙΠΛΕΑ amplius vel copiose.

519, 12 SUSPENDUNT morantur.

15 **519, 14** PODICA pedalia. Pedalia, pedibus apta; *πούς* dicitur pes.

520, 3 VEL EORUM PARES id est epitriti.

520, 8 ALIA id est quarta per divisionem; ista divisio in simplicibus proportionibus pedum queritur.

520, 10 ΠΟΙΑ id est qualis. ΑΛΟΓΟΥΣ pedes dicit in quibus quaeritur
20 qualis ratio sit.

520, 11 ATQUE ILLA id est quinta.

520, 13 ALIA EST differentia.

520, 12 ESSE PEDES MULTIPLICES ILLIS, QUI SIMPLICES Sunt enim simplices pedes, multiplices dividuntur enim in duos pedes.

25 **520, 13** ALIA id est sexta, FIERI CONSUEVIT quod in syzygiis maxime venit prolixius tempus ut trocheus per contrarium ut in iambo.

521, 1 AEQUALIA id est dactilica. [*fol. 114ʳ*] EMIOLIA peonica.

521, 2 DUPLITIA id est iambica.

521, 4 DUPLEX id est proportio. Iambus et trocheus in temporibus
30 duplicem proportionem habent non autem in syllabis; tribrachys et molossus non solum in temporibus sed etiam in syllabis duplicem possi-

11 Cf. Iuvencus, *Evang. Hist., Praef.*, 1.

3 labarum *corr.*   10 stringilla | strigilis   12
perples   15 pos   19 poia | loicos   23 illis *post* multiplices *deletum*   25 sissugis   26
troxeus   30 tribtachus   31 molosus

dent proportionem. AD SINGULAREM id est ad unum.

521, 9 SIGNA hoc est temporum. NECTUNTUR id est iunguntur. AD ALTERUM hoc dicit quod omnes pedes qui aequali proportione dividuntur dactilico genere compraehenduntur quoniam a dactilo regulam divisionis accipiunt dum enim regula praecedit in dactilo, ceteri ad eandem regulam 5 considerantur, et hoc est quod dicit.

521, 11 VERUM DECURRET post dactilum videlicet EQUALITAS NUMEROSA usque ad XVI pedes, sed illa equalitas aut AD ALTERUM erit, hoc est unum ad unum, ut in pyrrichio, vel DUO AD NUMERUM GEMINUM, id est duo ad duo ut in proceleusmatico, et, si sola tempora consideraveris, in dactilo 10 et anapesto ceterisque similibus.

521, 10 FORTE autem dixit ac si dixisset: Si acceperis a sizygiis pedes eiusdem forme, maior erit numerositas. Nam sub ac regula equalitatis non sunt nisi x simplices; adduntur autem ex sizygiis sex.

521, 14 GEMINI id est bini. EMIOLIA sesqualtera. 15

521, 18 QUI id est pedes.

521, 20 A DISEMO id est a pede duorum brevium temporum ut pyrrichius procedit.

522, 3 A TRISEMO id est a pede trium temporum brevium ut tribrachus.
OCTO PEDES videlicet deducet, id est numerum syllabarum donec x 20 et VIII perficiet ex quibus in simplicibus inveniuntur VI, adduntur vero ex sizygiis XII.

522, 5 IN XV NUMERO id est pedum, ex quibus VII simplices sunt, amphima-cros bacchius antibacchius peones quattuor; adduntur autem a sizygiis VIII. 25

522, 6 EPITRITUS id est epitriti sunt IIII in simplicibus et adduntur x a sizygiis. Notandum autem quod non propter legitima metra sed propter rithmos pedes similium proportionum simplicibus syzigiis adduntur.

522, 7 PONENS id est suam proportionem. CUIUS epitriti. 30

522, 11 DUOBUS GENERIBUS Verbi gratia, ex dactilo et iambo. VEL PLURIBUS hoc est peonico et epitrito.

522, 12 UNO PEDUM GENERE id est ut dactilico.

4 dactilico dactililo *m. sec.* 7 dactileum | equali-
tasa 10 in// proceleumatico | consirau//eris 12 sisugiis 14 sisugus 22 sisugiis 24 brachius | antibachius | sisugiis 26 eptritus *corr.* 27 sisugiis 28 proportionem | exsigus 33 gere | dactiloco *corr.*

522, 13 TETRASEMI ut dactilus suique similes, id est pedes ut diiambus in duos iambos, distrocheus in duos trocheos.

522, 14 ALIQUANDO IN NUMEROS ut dactilus in tempora bis bina.

IN EXASEMO id est in diiambo et distrocheo qui et in numeros tem-
5 porum habent enim bis terna et in pedes habent enim bis iambos et trocheos. Resolvuntur molossi vero in numeros temporum solum modo, nisi forte quis dicat illum posse solvi in spondeum et in unam syllabam longam quae pro trocheo accipitur.

522, 19 PERIODOS Inter sizygiam et periodum talis differentia est quod
10 sizygia duorum solum modo pedum, periodos vero multorum, copula fit.

523, 8 POTIORIBUS id est maioribus.

523, 11 SUFFICERE quod vocatur monocolon, id est unius coli periodus.
SOLUS id est pes. CETERIS hoc est [*fol. 114ᵛ*] si ex alio genere fuerit.

523, 13 EORUM QUE id est sub regulas cadunt pedum sive simplices sint
15 sive duplices.

523, 15 PROCELEUSMATICO id est duo.

524, 6 SINECHES id est continua, συνέχω continuo.

524, 13 CONPENSET id est comtemperet.

524, 17 MONOCHRONON ut in iambo et trocheo in quibus tria tempora
20 brevia, vel unum breve et aliud longum.

524, 20 QUATTUOR ut spondeus in quo et quattuor et duo longa memorantur.

524, 21 QUAE id est brevia tempora.

524, 24 QUOD IN POSITIONE quod pro quantum.

25 **525, 1** GEMINUM id est in una syllaba. INSEQUENTI id est in positione.

525, 2 PAR id est priori. QUARE id est in hac ratione.

525, 3 APO MIZONOS Ionicus a maiore. DACTILUS id est similitudinem dactili habet.

525, 4 QUI AP' ELASSONOS id est Ionicus minor.

30 **525, 10** PER COPULAM id est per geminationem duorum, NUMERI id est diversi pedes.

3 bima   4 exemo   6 molosus   9 sisugiam   10 sisugia   16 proceleumaticoi   17 sinecho   19 MONOKRONON   21 pondeus *corr.*   27 APOMIZONOC| ionicos   29 apellasonos

525, 13 VEL PROCELEUSMATICO vel pro et.

525, 14 QUI id est Ionicus.

525, 16 ACCOMPOSITI hoc est incompositi numeri sunt qui ex eisdem pedibus, compositi vero qui ex diversis iunguntur.

525, 18 DIGITO id est δάκτυλος Grece, Latine digitus. ANAPESTOS a 5 verbo ἄνω, id est peto, sursum peto.

525, 21 SPONDEUS sacrificalis, a verbo σπένδω sacrifico.

526, 1 IONICOS id est inaequalis.

526, 3 REPRAEHENSI SUNT Veteres in teathris pedes repraehensibiles repraehendebant istos. 10

526, 5 IN QUO id est iambo.

526, 6 ERRANT currunt varianter.

526, 13 PROPINQUITATEM id est ut in iambo. Ut enim in iambo unum ad duo duplici proportione, ita in ortio quattuor ad octo in eadem proportione iunguntur. 15

527, 3 FINE id est initio quia sicut apud Grecos τέλος ἀρχή, hoc est initium et finis, sic apud Latinos finis non solum finem significat sed etiam et initium. Incipit itaque bacchius ex duobus longis instar trochei, finitur autem uno brevi ad similitudinem finis, id est principii iambi. 20

527, 5 HIS id est bacchio et iambo.

527, 7 PROVENIT currit in hoc genere, id est per periodum.

527, 11 TROCHEUS < AB > IAMBO DENOMINATUR id est ut trochei ab iambo inchoantes.

527, 15 EORUM VERO id est in quibus trocheus inter iambos. 25

528, 5 OCTO VERO id est praediximus.

528, 7 IAMBUS ἰαμβιάζω detrahere, duas aethimologias habet aut a verbo ἰαμβίζω, id est detraho aut a nomine ἰός, id est venenum.

529, 3 LIVORES inviolatas.

529, 5 ORTIUS orcia honestas. 30

		1 proceleumatico	5 dactilus	7 spondo	9 repraehensibilis
corr.	12 varianter *sic!*	13 propinquitat//em	14 ita *m. sec.*	16 ΑΡΧΕ	18 bachius
21 bachio	23 ab *addidi*	27 iambizi	28 iambizo	29 inviolias	

529, 7 PRODUCTE id est qui tantae prolixitatis est elatio eius ut non solum elatio verum etiam et positio, hoc est cessatio, existimatur compraehendere, ideoque semanticiis, id est recordans vel remanens, nominatur. EFFINGIT id est format.

5 **529, 8** BACCHIIS sacerdotibus Bacchi.

529, 9 SONO id est suo. ISQUE id est sonus. QUI sonus.

529, 12 DUO RITHMI hoc est de quattuor paeonibus duos pedes facit, quos etiam paeones vocat, primum siquidem et secundum paeona in unum pedem, tertium similiter et quartum in alterum copulat sed prior
10 in ratione sesqualtera quattuor et sex, alter vero sex et quattuor. Triplicem autem proportionem [*fol. 115ʳ*] dicit quia in ea in una syllaba geminantur tempora, longiorem vero arsin quia habet VIII tempora, tesis autem quattuor.

529, 13 LIDIUS quia in Lidia abundat peon tropus.

15 **529, 14** ET LONGA id est duobus temporibus et longa elatione, id est duobus temporibus.

529, 17 PER CONIUNCTIONEM id est quia non ex diversis generibus iunguntur in eo pedes.

530, 1 LIDIOS quasi λύσιος, solutus. MEMBRA DUPLICIA Duplicia
20 autem membra dicuntur aut quia de VII fiunt duo pedes, aut quia in ipsis duobus pedibus duplicantur membra, id est pedes.

530, 2 ΕΠΙΒΑΤΟΣ a gravioribus dictus.

530, 3 VELUTI UTENS id est quattuor membris, quattuor peonibus, ex quibus duo diversitates efficiuntur, id est duo peones incompositi.

25 **530, 5** HAEC id est omnia supradicta.

530, 6 DOCIMINE a verbo δοκέω quod triplicem habet significationem; δοκέω enim video, δοκέω puto, δοκέω approbo, inde docimines species, id est approbativae dicuntur.

530, 10 DACTILICO dactilo.

30 **530, 11** DEDUCTI producti.

530, 14 PROSODIACI quia pro uno accentu pronuntiantur.

3 recardans   5 bachis |
bachi   7 quatuor *corr.* | poeonibus   8 poeones | poeona   9 se   14 lidio | tropo   17
coniuntionem   19 ΔΙΣΙΟΣ   22 epipatoes | 26 docco   27 docco *ter*   31 prosodiazi

531, 2 BACCHIO id est bacchium inter syzygias computatur quia in duos pedes solvitur; prima syllaba illius locum pyrrichii obtinet ceterum trocheus est.

IONICUS autem a maiore spondeo pyrrichioque constat.

531, 4 IRRATIONABILES dicuntur quia ex similibus pedibus copulantur in quibus nulla profunda ratio quaeritur.

531, 5 QUOS ETIAM CORIOS id est tribrachus et trocheus.

531, 7 EX ELATIONE id est prior iambus pro una syllaba accipitur, sicut in trocheo prima syllaba arsin tenet, secundus vero iambus in unam <brevem> et unam longam. Si quis autem quaerit cur de una brevi et una longa unam elationem longam fecit, respondendum quia iste pes irrationabilis est.

531, 8 AD DACTILUM id est qui abet unam longam in arsi et duas in tesi et hoc est in syllabis.

531, 9 IONICUM id est duplum.

531, 10 ET IAMBICINUM id est iambicum in dupla.

531, 11 TROCHAEIDES figuram.

531, 15 QUINQUE id est numeri.

531, 16 INCIDENS desinens.

531, 17 IS id est numerus quia longa incipit. PER BACCHIUM id est antibacchium.

531, 18 DACTILUS PER CORIUM id est tribrachum. QUI EX IAMBI in quo numero corius praecedit dactilum ideo iambi similitudinem mutuat quoniam iambus et corius eadem proportione dividuntur.

532, 1 MUTUETUR id est accipitur. DACTILUS PER CORIUM id est trocheum. CRETICUS id est amphimacri. INDITIO NUMERI id est signo.

532, 5 PLENA PERCEPTIO id est plenus intellectus.

532, 6 HAEC <Melopoe>ia.

532, 12 ΣΤΣΤΑΛΤΙΚΟΣ id est stantes quia uniformiter unaquaeque semper stat.

533, 2 PROPRIA FIGURA id est sine dactilo.

1 bachio | bachium | sisygias   5 imilibus   7 tribachus *corr.*   10 brevem *addidi* | qis   13 dactilu
17 trochaides   20 bachium   21 antibachium   22 verbi   26 ditio   28 *gl. deleta est*   29
ΣΙΣΤΑΛΤΙΚΟΣ | unaque   31 pro·········a

533, 6 AUGUSTA ampla.

533, 7 CONTINUIT perseverare voluit <ut> quod docuit regulis artis probaret exemplis carminis.

533, 8 COEMESIN speciem carminis.

5 **533, 11** HABES SENILEM id est antiquam. Iambicum senarium id est trimetrum. Martianus iunior dicit deludens maiorem [*fol. 115ᵛ*] Martianum.

533, 12 MISCILLO id est vero et falso. LUSIT finxit. QUEM id est te. FLAMINE carmine.

10 **533, 13** PELASGOS id est Grecos. NITITUR conatur.

533, 14 CREAGRIS Creager duobus modis intelligitur, aut enim ab eo quod est κριός et ἄγριος aries rusticus, aut ab eo quod est creagra fuscinula vel arpago, CREAGRIS agrestibus, ATTICIS rusticis, aut acutis, et talis sit sensus: Dum nititur Satyra docere Grecos in artibus quae vix
15 a rusticis Atticis recipiuntur vel certe vix ab acutis Atticis approbantur.

533, 15 DECIDIT finita est.

533, 16 HAEC id est Satyra. INDOCTIS AGGREGANS id est artes et fabulas vera simul et falsa.

533, 17 FARCINAT implet.

20 **534, 1** CICLICAS tortuosas.

534, 2 GARRIRE inhoneste pronuntiare. CRUDA nova.

534, 3 NAUCI vili.

534, 4 TURGENS inflata.

534, 7 INQUIT id est Satira. FLAMINE id est spiritu.

25 **534, 9** LURGIS id est gluttosis.

534, 10 DANTEM id est suas fabulas.

534, 11 BOMBINATOREM id est pomposum. FLOSCULO id est superfluo.

534, 12 DECERTUM id est decertatum.

534, 13 URBS AELISSAE id est Kartago.

2 *verbum deletum* ut *conieci*   4 semisin | ca···minis   6 iu······r   9 famine   12 creos | agros   13 orpago | aticis   15 aticis *bis*   17 fulas   22 nauci nauti *m. sec.*   26 fabules *corr.*   27 hombinatorem   29 aelisae

534, 14 IUGARIORUM id est quia de Iugaria provintia fuit Martianus.
MARCIDAM id est antiquam.   VETERNUM antiquum.

EXPLICITA EST GLOSSA DE MUSICA

APPENDICES

APPENDIX I

NOTE ON TWO DATES IN THE *ANNOTATIONES*

Our information relative to the chronology of the life and works of John the Scot is not very satisfactory. De Wulf sums up our knowledge of the subject:[1]

> Né en Irlande entre 800 et 815, Jean Scot Erigène fit ses premières études dans quelque monastère irlandais. . . . On le trouve à la cour de Charles le Chauve en 850–51. Il est en pleine activité scientifique et il intervient dans les controverses théologiques retentissantes en publiant le *De praedestinatione*. Jusque-là, en effet, Scot s'était nourri de l'étude presque exclusive des auteurs latins, Cassiodore, Martiane Capelle, Isidore et surtout S. Augustin et Boèce dont il commenta, ce semble, le *De consolatione philosophiae*. En 858, à la demande de Charles le Chauve, il traduit et commente les oeuvres du pseudo-Denys (sauf la *Théologie mystique*). Puis il traduisait les *Ambigua* de Maxime le Confesseur et le *De imagine* (περὶ κατασκευῆς ἀνθρώπου) de Grégoire de Nysse. Enfin il composa le *De divisione naturae* (entre 862–866). Scot disparaît de la scène de l'histoire avec Charles le Chauve et ne semble pas avoir survécu aux années 870.

In the *Annotationes in Marcianum*, references to two different days, used for the sake of illustration, have proved disappointing as far as helping to date the treatise is concerned.

In both instances John the Scot is discussing the Dionysian cycle, that is the period of time which is equal to the product of the twenty-eight-year period that marks the return of the earth to a given position relative to the sun on the same day of the week, and the nineteen-year period (the Metonic cycle) which marks the return of the earth, the moon, and the sun to a given position relative to each other. In the first, he says:

> Quidam dicunt paschalem lunam tantum ibi crescere et decrescere lumine, id est circulus solis, nam circulus solis in xxviii annis constat sicut circulus lunae in xviiii. Verbi gratia, ut talis feria et talis dies mensis et talis annus bis Sextilis sit, ut hodie est, simul revertatur xxviii annorum spatium expectandum est, et iterum si bis Sextilis hoc anno fuerit in die dominica, non erit iterum in die dominica usque dum xxviii anni sint peracti. (373, 8).

It is tempting to assume that when he says, 'the second of August, as it is today,' and 'if the second of August falls on Sunday this year,' that he is describing the circumstances which existed in the year when he was writing.

The second quotation supplies not only the day of the month, and the day of the week, but also the age of the moon—three phenomena which would not coincide again before five hundred and thirty-two years had elapsed.

[1] M. De Wulf, *Histoire de la philosophie médiévale* (Louvain, 1934), I, 127–128.

Circulus lunae, id est reversio eiusdem ad eandem etatem quam nunc habet, post xviiii annos fit sicut reversio solis post xxviii. Verbi gratia, si hodie xx est, xii Kalendarum Septembrium non veniet usque dum xviiii anni sint finiti; iterum si xii Kalendarum Septembrium in secunda feria sunt, iterum post xxviii annos in eadem feria erunt, ut autem reversio sit et aetatis lunae et dies mensis et feriae post dxxxii annos fit quos appellat Magnum Annum. (457, 16).

I give my translation of the pertinent part.

If today is the twentieth (day of the moon), the twelfth of September will not fall (on the twentieth day of the moon) again for nineteen years; again, if the twelfth of September falls on Monday, twenty-eight years after, it will again fall on the same day of the week; moreover when there is a recurrence of the same age of the moon, the day of the week, and the day of the month after five hundred and thirty-two years, the phenomenon which is called the Magnum Annum occurs.

That 'XII Kalendarum Septembrium' means September twelfth is made clear by another quotation:

Circa ortum Arcturi, id est circa ortum Bootis qui ortus est in xii Kalendarum Septembrium. (294, 6).

In the latitude of Laon, where John the Scot may well have been writing this, the constellation of Bootes rises at approximately the middle of September.

Now it is evident that no one year could satisfy the requirements of both dates, having August second fall on Sunday and September twelfth fall on Monday. Since there are eight different years between 817 and 979 which satisfy the conditions of the first date, it is of little value. One is very ready to assume, however, that the second date, which imposes three conditions to be fulfilled, was the actual day on which that part of the commentary was being written. Unfortunately that date could fall only in the year 819, when the twelfth of September was on Monday and the moon was twenty days old.[1] Since that year is too early for the date of the composition of the treatise, we are forced to conclude that the two dates mentioned were selected entirely at random.

[1] I am greatly indebted to R. K. Marshall of the Mathematics Department of Wilson College for his calculation of the age of the moon, which was, of course, the chief factor in determining the date.

APPENDIX II

THE ΠΕΠΛΟΣ OF THEOPHRASTUS

In a ninth-century Bern manuscript (*LVI^b*) of Remigius' commentary on Martianus Capella, Usener[1] found the following scholion:[2]

> Corvinus rethor fuit. ipse est et corax siracusanus qui regulas theo-phrasti latinis tradidit Ἐκ τοι πεπλοι Θηοφραστοι τηχνεν αγον κοραξ συρακου ειρατο.

Without any question, the source of this garbled information is a gloss in John the Scot's *Annotationes*, on folio 83ᵛ of *C*:

> DE GENTE CORVINI Ἐκ 'τοῦ Πέπλου Θεοφράστου, id est ex Peplo Teofrasti; τέχνην, id est artem, λόγων verborum, Κόραξ corvus, Συρακόσιος εὖρατο invenit.

The same quotation is found in the Dunchad commentary.[3] What this Πέπλος of Theophrastus was, is a question. No mention is made of such a work in Diogenes Laertius' life of Theophrastus. A second quotation from it is given in a Laon (*444*) manuscript of the ninth century written by Martin of Laon, an Irishman who belonged to the same school as John the Scot. The short quotation is given in Latin, and deals with the invention of the Greek alphabet.[4] Usener would attribute the quotation in the Remigius commentary (he does not mention the Laon manuscript) to a Byzantine poet earlier than the seventh century, whose forgery of the name of Aristotle's pupil was successful in deceiving the commentator.[5]

The notion that the word 'Πέπλος' was the name of a literary genre charac-terized by its miscellaneous contents is confirmed by Aulus Gellius[6] and Clement

---

[1] *Rheinisches Museum*, xxv (1870), 606.

[2] Martianus Capella, 214, 12.

[3] Cf. M. Manitius, *Neues Archiv*, xxxvi (1911), 58. The Dunchad commentary seems to have enjoyed no such great popularity as that of John's.

[4] M. E. Miller, 'Glossaire—grec-latin de la Bibliothèque de Laon,' *Notices et Extraits des manu-scrits de la Bibliothèque Nationale*, xxix, 2 (1880), 181: "Ἐχ πέπλο τεοθράστι proprium et interpel-latur deum intelligens. Primi quidem invenerunt (*sup.* s. apud quosdam Caldei) litteras Aegiptii. Secundi Foenices (*sup.* i. Afri), unde foeniceae (*sup.* i. rubicundae) litterae dicuntur. In Graeciam autem Cathmos Sidonius, Agenoris filius detulit litteras. Sunt autem hae numero xvi; Α Β Γ Δ Ε Ι Κ Λ Μ Ν Ο Π Ρ Σ Τ Τ. Post vero Cathmum Palamidis filius Naucligrecus (*sup.* proprium) invenit Ζ Θ Χ Φ. Deinde Simonides filius Leopreppi, Η Ξ Ψ Ω. Fiunt omnes xxiiii. De inventione littera-rum sic accepimus.' Miller says that he is unable to locate the quotation in the works of Theophrastus.

[5] *Rhein. Mus.*, xxv, 607. He gives as another example of the same thing a Byzantine poem published in Ideler's *Physici et medici Graeci minores*, II, 328–335: 'Θεοφράστου φιλόσοφου περὶ τῆς θείας τέχνης διὰ στίχων ἰάμβων.'

[6] *Noctes Atticae, Praef.*, vi. In justifying the title *Noctes Atticae*, which indicates little concerning the nature of its varied contents, Aulus Gellius shows that his choice is not without precedent: 'Nam-que alii *Musarum* inscripserunt, alii *silvarum*, ille πέπλον, hic 'Αμαλθείας κέρας, alius κηρία, partim λειμῶνας.'

of Alexandria.[1] The only considerable remnants of an ancient 'Πέπλος' are ascribed to Aristotle. The problem of their identification is involved in the most perplexing difficulties.[2] It remains, however, that from very early times, the name of Aristotle became attached to a certain piece of literature,[3] extant in fragments, all of which are epigrams on Homeric heroes, which was known as the Πέπλος. The rather commonplace information given in the two references to the Πέπλος of Theophrastus, namely on the development of the Greek alphabet,[4] and the name of the alleged founder of rhetoric, Corax,[5] was certainly familiar to Aristotle, and most probably to Theophrastus, whose name is always associated with his master's for his work on rhetoric.[6] It is, therefore, perhaps most consistent with logic to assume that this is actually a lost work of Theophrastus.

---

[1] *Stromatum* (Migne, *P. G.*, IX, 209): 'ἐν μὲν οὖν τῷ λειμῶνι τὰ ἄνθη ποικίλως ἀνθοῦντα κἀν τῷ παραδείσῳ ἡ τῶν ἀκροδρύων φυτεία, οὐ κατὰ εἶδος ἕκαστον κεχώρισται τῶν ἀλλογενῶν· εἰ καὶ λειμῶνάς τινες, καὶ Ἑλικῶνας, καὶ κηρία καὶ πέπλους συναγωγὰς φιλομαθεῖς ποικίλως ἐξανθισάμενοι συνγράψαντο.' Cf. also Cicero's reference to πεπλογραφία *Varronis* (*Att.*, XVI, 11, 3).

[2] The fragments are collected in V. Rose's *Aristotelis fragmenta*, 637–644, pp. 394–407. The question is discussed by F. Schneidewin in *Philologus*, I (1846), 1–45, and also by V. Rose in *Aristoteles Pseudepigraphus*, 563–579.

[3] In the list of the writings of Aristotle given in the onomatologon of Pseudo-Hesychius Milesius, published by Rose in the *Fragmenta* of Aristotle, 17, there is found the entry: 'πέπλος: περιέχει δὲ ἱστορίαν σύμμικτον.' Eustathios, *Commentarii ad Homerii Iliadem*, 285, 25 (on *Il.*, β, 557) comments: 'ἱστορεῖ δὲ ὁ αὐτὸς Πορφύριος καὶ ὅτι Ἀριστοτέλης σύγγραμμα πραγματευσάμενος, ὅ περ ἐκλήθη πέπλος, γενεαλογίας τε ἡγεμόνων ἐξέθετο καὶ νεῶν ἑκάτω ἀριθμὸν καὶ ἐπιγράμματα εἰς αὐτούς.'

[4] Cf. Hyginus, *Fabulae*, 277; Plinius, *Hist. nat.*, VII, 56. Here he refers to Aristotle.

[5] Cf. Cicero, *Brutus*, 12, which is considered to be a paraphrase of Aristotle's Τεχνῶν συναγωγή; Quintilianus, *Inst. orat.*, III, 1, 8–13, and II, 7, 7; Victorinus, *In Rhetoricam M. Tullii Ciceronis*, II, 2 (Halm, *Rhetores Latini minores*); Aristoteles, Τέχνης ῥητορικῆς, II 24, 11.

[6] Cf. Iulius Victor, IX (Halm, *op. cit.*); Victorinus, *op. cit.*, I (Halm, *op. cit.*, pp. 579, 581, 583).

APPENDIX III
DUNCHAD

Of the three commentaries on Martianus Capella written by the ninth-century scholars, Dunchad, John the Scot, and Remigius of Auxerre, the oldest is almost certainly that of Dunchad.[1] After the accretions of fictitious information which several generations of scholars have been attaching to the career of Dunchad[2] have been cleared away, little more than his name remains. In a British Museum manuscript (*Reg. 15, A. XXXIII*) a work of the ninth or tenth century, one folio which does not belong to the codex has been inserted outside the regular quire arrangement, and numbered three. As reported by Esposito in his analysis of the manuscript,[3] the folio bears the superscription:

> Commentum Duncaht Pontificis Hiberniensis quod contulit suis discipulis Monasterii Sancti Remigii docens super astrologia Capellae Varronis Martiani.

This is followed immediately by notes on the computation of time:

> Naturalis mensis lunae duobus diebus et vi horis et bis se perficitur; id est circum unumquodque signum his temporibus . . .

Fol. 4 begins with the commentary of Remigius on Martianus Capella. The rest of the manuscript from which the single folio was taken has never been found. From the one folio we obtain the sum total of our knowledge of Dunchad, namely that he was an Irish bishop who taught at the monastery of St Remi at Rheims, and that he wrote glosses for at least the book on astronomy of Martianus Capella. Conjecture makes him a resident of the Irish colony

---

[1] There is no transcription of the whole treatise. Manitius, in his article, 'Zu Dunchads und Iohannes Scottus' Martiankommentar,' *Didaskaleion*, I (1912), 138–172, gives all of Book II and the most important glosses from Books IV and V.

[2] Cf. *Histoire littéraire de la France*, VI, 549–550.

M. Manitius, *Geschichte der lateinischen Literatur des Mittelalters* I, 525–526.

Dom Gougaud, 'L'Oeuvre des Scotti,' *Revue d'Histoire ecclésiastique*, IX (1908), 258.

W. Turner, 'Irish Teachers in the Carolingian Revival of Letters, *Catholic University Bulletin*, XIII (1907), 563.

E. Narducci, *Bulletino di Bibliografia e di storia delle scienze matematiche e fisiche*, XV (1883) 553–555.

L. Traube, *Neues Archiv der Gesellschaft für ältere deutsche Geschichtskunde*, XVIII (1893), 104.

A. P. Forbes, *Remains of the Late A. W. Haddan* (Oxford and London, 1876), 285, 286.

W. Wattenbach, *Deutschlands Geschichtsquellen in Mittelalter* (Berlin, 1885), I, 334.

[3] *Zeitschrift für celtische Philologie*, VII (1909–10), 500–506. It was also given by Traube, *loc. cit.*, 103, and Narducci, *loc. cit.*, 554. In his article, Esposito was under the impression that the whole commentary was the work of Dunchad. In the next volume of the *Zeitschrift*, VIII (1910–11), 566–567, R. Fowler called attention to the error which Esposito acknowledged in *Zeitschrift*, IX (1913), 159–163.

M. R. James, *Cambridge Medieval History* (1922), III, 526.

at Laon and a teacher of Remigius.[1] The old *Catalogue de la Bibliothèque du Roi*, IV, 8 contains the following entry:

> 4854 Codex chartaceus, olim Mentellianus. Ibi continentur Duncani Macrudoeri, Scoti, annotationes in Pomponium Melam de situ orbis.

The first page is entitled simply 'Prolegomena Quaedam in Pomponium Melam.' Narducci[2] has given the *explicit*, 'Finis Annotationum in Pomponium Melam De Situ Orbis D. Donati Macrudaeri Scoti.' That this is the work of the same Dunchad is doubtful.

The conjecture of Traube[3] and Manitius[4] that the incomplete anonymous commentary on Martianus Capella in *C* is the work of Dunchad has been accepted by almost all scholars.[5] It is unfortunate that no other copy of the treatise has been found,[6] for what we have is only a fragment of the original. Unannounced, it begins abruptly on the top of folio 25[r] with the lemma from the second book of Martianus (67, 11) 'Alii quoque huius,' and continues with glosses on the second book, as far as fol. 26[v], col. I, l. 11, where one reads, 'Finit II Liber de Nuptiis. Deest totus liber de grammatica. Incipit de Dialectica.' The end of the book is indicated on fol. 29[r], col. 2, l. 31, 'Finit. Incipit de Rhetorica.' A very curious thing happened on fol. 30[r], col. 2, l. 17, where a note reads: 'Rhetoricae Lector Noscas Hic Plurima Desunt.' What immediately follows, to the end (bottom of fol. 30[r]), consists of glosses from 222,19 to 232,5, all of which are identical in wording and order with John the Scot's, without additions or omissions. It is interesting to note that the copyist did not choose exactly the right place in John the Scot to begin his copy, for he overlaps what he has already done, to some extent. Dunchad had glossed as far as 224, 16, while the borrowed glosses begin at 222, 19, so that there are about twenty-five comments on material which had already been discussed. The significance lies in the fact that the two commentaries were so different in the words which they glossed that the copyist did not seem to realize his mistake. Manitius did not

---

[1] Manitius, *Gesch. der lat. Lit. des Mittelalters*, I, 502.

[2] *Bulletino*, XV, 556.

[3] *Neues Archiv*, XVIII (1893), 104.

[4] *Neues Archiv*, XXXVI (1911), 57.
Gesch. der lat. Lit. des Mittelalters, I, 525–526.
Didaskaleion, I (1912), 138–172.

[5] The notable exception is Esposito, whose views have become so modified that he not only doubts the identity of the fragmentary commentary in *C*, but believes that no commentary of Dunchad exists. Cf. 'Sur le prétendu Commentaire de Dunchad sur Marcien Capella,' *Didaskaleion*, III (1914), 173–181. Cappuyns (*Jean Scot Érigène, sa vie, son oeuvre, sa pensée*, 79) is of the opinion that the question has not been settled: 'Il faut donc renoncer à l'identification de Traube à laquelle, malgré tout, Laistner semble tenir encore. Quoi qu'il en soit d'ailleurs de Dunchad auquel appartient peut-être la version augmentée de Remi, le fragment anonyme du manuscrit de Paris n'est pas daté, et son rapport chronologique à Jean Scot ne nous paraît pas établi.'

[6] The manuscripts *Paris 8786* and *Paris 14754* which were long considered to be copies of the same treatise (Manitius, *Gesch. der lat. Lit. des Mittelalters*, II, 809) contain the text of the Remigius commentary.

observe this bit of borrowing, and consequently attributed the similarity of some of the glosses in the last part to Dunchad's and John the Scot's having drawn from a common source. The commentary ends as abruptly as it began (about one-third of the way through Book v).

I shall avoid repeating the information given by Manitius on the contents of the treatise and its relation to John the Scot, but shall attempt to add a little to what he has done. He has suggested[1] that often single glosses are fuller than the corresponding ones in John the Scot; that the Dunchad commentary tends to explain simple words, John the Scot, larger concepts; that like John the Scot, Dunchad indulges in long allegorical interpretations; and that astronomical comments are frequent and long. There seems to be a far more limited use of Greek than in John the Scot. Several passages betray theological bias.[2] Anything comparable to the little discussion which prefaces each book in John the Scot's *Annotationes* is lacking in Dunchad. No analysis of the meters of the verses is given; only one meter is even named. Glosses containing etymologies, and bits of information about grammar and rhetoric are common. Cases of queer derivations, strange definitions, and mistaken identities are not of rare occurrence.

Manitius' observation that Dunchad used a different manuscript of Martianus Capella from John the Scot's is very valuable. He cites the lemma on 72, 17 which Dunchad gives as 'NITALE Quidam codices habent NITALE'; John has 'AMITAL ros.' Several more instances might be given. Dunchad, at 74, 10 has the lemma 'ISEUM,' while John has 'IPSIUS.' The quotation from the *Iliad* at 213, 11 was very corrupt in all Martianus manuscripts. Certainly John, who translated it 'Pestis vir artis mala et contraria fecit,' must have been a different text from that of Dunchad who comments: 'ΔINOC scelera ANΔHP vir TA KAKH mala KAI et ANATAΩN superans CPATIΩ milites.'

The order of the lines in the manuscript Dunchad used may have been somewhat different in the passage where both commentators refer to the Πέπλος of Theophrastus (214, 12). In John the Scot, the lemma 'COMMUNE PIGNUS' followed by another lemma precedes the discussion of the Πέπλος; in Dunchad the Πέπλος and two more lemmata are given before 'COMMUNE PIGNUS' begins.

As sources, Manitius[3] has already indicated Macrobius,[4] Aulus Gellius,[5] Julius

---

[1] *Gesch. der lat. Lit. des Mittelalters*, I, 526.

[2] Cf. 69, 2: 'Pyrflegetonta est igneus fluvius totum infernum ambiens de circulo Martis manans. Figurate significat turbidam corpulentamque huius infimam aeris naturam, quia concreta est igne de superioribus tracto et aqua ex aere, in quo pagani putant peccatrices animas dampnari. Poete dicunt quod ex circulo Martis igneus Phlegeton progreditur, id est fluvius in quo terrentur animae malae viventes in hoc saeculo.'

73, 2: 'Septem germani quia in initio creaturarum VII dies fuerunt.'

77, 3: 'Intellectualis id est ubi non sunt corpora, spiritus et angeli.'

77, 6: 'Septem donis spiritus sancti illuminatos.' (This last was noted by Manitius.)

[3] Cf. *op. cit.*, I, 525, 526.

[4] 74, 7: cf. *Sat.* I, 17, 7; 74, 16: cf. *Comment. in Somn. Scip.*, II, 3, 3.

[5] 151, 10: cf. *Noctes Atticae*, VI, 14, 10.

Severianus,[1] Servius,[2] and Chalcidius,[3] to which I might add Virgil,[4] Isidore of Seville,[5] and St Augustine.[6]

With regard to the greatly disputed question of the connection between Dunchad's commentary and that of John the Scot, I should support Manitius' hypothesis that the two works were not directly related, but may have been derived from a common source.[7] To validate the theory, I would present for consideration a series of lemmata and glosses which seem to coincide approximately, and a second series which diverge.[8] Without giving the whole text of both, there seems no adequate way of indicating how frequently the two commentators gloss entirely different sets of words. This would indicate, of course, that one was not using the other as a guide.

I. Parallel Passages

	Dunchad	John the Scot
67, 13	Sybilla dicitur quasi syos bilin,[9] id est mens dei.	Sibilla σιὸς βουλή, divinum consilium.
71, 16	Themis obscuritas, caligo.	Temis caligo.
71, 17	Erigone virgo vel luctata.	Erigone aut angulus aeris aut contentiosa femina interpretatur; ἔρις contentio, γυνή mulier. Ideo hoc fingunt quia luctatio semper est in Mercurio cum sole. Absis Mercurii est in Erigone, hoc est in Virgine.
71, 18	Pinax est capsa organi in quo finguntur calami.	Qualiscumque tabula, si picta fuerit, pinax vocatur; proprie tamen capsa dicitur organi.
71, 19	Ybis id est ciconia.[9]	Ibis ipsa est ciconia; interpretatur autem ὄρνιν ὀφιοφάγον, id est manducans collubras.
72, 17	Capillitio vulsa, habens vulsum capillum, id est solutum.	Vulsa, soluta.

[1] 158, 8. Manitius believes that the part quoted has been lost.
[2] 70, 7: cf. *Aen.*, vi, 585.
[3] 78, 7: cf. *Comment. in Timaeum*, ccxix.
[4] 67, 16: cf. *Aen.*, vi, 36; 67, 18: cf. *Ecl.*, v, 1.
[5] 171, 18: cf. *Etym.*, xviii, 24; 212, 27: cf. *Etym.*, viii, 6, 11.
[6] 74, 12: cf. *De civ. dei*, vii, 25.
[7] His quotation of Dunchad's gloss, 'Attin Porphirius florem significare perhibuit' (74, 12), as a bit of evidence for the existence of an earlier commentary has no value, since it, in turn, is quoted from St Augustine's *De civ. dei*, vii, 25: 'Porphyrius, philosophus nobilis, Attin flores significare perhibuit.'
[8] The Dunchad glosses are given as they appear in the manuscript.
[9] Cf. Isidorus, *Etym.*, viii, 8, 1.

75, 2	Pirois Martis.	Pirois Martis.
75, 10	Ex calidis, id est ex parte Martis; humidisque id est ex parte Saturni.	Ex calidis, ex parte Martis inferius et ex humore superius Saturni.
75, 18	Draconis facies pro ipsa ferocitate frigoris.	Draco propter ferocitatem hiemis.
77, 10	Florem ignis lucem unde ignis floret.	Florem ignis lucem patris.
78, 19	Zeno magister Stoicorum qui de nuptiis scripsit.	Zeno scripsit de nuptiis.
78, 19	Archisilas qui de avibus disputavit.	Archesilas scripsit de natura avium.
80, 5	Mithos fabulas.	Mithos fabula.
151, 7	Sophismata cavillationes vacillationes. Est similitudo veritas ex falsitate sophisma.	Sophismata cavillationes. Sophista enim dicitur falsorum conclusor, ideo cavillatoriam artem, id est cavillam, dicuntur habere.
157, 5	Simplerasma confinis conclusio.	Simperasma id est confinis, conclusio.
210, 11	Caelicolum pro caelicolarum.	Caelicolum pro celicolarum.
210, 12	Phlegra civitas Macedoniae antiqua Gigantum bellorumque immanitate.	Flegrae Flegra est nunc civitas Macedoniae quae quondam fuerit Gigantum proeliorumque inmanium temeritate famosa, quae sola etiam diluvio mundi asseritur non operta, quod utique praestitit montium celsitudo.[1]
214, 12	Signum id est corvum. EK ex, ΤΟΥ ΠΕΠΛΟΥ peplo ΘΕΟΦΡΑCΤΟΥ Teufrasti, sic vocatur ipse liber, ΤΕΧΝΗΝ artem ΛΟΓΟΝ (verborum) ΚΟΡΑΞ (proprium nomen), CΥΡΑΚΟΥCΙΟC Siracusanus ΕΥΡΑΤΟ invenit.	De gente Corvini Ἐκ τοῦ Πέπλου Θεοφράστου, id est ex Peplo Teofrasti; τέχνην, id est artem, λόγων verborum, Κόραξ corvus, Συρακόσιος εὕρατο invenit.

II. DISSIMILAR PASSAGES

	Dunchad	John the Scot
67, 16	Eritra de matre vel insula.	Erithrea rubea.

---

[1] Cf. Solinus, *Collectanea*, 9, 6–7.

67, 16   Simmachi non quam Virgilius[1] dicit Deiphebam filiam Glauci.

Simmachia adiutrix.

70, 7   Per sistra Niliaca fontes omnium fluminum. Sistra species est indumenti quae maxime circa Nilum sive Aegyptum invenitur.

Sistra Niliaca dicit propter sonum qui primo tono constituitur. Sistrum organum est, quod genus tantum apud Aegyptios invenitur.[2]

70, 11   Felis id est damma vel simia.

Felis mitissima bestia est.

71, 20   Petaso talaribus.

Πέτομαι volo, inde petasum.

72, 1   Dilophon alitem ubi iste dicit quod a leva fuisset caprea; dilophon dicit quod fuisset ales pugnans cum serpentibus.

Ὄφις serpens, δειλία formido, inde dilophon, formidans serpentes.

72, 16   Anthias dea auxiliatrix virginum.

Antias contraria.

73, 2   Septem germani quia in initio creaturarum VII dies fuerunt. Consimiles praesidebant in prora, quia per XXIIII horas impletur dies.

Septem fratres in prora, septem <dies> in hebdomada quibus volvuntur omnia tempora.

74, 12   Attis Graece flos[3] dicitur, quem amavit Berecinthia id est altitudo terrarum, atque ideo Attis in solis adoratur figura, quia omnium florum princeps est sol et quodam modo creator. Attin Porphirius[4] florem significare perhibuit.[5] Et puer, id est Triptolemus.

Atti puer interpretatur, impetus vel proximus.

74, 13   Adon solem significat.

Adon cantans interpretatur.

75, 17   Melo Dorio id est modulatione Dorica, id est acuto sono.

Melo Dorio gravissimo sono.

77, 6   Septimo radiatos id est septies, septem donis spiritus sancti illuminatos.

Septimo pro septies, septem pro planetis, septem dies septimanae attribuunt.

78, 17   Endelichiam summa partem animae.

Entelechiam originem anime.

[1] Cf. Servius, *Aen.*, VI, 36.
[2] Cf. Isidorus, *Etym.*, III, 22, 12.
[3] Cf. Fulgentius, *Mit.*, III, 5.
[4] Cf. Augustinus, *De civ. dei*, VII, 25.
[5] Cf. Servius, *Aen.*, IX, 115.

79, 13	Papiam Popaeamque id est publicam legem. Popium et Papius scripturae de nuptiis.	Papius et Poppaeus duo iudices a Roma missi ad Ticinam, id est ad Hispaniam, ibi Romanas scripserunt leges.
80, 11	Chelis Latoia citharista, Diana.	Chelis Latoia, lyra Apollinis.
153, 10	Bromius mimus deorum, id est iocularis.	Bromius interpretatur edax, ab eo quod est βρῶσις cibus.
153, 17	Marsicae nationis Psilli in Africa, Marsi in Italia fuere incantatores serpentium, qui eos aut subito interficiebant, aut minime nocere sinebant.	Marsica enim gens est quae suos infantes inter serpentes ponunt et si illorum fuerint, serpentes nihil illis nocent.
155, 14	Clues pugna et clues nobilitas et clues defensio et clues incrementum, sed hic cluen quasi pugnatricem accipere debemus, de rhetorica enim dixit.	Cluen auditricem, id est rhetoricam dicit. Cluo enim audio interpretatur.
210, 13	Ephialta dii montium	Ephialta demones qui obprimunt homines in somnis.
212, 5	Rostra naves.	Rostra promuralia.
213, 11	ΔINOC scelera ANΔHP vir TA KAKH mala KAI et ANATAΩN superans CPATIΩ milites.	Pestis vir artis mala et contraria fecit.

The glosses on 67, 13; 71, 6; 72, 17; 75, 2; 75, 10; 78, 19; 78, 19; 80, 5; 151, 7; 157, 5; 210, 12; and 214, 12 are such close parallels that John the Scot's might easily have been taken for Dunchad's. In the instances where both gloss the same word, but in quite different ways, it is instructive to note that when it is a case where one is right and the other wrong, the more plausible glosses are usually given by John the Scot. This is true in 67, 16; 70, 7; 72, 16; 73, 3; 77, 6; and 80, 11; the reverse holds in 74, 12 and 74, 13. It is, of course, possible that John the Scot may have used Dunchad, substituting his own comments entirely where he disagreed with his model. It seems strange, however, that if this were the case he would have refrained from expressing his disagreement. At any rate, this comparison must serve to dispel the erroneous but widespread opinion that John the Scot's treatise bore such a great resemblance to Dunchad's that John the Scot must be considered quite dependent upon Dunchad.

INDEX NOMINUM ET LOCORUM

DATE DUE

NOV 3 1982	
NOV 10 1982	